A DIETA DA MENTE
— *para a* —
# VIDA

# A DIETA DA MENTE
## *para a*
# VIDA

## DR. DAVID PERLMUTTER

com **KRISTIN LOBERG**

## TURBINE O DESEMPENHO DO CÉREBRO, PERCA PESO E OBTENHA A SAÚDE IDEAL

Tradução
ANDRÉ FONTENELLE

*4ª reimpressão*

paralela

Copyright © 2016 by David Perlmutter, MD

A Editora Paralela é uma divisão da Editora Schwarcz S.A.

*Grafia atualizada segundo o Acordo Ortográfico da Língua Portuguesa de 1990, que entrou em vigor no Brasil em 2009.*

TÍTULO ORIGINAL The Grain Brain Whole Life Plan

CAPA Eduardo Foresti e Filipa Pinto

PREPARAÇÃO Cássia Land

REVISÃO Márcia Moura e Luciane Gomide

ÍNDICE REMISSIVO Probo Poletti

Dados Internacionais de Catalogação na Publicação (CIP)
(Câmara Brasileira do Livro, SP, Brasil)

Perlmutter, David
   A dieta da mente para a vida : turbine o desempenho do cérebro, perca peso e obtenha a saúde ideal — David Perlmutter com Kristin Loberg; tradução André Fontenelle. — 1ª ed. — São Paulo : Paralela, 2017.

   Título original: The Grain Brain Whole Life Plan : Boost Brain Performance, Lose Weight, and Achieve Optimal Health.
   ISBN 978-85-8439-068-7

   1. Carboidratos — Metabolismo – Obras de divulgação 2. Cérebro – Doenças – Aspectos nutricionais – Obras de divulgação 3. Dieta sem glúten – Obras populares 4. Receitas culinárias I. Loberg, Kristin. II. Título.

17-03478                                        CDD-641.5638

Índice para catálogo sistemático:
1. Dieta da mente : Promoção da saúde   641.5638

[2021]
Todos os direitos desta edição reservados à
EDITORA SCHWARCZ S.A.
Rua Bandeira Paulista, 702, cj. 32
04532-002 — São Paulo — SP
Telefone: (11) 3707-3500
www.editoraparalela.com.br
atendimentoaoleitor@editoraparalela.com.br
facebook.com/editoraparalela
instagram.com/editoraparalela
twitter.com/editoraparalela

*Este livro é dedicado à minha esposa, Leize.*
*Ser abençoado por seu amor é a luz*
*que mais ilumina a minha vida.*

# Sumário

Introdução: *Se você chegou a este livro, há um motivo* ............ 9

PARTE I. BEM-VINDO À DIETA DA MENTE PARA A VIDA ............ 17

1. O que é a dieta da mente para a vida? ...................... 19
2. Objetivos principais ........................................ 27
3. As regras da alimentação ................................... 50

PARTE II. O ESSENCIAL ........................................ 75

4. Como começar: avalie seus fatores de risco, conheça seus números e prepare sua mente ............................... 77
5. Passo 1 — A correção da dieta e do excesso de comprimidos .. 95
6. Passo 2 — O reforço das estratégias de apoio ................ 124
7. Passo 3 — O planejamento adaptado a você ................. 167
8. Problemas mais comuns ..................................... 177

PARTE III. HORA DE COMER! .................................... 191

9. Últimos lembretes e ideias de pratos ...................... 193
10. O plano de refeições de catorze dias ........................ 202
11. As receitas ................................................. 210

Agradecimentos ............................................... 257
Bibliografia selecionada ...................................... 259
Índice ....................................................... 271

# Introdução
## *Se você chegou a este livro, há um motivo*

O destino da sua saúde está em suas mãos. Esse destino pode ser perder peso sem esforço; livrar-se de transtornos neurológicos e outras doenças crônicas; ter energia sem limites; uma aparência radiante; um sono reparador; uma barriga "feliz"; um sistema imunológico robusto; alívio da depressão e da ansiedade; um cérebro aguçado e que pensa rápido; uma ótima sensação de autoconfiança e bem-estar; uma altíssima qualidade de vida...

São todos objetivos espetaculares, e garanto que em breve você terá esperanças de atingi-los. Aqueles que já seguiram meus protocolos puderam, de fato, comprovar esses resultados. Falo sério. Mas não se engane: conquistas de tal magnitude não são obtidas sem trabalho duro e sacrifícios. Pode ser que você não consiga mudar sua vida de um dia para o outro — cortar pão, refrigerante, suco de laranja, açúcar, cereais, bolos, alimentos processados — e adotar um estilo de vida totalmente sem glúten e de baixo carboidrato. Isso exige comprometimento e esforço. Mas, com este livro em sua estante, é factível.

Mais de 1 milhão de pessoas, no mundo inteiro, tiveram melhora na saúde — física, mental e cognitiva — graças ao livro *A dieta da mente*, que se tornou um best-seller instantâneo e foi seguido por *Amigos da mente*, outro best-seller instantâneo que contribuiu para o debate ao ressaltar a importância do microbioma humano — os trilhões de micróbios que habitam nosso intestino — para a saúde. Agora chegou a hora de juntar as forças de ambos em um programa de vida holístico passo a passo e altamente prático.

Bem-vindo à *Dieta da mente para a vida*.

O objetivo principal deste livro é ajudá-lo a pôr minhas ideias em prática no mundo real, mostrando-lhe que um modo de vida ideal depende de muito mais do que aquilo que você põe na boca. Ele se aprofunda nos conselhos centrais de minhas obras anteriores, além de apresentar novas e animadoras informações sobre as vantagens de ingerir mais gordura e fibras, consumir menos carboidratos e proteínas, banir de vez o glúten e cuidar da flora intestinal. Este livro inclui deliciosas receitas exclusivas, dicas para resolver problemas específicos, um plano de refeições de catorze dias fácil de cumprir e conselhos em relação a outros hábitos além da dieta. Da higiene do sono à gestão do estresse, somados a exercícios, suplementos e muito mais, com *A dieta da mente para a vida* você aprenderá a viver, a partir de hoje, com alegria e saúde.

---

*A dieta da mente* e *Amigos da mente* têm em comum, na essência, meus conselhos gerais de nutrição, acrescidos de todas as evidências científicas que os fundamentam. Eu recomendo vivamente que você os leia, caso já não o tenha feito, antes de adotar o programa aqui proposto. Eles explicam, com grande riqueza de detalhes, o PORQUÊ. *A dieta da mente para a vida* oferece o COMO. Se você já leu meus trabalhos anteriores, reconhecerá alguns ecos nestas páginas, mas isso é proposital. São lembretes que reforçarão sua motivação para mudar ou para continuar no caminho certo.

Minhas ideias podiam parecer incomuns quando comecei a escrever *A dieta da mente*, em 2012, mas desde então elas têm sido continuamente confirmadas pela literatura científica, e há ainda novas pesquisas de grande alcance em andamento, as quais abordarei neste livro. Até o governo dos Estados Unidos alterou suas recomendações nutricionais para se adequar a essas pesquisas, recuando de seu endosso a dietas de baixa gordura e baixo colesterol e se aproximando mais de minha maneira de comer.

Outro assunto deste livro que não contemplei nos anteriores é a perda de peso. Embora eu não tenha prometido explicitamente

> emagrecimento antes, sei, pela experiência de milhares de pessoas
> que cumpriram à risca os preceitos de *A dieta da mente* e *Amigos da
> mente*, que a perda de peso é uma das consequências mais comuns e
> imediatas do programa. E essa perda pode ser grande. Você não terá
> a sensação de estar numa dieta sofrida, não sentirá uma fome insaciá-
> vel, mas mesmo assim os quilos vão desaparecer.

Minha motivação para escrever este livro também se origina em minha experiência pessoal. Sempre tentei fazer o máximo possível para preservar minha saúde. Mas hoje, na casa dos sessenta, já vivenciei problemas de saúde e aprendi a superá-los com êxito seguindo meus próprios princípios. Acredito que este livro seja uma oportunidade para ficar em excelente forma pelos meus próximos quarenta anos de vida. Como qualquer pessoa da minha idade, corro o risco de sofrer de várias enfermidades comuns, e, em razão de meu histórico familiar, meu risco de ter Alzheimer é mais elevado. Porém, ao seguir as estratégias apresentadas nestas páginas, tenho reduzido meu risco e aumentado minhas chances. Quero apresentar-lhe aquilo que aprendi e pratico todos os dias.

Alguns de vocês chegaram a este livro supondo tratar-se apenas de mais um livro de dieta e estilo de vida que testará sua força de vontade e determinação por um período finito. Folgo em desapontá-lo nesse aspecto. *A dieta da mente para a vida* é o ponto de partida de um jeito saudável de viver que você poderá manter por tempo indefinido.

A alimentação é um componente central do programa, mas há outros aspectos-chave para atingir o resultado ideal: o *momento certo* de comer, dormir e fazer exercícios; pular o café da manhã uma ou duas vezes por semana; saber quais suplementos tomar e quais medicamentos podem ser abandonados; reduzir o estresse diário e até a exposição a substâncias químicas; cuidar dos relacionamentos e de você mesmo; tratar dos problemas da vida com naturalidade e leveza; criar uma rotina de objetivos de desenvolvimento pessoal; e encontrar tempo para os tipos de atividade física que turbinam o cérebro e ao mesmo tempo curam o corpo.

A parte I traz as respostas a "o quê", "por quê" e "como" do programa. Vou detalhar as regras básicas, apresentar novas informações e propor um esquema de três passos que o ajudará a pôr em prática minhas recomendações. Antes do passo 1, você realizará uma autoavaliação para medir seus fatores de risco, passará por alguns exames laboratoriais e preparará sua mente. Os passos principais são os seguintes:

Passo 1: **Corrija** sua dieta e o excesso de comprimidos.

Passo 2: **Reforce** suas estratégias de apoio.

Passo 3: **Adapte** o planejamento a você.

A parte II lhe dará todas as informações de que necessita para seguir meu programa, desde os alimentos a ingerir até os suplementos a tomar, e como empregar o poder do sono, da atividade física e de outras estratégias de redução do estresse para aumentar seu êxito.

Na parte III você encontrará dicas e lembretes finais, um cardápio com ideias de pratos, uma lista de compras básica, o plano de refeições de catorze dias e deliciosas receitas para saborear ao longo da jornada. Para mais recursos, acesse meu site, <www.drperlmutter.com>, constantemente atualizado.

UMA MENSAGEM PESSOAL

Antes de passarmos, nas próximas páginas, à parte científica, gostaria de compartilhar uma informação pessoal. Desde que *A dieta da mente* foi lançado, em 2013, muita coisa aconteceu em minha vida. O Alzheimer levou meu querido pai, outrora um brilhante neurocirurgião. Também fechei meu consultório médico e passei a espalhar minha mensagem através do ensino, dos meios de comunicação e do circuito de palestras. Tive o privilégio de cooperar com os maiores especialistas mundiais em diversos campos da medicina clínica e da pesquisa biomédica, cujo trabalho confirma ainda mais minhas recomendações — você vai ler sobre algumas dessas pessoas neste livro.

No início de 2016, tive que enfrentar a perda repentina e trágica de um amigo querido. Logo depois, eu passei por uma emergência médica que me levou a uma unidade de terapia intensiva. Mais adiante neste livro, você lerá a respeito, mas por ora é suficiente saber que isso alterou radicalmente meu ponto de vista. Ensinou-me, de maneira intensa, os perigos do estresse e o poder do amor. E reforçou a noção de que ter uma mente e um corpo saudáveis não depende somente daquilo que comemos e de quanto exercício fazemos. Depende de muito mais.

No dia seguinte à minha alta do hospital, fui a uma aula de ioga com minha esposa e a mãe dela. No final da aula, o instrutor leu um texto comovente, que me tocou de imediato. Era de um livro chamado *How Yoga Works* [Como a ioga funciona] e dizia, basicamente, que, para que nós possamos atingir nossos maiores objetivos de vida, devemos tentar manter "[...] um estado de espírito constante, humilde e alegre, em que procuramos o tempo todo encontrar maneiras de proteger os outros do mal — o dia inteiro, somente no pequeno mundo em que vivemos".

Embora eu não esteja mais envolvido de forma direta com o cuidado diário com pacientes, ao passar a outras coisas acredito que meu objetivo seja fazer exatamente isso — continuar a escrever, dar palestras, lecionar, aprender e fazer o melhor possível para proteger as pessoas do mal. Continuarei entrando em contato com elas, ouvindo suas histórias de transformação, incentivando-as. É incrivelmente gratificante saber que posso melhorar a vida de alguém — mesmo sem cirurgia ou receita médica. Que você também consiga mudar como pessoa depois de colocar em prática algumas das estratégias principais. Ao ler este livro, você já está dando importantes passos na direção de um futuro melhor e mais saudável.

Portanto, não importa o que o fez chegar a este livro — quer você esteja preocupado com a própria saúde, quer esteja preocupado com a de um ente querido —, fique tranquilo: você tem bem à sua frente uma oportunidade incrível. E, por mais dúvidas que você tenha, não é tão difícil assim. Certamente você já fez coisas mais difíceis na vida. Talvez já tenha dado à luz, criado um filho, cuidado de uma pessoa com necessidades especiais, administrado uma empresa, cortejado a pessoa amada ou enfrentado uma doença grave, como um câncer. Por isso, dê um tapinha em suas próprias costas, porque você já chegou até aqui, e saiba que o que você tem pela frente pode alterar sua vida de maneira profunda e positiva.

Tudo o que peço a você, neste momento, é que assuma esse compromisso. Você vai alterar sua relação com vários aspectos de sua vida, da comida às pessoas. Vai criar novos hábitos e rotinas. Vai transformar sua maneira de viver e colher a maior das recompensas: atingir todas as metas que eu relacionei anteriormente. Você não vai ficar contando os dias para que meu plano de refeições de catorze dias termine logo, ou ter a sensação repentina de estar sendo forçado a ingerir comidas que você não suporta, qualquer que seja o modo de preparo. Ao contrário: você vai progredir no seu próprio ritmo e, fazendo alguns ajustes em seus hábitos diários, aprenderá um novo modo de vida viável e sustentável *para você.*

Encare um hábito novo de cada vez. Seja paciente e gentil consigo mesmo. Tenho um amigo que também é médico e adora fazer a seguinte pergunta aos pacientes: "Quem é a pessoa mais importante do mundo?". Quando eles não respondem um sonoro "Eu", ele lhes ensina isso. Porque a verdade é esta: você é a pessoa mais importante do mundo. Reconheça isso. Esteja à altura disso. Você merece. Opte pela saúde. É o primeiro passo no caminho de um bem-estar magnífico.

Bem-vindo à *Dieta da mente para a vida.* Agora vamos começar.

PARTE I

# BEM-VINDO À DIETA DA MENTE PARA A VIDA

*Ganhei* A dieta da mente *e* Amigos da mente *como presentes de aniversário em 22 de janeiro de 2016, quando completei 71 anos, e dei início a uma dieta sem glúten, sem açúcar e rica em gordura no dia 1º de fevereiro. Depois de 25 dias, resolvi dois dos três problemas de saúde "neurológicos" que eu tinha: um tremor no braço esquerdo quando eu o apoiava no braço de uma cadeira, perda de equilíbrio e deterioração da memória. Ainda não posso dizer que melhorei desta última condição, mas tenho esperanças. Além disso, gosto de pensar que minha fala também está melhor, pois antes da dieta eu estava chegando a um ponto em que era difícil conversar com fluência, porque meu cérebro e minha boca tinham simplesmente parado de falar um com o outro. Também perdi três quilos!*

Antonio L.

# 1. O que é a dieta da mente para a vida?

*Nos próximos dezoito minutos, quatro americanos vão morrer por causa dos alimentos que ingeriram.* Isso representa uma pessoa a cada quatro minutos e meio, um dado quase impossível de conceber. Mas é a desoladora verdade. Foi com essa frase que o chef-celebridade Jamie Oliver iniciou sua palestra de dezoito minutos no TED, alguns anos atrás, chocando a plateia e os milhões de pessoas que desde então assistiram a esse vídeo. Oliver tem liderado uma cruzada contra o uso de alimentos processados nas escolas, e é um fervoroso defensor do direito da criança a produtos integrais e saudáveis, que não levem a uma vida de problemas de saúde crônicos, dor e doenças. Há quem afirme que a atual geração de crianças pode não chegar a viver tanto quanto seus pais, em grande parte por causa dos efeitos secundários da obesidade.

Mas o problema não são apenas as crianças. Nos países desenvolvidos do Ocidente, doenças relacionadas aos hábitos alimentares matam mais pessoas que acidentes, assassinatos, guerras, atos terroristas e *todas as outras doenças (não relacionadas aos hábitos alimentares) combinadas.* O sobrepeso, a obesidade, o diabetes tipo 2, a hipertensão arterial, os problemas cardíacos, as doenças bucais, os derrames, a osteoporose, a demência e vários tipos de câncer podem ser atribuídos, em alguma medida, aos hábitos alimentares. Alguns desses males existem há séculos, mas não nas proporções epidêmicas atuais.

Eu decidi me tornar neurologista, o médico especializado em transtornos cerebrais, mais de 35 anos atrás. Nos meus primeiros anos de prática, trabalhei a maior parte do tempo na linha do "diagnóstico e adeus". Em outras palavras, depois de fazer um diagnóstico, muitas vezes eu me via sem condição de oferecer algo a meus pacientes em termos de tratamento, muito menos uma cura. Na época, não havia nada disponível, o que era extremamente decepcionante tanto para mim, como médico, quanto para meus pacientes. Quero dizer aqui, porém, que muita coisa mudou desde então. Nem tudo para melhor. Primeiro, permita que eu contextualize um pouco mais os fatos.

Como você deve saber muito bem, ao longo do último século a ciência avançou bastante em diversas áreas da medicina. Cem anos atrás, as três maiores causas de morte provinham de germes infecciosos: pneumonia e gripe; tuberculose; e infecções gastrointestinais. Hoje em dia, poucos de nós morremos por contágio; as três maiores causas de morte são doenças não transmissíveis que são *na maior parte das vezes evitáveis*: doenças cerebrovasculares, doenças cardíacas e cânceres. Infelizmente, enquanto demos alguns passos adiante na redução das taxas de algumas dessas doenças crônicas, graças à farmacopeia e a uma melhora na prevenção, em minha área — evitar e tratar transtornos cerebrais — não houve quase nenhuma revolução. E são questões que representam alguns dos maiores desafios da medicina. Ao longo de minha carreira, foram inúmeras as ocasiões em que tive que dizer a meus pacientes que não restava nada em meu arsenal para tratá-los — que eles tinham uma grave doença neurológica que provavelmente iria destruir a vida deles e das pessoas amadas.

Apesar de bilhões de dólares investidos em pesquisa, não encontramos tratamentos relevantes ou cura para condições como Alzheimer, Parkinson, depressão, TDAH, autismo, esclerose múltipla e tantas outras. Até mesmo condições crônicas como obesidade e diabetes, que hoje afetam dezenas de milhões de pessoas e têm relação concreta com os transtornos cerebrais, carecem de terapias e medicações confiáveis. Atualmente, nos Estados Unidos, o impressionante número de uma morte em cada cinco é atribuído à obesidade, que figura entre os maiores fatores de risco para males relacionados ao cérebro.

Pode surpreendê-lo saber que a obesidade é, na verdade, uma forma de desnutrição. Por mais paradoxal que pareça, o obeso está superalimentado e subnutrido.

Os Estados Unidos estão entre as dez nações mais ricas do Ocidente onde as mortes por doenças mentais, sendo a mais comum a demência, dispararam nos últimos vinte anos. Na verdade, os americanos são líderes. Desde 1979, as mortes provocadas por doenças do cérebro nos Estados Unidos aumentaram espantosos 66% entre os homens e 92% entre as mulheres. Hoje, nos Estados Unidos, estima-se que 5,4 milhões de pessoas sofram de Alzheimer, número que se prevê que vá *duplicar* até 2030! No país, a cada 66 segundos uma pessoa desenvolve a doença, que mata mais que o câncer de mama e o de próstata somados.

Mais de 26% dos adultos americanos — ou seja, cerca de uma pessoa em cada quatro — sofrem de uma doença mental diagnosticável, de ansiedade e alterações de humor a transtornos psicóticos, transtorno bipolar e depressão profunda, que, hoje, é uma das principais causas de incapacidade no mundo inteiro. De cada quatro mulheres em idade ativa, uma toma antidepressivos, medicação que pode ser necessária pelo resto da vida.

Qual foi a última vez que você teve uma dor de cabeça? Ontem? Agora há pouco? A cefaleia está entre os problemas cerebrais mais comuns, chegando a ser, segundo algumas estimativas, a mais incidente. Mais pessoas se queixam de dor de cabeça que de qualquer outro problema médico. Embora quase todo mundo tenha cefaleias ocasionais, uma em cada vinte pessoas sofre de dor de cabeça diariamente. E incríveis 10% dos americanos sofrem de enxaquecas incapacitantes — mais que o diabetes e a asma somados.

Estima-se que a esclerose múltipla, uma doença autoimune incapacitante que destrói a capacidade de comunicação do cérebro com a medula espinhal, afete 2,5 milhões de pessoas no mundo inteiro. Cerca de meio milhão desses pacientes vivem nos Estados Unidos. O custo médio total, ao longo da vida, do tratamento de alguém com esclerose múltipla excede 1,2 milhão de dólares, e a medicina convencional nos informa que não há cura à vista. Fora a esclerose múltipla, os transtornos autoimunes em geral têm aumentado. Acho curioso e muito emblemático que, segundo estudiosos de doenças da Antiguidade, os chamados paleopatologistas, o ser humano não sofria de transtornos autoimunes antes da adoção de um estilo de vida agrícola. As doenças autoimunes não eram tão prevalentes na população quanto hoje. Algumas delas são três vezes mais comuns hoje do que eram várias décadas atrás — principalmente em países desenvolvidos, como os Estados Unidos. Eu gosto muito da explicação dada a esse fenômeno por Lierre Keith, autora do livro *The Vegetarian Mith* [O mito vegetariano]: "É porque são os grãos que podem fazer o corpo se voltar contra si mesmo. A agricultura nos devorou da mesma forma que devorou o mundo".

O transtorno do déficit de atenção com hiperatividade, também conhecido simplesmente como TDAH, foi diagnosticado em mais de 4% dos adultos americanos e em bem mais de 6 milhões de crianças americanas, e inacreditáveis dois terços dessas crianças tomam remédios psicoativos, cujas consequências de longo prazo nunca foram estudadas. Nada menos que 85% dos medicamentos contra TDAH em uso em todo o planeta estão concentrados nos Estados Unidos. É, com certeza, algo que não causa o menor orgulho. Os americanos são geneticamente diferentes do resto do mundo? Ou existe alguma outra coisa que pode motivar o uso exagerado desses medicamentos?

Também não podemos ignorar o aumento da predominância do autismo. Uma a cada 45 crianças de três a dezessete anos é diagnosticada com transtornos do espectro autista (TEA). Em meninos, esses transtornos são 4,5 vezes mais comuns que em meninas. O aumento do número de casos nos últimos quinze anos levou os especialistas a considerar o autismo uma epidemia dos tempos modernos. O que está acontecendo?

Por que vivenciamos, ao longo das últimas décadas, uma ascensão tão preocupante desses males? Por que não se encontram curas e tratamentos melhores? Como pode ser que apenas uma em cada cem pessoas chegue ao fim da vida sem algum tipo de diminuição das faculdades mentais, ou sem sofrer uma ou duas dores de cabeça? Com tantos cientistas e tanto financiamento, por que se progrediu tão pouco? A resposta, talvez, seja que simplesmente estamos procurando no lugar errado. Pode ser que a solução para esses transtornos complexos se encontre *fora* do cérebro, e até mesmo *fora do corpo*:

Está em nossa comida.

Está em nosso intestino.

Está em nossa forma de viver e de lidar com nossos compromissos e responsabilidades.

Está em nossa maneira de mexermos o corpo e continuarmos ativos, fortes, móveis, flexíveis e ágeis.

Está em nossa maneira de lidar com decepções, doenças, ferimentos e dor.

Está em nossos relacionamentos e compromissos sociais.

Está em nossa postura em relação à vida.

**E está neste livro.**

*A dieta da mente para a vida* lhe propicia uma maneira de assumir o controle sobre a mente, o corpo e o espírito. É uma solução para esses desafiadores problemas de saúde. É um estilo de vida. Desde já, devo ressaltar que não tratamos apenas de transtornos cerebrais. Como já detalhei em trabalhos anteriores, quase todas as doenças não transmissíveis têm muita coisa em comum. Portanto, quer estejamos falando de asma ou de Alzheimer, quer de diabetes ou de depressão, você se surpreenderia ao descobrir as conexões entre elas. Em breve você lerá a respeito.

Agora, permita-me por um instante bancar o advogado do diabo. Apesar do vasto conhecimento de nossa medicina atual, especialmente em comparação com aquilo que sabíamos um século atrás, o desenvolvimento da doença no contexto do corpo humano ainda é um mistério — até para os indivíduos mais cultos e brilhantes que estão no topo da literatura científica. Já descobrimos muita coisa: deciframos o código do genoma humano, nosso DNA; desenvolvemos avançadas ferramentas de diagnóstico e revolucionamos os tratamentos; produzimos vacinas, antibióticos e outros antídotos para combater os invasores conhecidos. Mas, diante de tudo isso, é extremamente difícil entender por que uma pessoa morre relativamente jovem, enquanto outra supera os noventa anos com todo o vigor. Ou por que um indivíduo de 85 anos aparenta ter 65, e outro parece já ter passado dos cinquenta quando na verdade mal chegou aos quarenta. Todos nós ouvimos falar do atleta sem fatores de risco documentados para doenças arteriais coronarianas que morre subitamente de um ataque cardíaco; a vítima de câncer no pulmão que nunca fumou; o magro fanático por saúde que recebe um diagnóstico de diabetes e demência precoce. O que explica esses fenômenos?

Precisamos aceitar certo mistério em torno do funcionamento do corpo e como ele fica ou não fica doente e debilitado. Também precisamos reconhecer que a forma como escolhemos viver — e pensar — tem um efeito significativo em nossa saúde e psicologia. É muito mais fácil — e mais barato — prevenir as doenças do que tratá-las uma vez estabelecidas. Mas não existe uma "prevenção localizada" que possa agir sobre uma área específica; temos que considerar o corpo como uma unidade complexa e integral. Essa é a ideia principal por trás deste programa.

Todos os dias eu encontro gente que tentou de tudo para obter a saúde desejada e merecida. Muitas vezes se tornaram vítimas de práticas médicas duvidosas e não comprovadas ou de nutrição inadequada, sem sequer saber disso. Reclamam de sintomas variados, que têm entre si tópicos comuns: falta de energia, dificuldade para perder peso, transtornos digestivos, insônia, dores de cabeça, baixa libido, depressão, ansiedade, problemas de memória, *burnout*, dor nas articulações, alergias constantes. *A dieta da mente para a vida* é um grito de alerta para todos aqueles que não conseguem alcançar e manter por tempo indefinido um bom estado de saúde. Todos os caminhos para a saúde ideal — e o peso ideal — começam por escolhas simples de vida.

Como costumo dizer, a comida é muito mais que o combustível para a sobrevivência do corpo: comida é informação. O que quero dizer com isso é que, no fim das contas, ela tem o poder de influenciar a forma como seu genoma pessoal — seu DNA — se expressa. Na biologia, esse fenômeno é chamado de epigenética, conceito que vou desenvolver um pouco adiante. A epigenética transformou o modo como pensamos o DNA e como pensamos a alimentação. Num nível mais básico, a comida também ajuda a gerar conexão entre seu estado de espírito e a forma como você se *sente*. O que você come tem um impacto direto na sua forma de vivenciar o mundo e atender às necessidades do corpo. O que você *faz* — no trabalho, nas rotinas diárias e em seu esforço para reduzir o estresse, cuidar de problemas crônicos e lidar com os problemas — também afeta seu corpo e o risco de vir a ter problemas graves de saúde. E otimizar as demandas naturais do corpo, meus amigos, é a essência da dieta da mente para a vida.

---

*A dieta da mente para a vida* pode ajudar em todas as seguintes condições de saúde:

- alergias e sensibilidade a alimentos
- alterações de humor, inclusive depressão e ansiedade
- artrite e dores nas articulações
- asma
- aterosclerose
- autismo
- azia e refluxo gastrointestinal
- cefaleias e enxaquecas
- diabetes e desejo irrefreável por açúcar e carboidratos
- disfunções da tireoide
- dores crônicas
- esclerose múltipla
- fadiga crônica
- fibromialgia
- hipertensão arterial
- infecções crônicas por fungos
- infertilidade
- insônia
- mau hálito, periodontite e problemas bucais
- prisão de ventre ou diarreia crônicas
- problemas de memória e de concentração
- problemas de pele, como acne, eczemas e psoríase

- resfriados ou infecções frequentes
- síndrome de Tourette
- sintomas menstruais e da menopausa exacerbados
- sobrepeso e obesidade, assim como dificuldade para perder peso
- TDAH
- transtornos intestinais, inclusive doença celíaca, síndrome do cólon irritável, colite ulcerativa e doença de Crohn
- e muito mais

Você não precisa estar doente para colher os enormes benefícios deste plano. Mesmo que esteja se sentindo relativamente bem e saudável, pode se beneficiar. Portanto, quer você esteja desesperado para conseguir um corpo melhor e uma mente mais clara, quer você queira apenas saber se está fazendo o máximo possível para viver melhor e por mais tempo, este programa é para você.

A maioria começará a sentir os efeitos do programa numa questão de dias. Mas leva um pouco mais de tempo para que ele tenha um efeito duradouro sobre o corpo, tanto no nível celular quanto no metabólico. Também levará certo tempo até que você reprograme sua atitude, para que desfrute sem esforço de um novo estilo de vida. Não importa quantas vezes você tenha fracassado ao seguir outros protocolos no passado, ou o quanto você seja reticente em relação à eficácia de minhas recomendações. O importante é você se concentrar em suas metas e acreditar que a felicidade e a boa saúde estão à sua espera.

# 2. Objetivos principais

Caso você seja como a maioria das pessoas, não consegue encontrar tempo livre em sua agenda sobrecarregada para se internar por um mês num spa ou num centro de saúde e bem-estar, concentrando-se apenas numa boa nutrição, no alívio do estresse e em duas aulas diárias de ginástica. Escrevi este livro a fim de lhe oferecer as ferramentas necessárias para obter o resultado máximo no menor intervalo de tempo. Espero que você persista em sua rotina diária e faça tudo o que estiver a seu alcance para pôr em prática as alterações de estilo de vida que eu descrevo. Pedirei a você que dê início a uma rotina de exercícios (p. 125) e leve em conta seriamente todos os conselhos que sistematizei neste livro. Algumas das estratégias são fáceis de implantar, como beber mais água ao longo do dia e criar um diário para praticar a gratidão. Mas algumas talvez exijam certo tempo para dominar, como ser mais rigoroso com os horários de sono, criar uma rotina de treinos de força, usar parte do tempo para autorreflexão sem distrações, além de eliminar o glúten, os grãos e o açúcar de sua dieta. E não há problema nisso. Incluí várias ideias que ajudam a tornar factíveis e práticas essas estratégias no mundo de hoje.

Muitos de nós infelizmente vivemos de modo bastante reativo, e não proativo. Evitamos cuidar direito de nós mesmos, mas corremos atrás de várias outras coisas na vida, tomando conta de outras responsabilidades — e de outras pessoas. Não reduzimos o ritmo nem mudamos nossos hábitos até passarmos por uma doença ou um acidente que nos force a mudar de rumo — e nem sempre conseguimos encontrar esse rumo. Perpetuamos o pensamento negativista ou dizemos a nós mesmos coisas derrotistas, como "quando eu conseguir X" ou "quando eu juntar uma quantia Y, vou poder me cuidar". Mas, como você talvez saiba, isso raramente acontece na vida real. Quando chega a hora em que somos forçados a mudar, obter êxito pode se mostrar muito complicado. E as boas intenções para recobrar a saúde, quando poderíamos ter evitado o problema, em geral não funcionam do jeito esperado. Podemos ficar tão abatidos e exaustos que não resta motivação para fazer nada além de esperar por um diagnóstico sério e passar a depender de medicamentos pelo resto da vida. Cruzo com muitas pessoas que chegam à meia-idade cheias de problemas crônicos ou doenças graves, difíceis ou impossíveis de tratar ou reverter. Mesmo que elas disponham de todos os recursos necessários para obter cuidados de saúde da mais alta qualidade, pode ser tarde demais. Meu objetivo, em relação a você, é que comece a mudar hoje para prevenir um destino assim e para reduzir quaisquer problemas de saúde que você já tenha, desfrutando, doravante, de uma qualidade de vida melhor. Não seria maravilhoso depender menos de medicamentos e mais das engrenagens naturais do próprio corpo?

Fico espantado ao ver que, mesmo diante da atual epidemia de transtornos cerebrais e doenças crônicas, poucos de nós paramos para pensar em como nossas decisões diárias de estilo de vida pesam sobre o bem-estar. É da natureza humana preferir os atalhos, buscando uma receita, ou procurar uma poção mágica que, acreditamos, fará nossos problemas desaparecerem. Sim, optar por determinada dieta e evitar hábitos que nos criam problemas dá trabalho e exige esforço, mas não há motivo para fazer disso uma tarefa hercúlea. Assim que você começar a se sentir melhor, terá motivação extra para persistir.

Portanto, com isso em mente, vamos fazer um tour pelas principais metas do programa:

- reduzir e controlar processos inflamatórios

- transformar seu corpo numa máquina de queimar gordura, usando gordura

- equilibrar os níveis de bactérias benéficas no seu intestino

- equilibrar os hormônios, reduzir os picos de insulina e aumentar a sensibilidade à leptina

- assumir o controle de seus genes

- equilibrar sua vida

Vamos analisar essas metas uma por uma. Ao longo do caminho, vou lembrá-lo de algumas informações científicas básicas.

## REDUZA E CONTROLE OS PROCESSOS INFLAMATÓRIOS

Durante a minha carreira, uma das descobertas que mais mudaram paradigmas na ciência ocidental foi que o ponto central da maior parte das doenças e condições degenerativas, incluindo o excesso de peso e o risco de disfunções cerebrais, são os processos inflamatórios. A esta altura, é provável que você tenha uma ideia geral do que significa "inflamação", quando se trata do corpo. É um processo de cura natural do organismo, em que o sistema imunológico é temporariamente reforçado para lidar com aquilo que ele considera uma agressão ou ferimento. Seja na luta contra um resfriado, seja na recomposição de um músculo rompido, as inflamações estão no cerne do processo de recuperação.

O problema com os processos inflamatórios é que eles podem se tornar crônicos. Uma mangueira que é aberta no momento de apagar um pequeno incêndio é uma coisa, mas deixar a mangueira aberta indefinidamente põe outro tipo de problema em suas mãos. Milhões de pessoas são atacadas por processos inflamatórios que estão "abertos" de forma permanente. Seu sistema imunológico está ligado o tempo todo, sem que a pessoa se dê conta, como ocorreria no caso de um corte na pele ou uma garganta dolorida. É um tipo de inflamação sistêmica — um distúrbio do corpo inteiro, em banho-maria, em geral não limitado a uma área específica. A corrente sanguínea permite que ela atinja cada órgão do corpo; assim, somos capazes de detectar esse tipo de processo inflamatório insidioso por meio de exames de sangue.

Muitas das substâncias biológicas produzidas em razão de processos inflamatórios são nocivas às células, levando a disfunção e destruição celular. Não admira que pesquisas científicas de ponta mostrem que processos inflamatórios sistêmicos crônicos são uma causa fundamental de morbidade e mortalidade associadas a todo tipo de doença e praticamente todas as condições crônicas que você possa imaginar. Até mesmo o humor é afetado pelos processos inflamatórios. Uma das primeiras coisas que ouço das pessoas que aderem a meu protocolo é que seu impacto é mais que fisiológico; também há um tremendo efeito psicológico. E as novas descobertas científicas nos informam que transtornos de humor tão severos quanto a depressão têm raízes, na verdade, em processos inflamatórios — não necessariamente em substâncias químicas alteradas ou em baixa quantidade.

A dieta da mente para a vida ativa os caminhos do corpo que ajudam a reduzir e controlar os processos inflamatórios. Você adotará um estilo de vida anti-inflamatório e aplicará estratégicas básicas a seus hábitos cotidianos, criadas a fim de reduzir as inflamações. Substâncias naturais como as que você encontrará na dieta aqui apresentada (por exemplo, a cúrcuma) já foram descritas há mais de 2 mil anos pela literatura médica, mas somente na última década começou-se a compreender sua bioquímica intrincada e poderosa. Você vai, ainda, saber mais sobre os estudos recentes a respeito de como a atividade física e o sono também são peças-chave.

## TRANSFORME SEU CORPO NUMA MÁQUINA DE QUEIMAR GORDURA, USANDO GORDURA

Uma premissa básica de *A dieta da mente* é que a gordura — e não os carboidratos — é o combustível favorito do nosso metabolismo, e sempre foi, ao longo de toda a evolução humana. Argumentei em favor da escolha de gorduras de alta qualidade, e de menos preocupação com os alimentos ditos "ricos em colesterol". A terapeuta nutricional Nora Gedgaudas apontou uma formulação precisa no livro *Primal Body, Primal Mind* [Corpo primordial, mente primordial]: "99,99% dos nossos genes foram formados antes do desenvolvimento da agricultura". Como *Homo sapiens*, somos praticamente idênticos a todo ser humano que já caminhou sobre o planeta. E, como espécie, fomos moldados pela natureza ao longo de milhares de gerações.

No processo evolutivo humano, e durante a maior parte dos últimos 2,6 milhões de anos, a dieta de nossos ancestrais consistiu em carne de caça e frutas e hortaliças da estação. Buscávamos a gordura como uma fonte alimentar rica em calorias. Ela nos mantinha esbeltos e nos era útil no tempo em que éramos caçadores e coletores. Na verdade, éramos adeptos de uma dieta que, estima-se, continha até dez vezes mais gordura que nossa ingestão atual. Hoje em dia, a maioria das pessoas tem receio da gordura alimentar, equiparando a ideia de ingerir gordura à ideia de *estar gordo*. A verdade é bem diferente. A obesidade e suas repercussões metabólicas quase nada têm a ver com o consumo de gordura alimentar, mas têm tudo a ver com nosso vício em carboidratos. As pessoas continuam a gravitar em torno de rótulos como "gordura zero", "baixo teor de gordura", "multigrãos" e "grão integral", alimentos que contêm ingredientes cujos efeitos secundários atacam o cérebro e o corpo. Ingerir carboidratos estimula a produção de insulina, o que leva à produção e retenção de gordura e a uma redução da capacidade de queimar gordura (adiante falarei mais sobre a insulina). A gordura alimentar não provoca esse efeito. Além disso, à medida que consumimos carboidratos, desencadeamos a produção de uma enzima chamada lipoproteína lipase, que tende a levar a gordura para dentro das células; e a insulina produzida quando consumimos carboidratos piora as coisas, ao ativar enzimas que promovem o acúmulo de gordura.

> A necessidade de carboidratos para a alimentação humana é praticamente *zero*.

Quando digo às pessoas que é possível sobreviver — e *ficar mais saudável* — com uma dieta de zero carboidrato mas muita gordura alimentar, incluindo colesterol, deparo às vezes com rostos incrédulos. Mas isso tem mudado. Até bem recentemente, dizia-se que o cérebro precisava de glicose para sobreviver, e que, para obter esse nutriente, recorríamos aos carboidratos. Por fim prevaleceram as descobertas científicas, e hoje está bem claro que, sim, o cérebro necessita de glicose, mas que nosso corpo pode fabricar glicose. Repito: é o açúcar que consumimos que nos faz engordar — e não a gordura alimentar.

O mesmo vale para o colesterol: ingerir alimentos ricos em colesterol não tem impacto em nossos níveis de colesterol, e a suposta correlação entre níveis de colesterol mais altos e um risco cardíaco mais elevado é falsa. As últimas 100 mil gerações consumiram proteína animal e gordura saturada. Apesar disso, somos informados de que a gordura saturada é perigosa. O fato de que aproximadamente 50% da gordura no leite materno é saturada explica muito a respeito do valor e da importância das gorduras saturadas.

O que acontece, então, quando você reduz substancialmente sua ingestão de carboidratos e obtém uma quantidade maior de calorias a partir da gordura? Você transforma seu corpo numa máquina de queimar gordura. Quando você segue uma dieta pobre em carboidratos, mínima em proteínas e rica em gorduras saudáveis e fibras de origem vegetal, você estimula o corpo a usar a gordura como combustível, em vez da glicose. Mais especificamente, você força o corpo a recorrer a substâncias especializadas, chamadas cetonas, para obter energia. Na falta de carboidratos, as cetonas são produzidas pelo fígado, usando ácidos graxos da alimentação ou da gordura corporal. Essas cetonas são, em seguida, enviadas à corrente sanguínea, de onde podem viajar até o cérebro e outros órgãos para ser usadas como combustível. Uma dieta chamada cetogênica — que obtém 80% a 90% das calorias a partir da gordura e o restante a partir de carboidratos fibrosos (por exemplo, frutas e vegetais in natura) e de proteínas de alta qualidade — é a base da dieta da mente para a vida.

A dieta cetogênica não é uma novidade nem um modismo. Versões dela são utilizadas há séculos, e talvez datem dos tempos bíblicos.

Desde os anos 1920, ela tem sido empregada com êxito no tratamento da epilepsia resistente a medicamentos. Novas evidências vêm surgindo, de testes clínicos e pesquisa com animais, mostrando que as dietas cetogênicas ajudam a tratar uma série de transtornos neurológicos, desde dores de cabeça e problemas de sono até transtorno bipolar, autismo, câncer cerebral e outras doenças.

Quando seu corpo produz cetonas como combustível em vez de recorrer à glicose, ele está em estado de "cetose". Um estado de cetose moderada é saudável. Estamos moderadamente cetosos ao acordar, pela manhã, pois nosso fígado está mobilizando a gordura corporal para alimentar nossos órgãos famintos. O coração e o cérebro operam de forma mais eficiente com cetonas do que com açúcar, um aumento da ordem de 25%. A energia de que o cérebro necessita representa 20% do nosso consumo total energético, e células cerebrais saudáveis e normais prosperam quando usam cetonas como combustível.

Os transtornos neurológicos podem ter diferentes características e causas subjacentes, mas compartilham um elemento: a produção deficiente de energia. Quando o corpo usa cetonas para manter normal o metabolismo das células cerebrais, algumas dessas cetonas são um combustível mais eficiente que a glicose, pois fornecem mais energia por unidade de oxigênio. Estar em cetose também eleva o número de mitocôndrias — as fábricas de energia das células — nas células cerebrais. Pesquisas mostraram que a cetose auxilia o hipocampo, o centro principal de aprendizagem e memória no cérebro. Nos problemas cerebrais relacionados à idade, é comum que as células do hipocampo sofram degeneração, que leva a disfunções cognitivas e perda de memória. Mas, com maiores reservas de energia, os neurônios ficam mais protegidos contra os fatores de estresse dessas doenças.

É preciso acrescentar que, apesar de o corpo entrar em cetose, os níveis de glicose no sangue se mantêm fisiologicamente normais. Você não sentirá os males advindos de uma hipoglicemia, porque o corpo pode obter glicose a partir de certos aminoácidos e da quebra de ácidos graxos (além disso, como veremos na parte II, há uma cetona em especial que serve como uma excelente fonte alternativa de combustível e também tem o poder de evitar que o corpo consuma tecido muscular para gerar glicose).

O protocolo alimentar apresentado na parte II leva em conta os princípios cetogênicos básicos: a redução significativa dos carboidratos a ponto de obrigar o corpo a queimar gordura, enquanto a gordura alimentar e outros nutrientes acionam a poderosa tecnologia "pró-saúde" do corpo. O segredo, evidentemente, é ingerir o tipo certo de gordura. Explicarei melhor em breve.

## EQUILIBRE OS NÍVEIS DE BACTÉRIAS BENÉFICAS NO SEU INTESTINO

Em minhas apresentações, gosto de fazer referência a "Slick Willie" Sutton, um dos ladrões de banco mais famigerados e ativos do século xx. Certa vez, lhe perguntaram por que roubava bancos. A resposta dele: "Porque é onde tem dinheiro". Da mesma forma, você pode estar pensando: se a ideia é entender os problemas do cérebro, é ali que devemos procurá-los, não é? Mas é nesse ponto que a coisa começa a ficar interessante. Pesquisas recentes mostraram que a origem de muitos transtornos relacionados ao cérebro poderia não estar no cérebro, mas sim no corpo — particularmente no intestino. Vou repetir: o que está acontecendo neste momento no seu intestino desempenha um papel crucial na determinação do risco de sofrer de diversos problemas cerebrais. É por isso que otimizar a saúde do intestino e manter a estrutura e o funcionamento da barreira intestinal — a parede que separa o interior do intestino da corrente sanguínea — é fundamental.

Antes de tudo, uma rápida aula de anatomia. O intestino é, numa definição bastante básica, a "tubulação" biológica que vai da boca ao ânus. Tudo o que você ingere e não é digerido atravessa seu corpo e sai pela outra ponta. Uma das funções cruciais do intestino é impedir que substâncias estranhas penetrem na sua corrente sanguínea e atinjam órgãos e tecidos vulneráveis, inclusive o cérebro.

O intestino e o cérebro estão, na verdade, conectados de forma complexa. O intestino tem impacto sobre o funcionamento do cérebro, a curto e longo prazos; ele influencia seu risco de ter uma condição neurodegenerativa, como Alzheimer ou Parkinson. *Amigos da mente* abordou com profundidade a ciência do microbioma, em particular no que diz respeito à saúde do cérebro, e desde sua publicação novos estudos continuaram a confirmar os fatos. Por exemplo, em 2015, um estudo europeu de referência encontrou uma poderosa correlação entre um microbioma intestinal doente, o que se costuma chamar de "disbiose intestinal", e o desenvolvimento da doença de Parkinson. Há até quem chame a microbiota do intestino, ou a flora intestinal, de "pacificador" do cérebro.

O que compõe, exatamente, o microbioma humano? Ele consiste em uma enorme família de mais de 100 trilhões de organismos — a maioria, bactérias que vivem no intestino —, número que supera o de células do seu corpo numa proporção de dez para um. Os subprodutos metabólicos desses organismos, assim como seu material genético, também são considerados parte do microbioma. Por incrível que pareça, nada menos que 99% do material genético do seu corpo está armazenado em seu microbioma! Ele auxilia e nutre cada elemento de sua fisiologia, incluindo o que ocorre no cérebro.

Hoje sabemos que nossas opções de vida ajudam a determinar e sustentar nosso microbioma. Também sabemos que a saúde do microbioma influencia o funcionamento do sistema imunológico, os níveis de inflamação e o risco de doenças tão variadas quanto depressão, obesidade, síndrome do cólon irritável, esclerose múltipla, asma e até câncer. Na verdade, o Instituto Nacional do Câncer dos Estados Unidos revelou recentemente que certas bactérias do intestino regulam e "educam" o sistema imunológico de uma forma que pode ajudar a reduzir o crescimento de tumores; além disso, as bactérias do intestino também ajudam a controlar a eficácia de certas terapias anticâncer consagradas. Também trabalham muito em favor de nossa fisiologia: fabricam neurotransmissores e vitaminas que, do contrário, não conseguiríamos fabricar; colaboram para um funcionamento gastrointestinal normal; propiciam proteção contra infecções; regulam o metabolismo e a absorção de alimentos, e ajudam a controlar o equilíbrio da glicose no sangue. Podem influenciar até nossa magreza ou nosso sobrepeso, nossa fome ou nossa saciedade.

Novas informações científicas demonstram que os micróbios não apenas influenciam o tempo todo a atividade do DNA como também se tornaram parte do nosso próprio DNA ao longo da evolução. Em outras palavras, os micróbios inseriram seus genes em nosso código genético, ajudando-nos a evoluir e prosperar. Não é incrível? Nas palavras de uma respeitada equipe de pesquisadores de Stanford e da Universidade da Califórnia em São Francisco: "Descobertas recentes deixam claro que nossa microbiota é mais um órgão que um apêndice: seus micróbios não são apenas contribuintes-chave na saúde humana, mas componentes fundamentais da fisiologia humana". O Instituto Nacional de Saúde dos Estados Unidos tem investido mais de 190 milhões de dólares, ao longo de cinco anos, para investigar como o microbioma humano influencia a expressão dos genes. E em maio de 2016 a Casa Branca lançou um projeto de 500 milhões de dólares, intitulado Unified Microbiome Initiative [Iniciativa conjunta do microbioma], para estudar as comunidades microbianas da Terra. Trata-se de uma colaboração coordenada entre várias agências federais, universidades, organizações filantrópicas e empresas.

Na neurologia, campo em que historicamente curas e tratamentos nunca existiram, essa promissora nova área de estudo está enfim proporcionando abordagens revolucionárias para o alívio do sofrimento. Meus conselhos na parte II aproveitam ao máximo o poder dessas incríveis descobertas, mostrando como você pode tirar partido delas para sua própria saúde. E o melhor de tudo: você pode colher esses benefícios numa questão de *dias*.

---

Os microbiomas existem em todo o planeta. Além do microbioma humano, oceanos, solos, desertos, florestas e a atmosfera têm, cada um, seu próprio microbioma favorável à vida. Os microbiomas fascinam o mundo científico, gerando em todo o planeta projetos de pesquisa multimilionários. Um dado interessante: os micróbios dos oceanos produzem 50% do oxigênio que respiramos, ao mesmo tempo que absorvem dióxido de carbono. Micróbios que ingerem metano e vivem no fundo do mar também atuam como poderosos incineradores dos famigerados gases do efeito estufa. É importante reconhecermos que a saúde do planeta depende de suas comunidades microbianas.

Uma das principais áreas que as bactérias intestinais nos ajudam a controlar é a permeabilidade do intestino. Quando falamos de problemas de permeabilidade do intestino, ou da chamada "síndrome do intestino permeável", estamos nos referindo a problemas de eficiência das junções de oclusão — as minúsculas conexões entre as células que revestem o intestino e controlam a passagem de nutrientes desse órgão para o corpo através da circulação. Quando as junções ficam por algum motivo comprometidas, elas não conseguem policiar de forma adequada o que devem deixar entrar (nutrientes) ou manter do lado de fora (ameaças potenciais). Como "porteiros", essas junções determinam, em grande parte, o nível pessoal de inflamação — o nível básico que desencadeia processos inflamatórios no corpo em dado momento.

O termo "intestino permeável" costumava ser depreciado pelos médicos e pesquisadores convencionais, sobretudo por conta de sua relação com a autoimunidade. Mas um número impressionante de novos estudos bem elaborados vem mostrando seguidamente que, quando sua barreira intestinal sofre danos que possam resultar numa flora intestinal doente e incapaz de proteger o revestimento do intestino, você fica suscetível — em razão de um aumento dos processos inflamatórios e da ativação da resposta imune — a todo um leque de problemas de saúde, que incluem artrite reumatoide, alergias alimentares, asma, eczema, psoríase, síndrome do cólon irritável, doença celíaca, diabetes tipos 1 e 2, e até câncer, autismo, Alzheimer e Parkinson.

Segundo essas descobertas recentes, a parede intestinal tem tudo a ver com nossa tolerância ou reação adversa às substâncias que ingerimos. Uma ruptura na parede intestinal faz com que as toxinas contidas nos alimentos, como glúten e patógenos, passem por ela e mexam com o sistema imunológico. Essa falha afeta não apenas o intestino, mas também outros órgãos e tecidos, como os ossos, a pele, os rins, o pâncreas, o fígado e o cérebro.

> O que pode causar um microbioma intestinal doente?
>
> - dietas ricas em carboidratos refinados, açúcar e alimentos processados
> - dietas pobres em fibras, particularmente do tipo que afeta a flora
> - toxinas alimentares, como glúten e óleos vegetais processados
> - estresse crônico
> - infecções crônicas
> - antibióticos e outros medicamentos, como anti-inflamatórios não esteroides (AINES) e medicamentos contra refluxo ácido (inibidores da bomba de prótons ou IBPS); veja a p. 119

Quando pesquisadores da Universidade de Stanford, chefiados pelo dr. Justin Sonnenburg, investigaram a camada mucosa que reveste o intestino, descobriram que nela residem diversos grupos de bactérias vitais para a regulação da imunidade e dos processos inflamatórios. A camada de muco, que se renova de hora em hora, é crucial na manutenção da integridade do revestimento do intestino e no combate ao intestino permeável. Vem-se constatando que as bactérias dessa camada dependem das fibras alimentares para prosperar, e é por esse motivo que devemos consumir carboidratos sob a forma de frutas e vegetais ricos em fibras. São carboidratos complexos cuja quebra é feita pelas bactérias do intestino. É isso mesmo: as bactérias benéficas do intestino usam as fibras que ingerimos como combustível para o próprio crescimento delas.

Os prebióticos são uma forma especializada de fibra alimentar que nosso corpo não consegue digerir, mas que as bactérias do intestino amam consumir, e são uma parte importante da dieta da mente para a vida. Os prebióticos costumam ser classificados como carboidratos, porque são encontrados em muitas frutas e vegetais. Eles agem como uma espécie de fertilizante: estima-se que, para cada cem gramas de prebióticos consumidos, nada menos que trinta gramas de bactérias sejam produzidos. Enquanto as bactérias do intestino metabolizam essas fibras, elas produzem substâncias chamadas ácidos graxos de cadeia curta (AGCCS), que nos ajudam a continuar saudáveis. O ácido butírico (ou butanoico), por exemplo, é um AGCC que melhora a saúde do revestimento intestinal. Além disso, esses ácidos graxos ajudam a regular a absorção de água e sódio e aumentam nossa capacidade de aproveitar cálcio e outros minerais importantes. Na prática, reduzem o pH do intestino, o que inibe o crescimento de possíveis patógenos e de bactérias nocivas. Além disso, aumentam a função imunológica e até ajudam a explicar por que algumas pessoas têm dificuldade para perder peso mesmo cortando calorias. A produção desses AGCCS funciona como um sinalizador para o cérebro de que o corpo já ingeriu comida o bastante. Essa sinalização, por sua vez, faz com que o alimento avance mais depressa pelo intestino, o que reduz a absorção de calorias. Por outro lado, quando os AGCCS estão em níveis baixos, o corpo pensa que não se alimentou o bastante, o que faz a comida avançar mais lentamente, permitindo que o corpo extraia mais calorias.

A dieta ocidental típica fornece grande quantidade de calorias, mas pouca ou nenhuma fibra prebiótica. Por isso, apesar de nossa enorme ingestão de calorias, o sistema digestivo acredita que estamos famintos! O corpo reage a essa sensação enganosa de fome extraindo o máximo possível de calorias da comida. Isso pode representar uma das questões básicas por trás da obesidade. O americano médio consome escassos cinco gramas de fibras prebióticas por dia, enquanto se estima que nossos ancestrais caçadores e coletores consumissem nada menos que 120 gramas por dia. Vou lhe mostrar como estocar fibras prebióticas para que seu corpo não acredite estar passando fome e não tenha que arrancar todas as calorias possíveis da comida que você ingere.

Novas pesquisas também mostram que as bactérias do intestino desempenham um papel importante na manutenção da barreira hematoencefálica, que protege o cérebro de possíveis substâncias nocivas e também garante a homeostase do sistema nervoso central. Na verdade, há muitas semelhanças recém-descobertas entre a barreira hematoencefálica e o revestimento do intestino. Foi demonstrado recentemente, por exemplo, que a gliadina, uma proteína encontrada no glúten, pode levar a um aumento da permeabilidade da barreira hematoencefálica, da mesma forma que leva a um aumento da permeabilidade do intestino. Isso poderia ajudar a explicar a relação entre os alimentos que contêm glúten e os problemas neurológicos. Portanto, se você já achava ruim ter um intestino permeável, imagine só o que pode acontecer com um cérebro permeável! Com efeito, problemas na barreira hematoencefálica têm sido associados a Alzheimer, derrames, tumores cerebrais, esclerose múltipla, meningite, hidrofobia, convulsões e até autismo.

No outono de 2004, tive a oportunidade de dar uma palestra na Faculdade de Medicina de Harvard sobre o papel do microbioma na saúde e nas doenças cerebrais. Logo antes da minha vez de falar, conversei com meu amigo e colega dr. Alessio Fasano, uma das maiores autoridades mundiais em glúten e saúde, que também ia dar uma palestra. O dr. Fasano, que dirige o Centro de Pesquisa Celíaca do Hospital Geral de Massachusetts, em Harvard, deixou bem claro que, em sua opinião, o fator número um na formação do microbioma é a dieta. E sobre nossa dieta nós temos controle.

O dr. Lawrence David, outro pesquisador de Harvard, se debruçou sobre a questão do tempo necessário para que o microbioma humano mude, uma vez modificada a dieta. Seu estudo, publicado em janeiro de 2014, tratou das alterações nas bactérias do intestino ocorridas em seis homens e quatro mulheres, entre 21 e 33 anos de idade, quando consumiam uma dieta de base animal ou de base vegetal. Embora fosse um estudo reduzido, que envolvia um pequeno número de pessoas, ele serviu para estimular novas pesquisas. O dr. David documentou alterações bastante radicais na assinatura genética das bactérias do intestino em nada menos que *três* dias. Em outro estudo coletivo, envolvendo um consórcio de pesquisadores de Alemanha, Itália, Suécia, Finlândia e Reino Unido, descobriu-se que "um fator-chave na determinação da composição da microbiota intestinal é a dieta [...]. As dietas ocidentais resultam em composições da microbiota significativamente diferentes, se comparadas às dietas tradicionais". Suas pesquisas também constataram que, conforme a dieta, o funcionamento das bactérias intestinais pode variar consideravelmente. Além disso, relataram diferenças na expressão genética das bactérias.

Meu palpite é que a ciência vai, cada vez mais, valorizar o poder das "dietas tradicionais", ricas em gorduras saudáveis e pobres em carboidratos, e os perigos da dieta ocidental, rica em carboidratos e pobre em gorduras saudáveis.

> Pode ter sido audacioso dedicar um capítulo inteiro de *Amigos da mente* à relação entre a saúde do intestino e o risco de autismo, mas a ciência vem confirmando esse elo cada vez mais. Tem sido rotineiramente documentado em crianças com autismo um padrão de transtornos gastrointestinais, provocados talvez por um intestino permeável ou por uma disbiose intestinal. Uma teoria que vem tendo grande repercussão cogita que micróbios específicos, associados ao transtorno do espectro autista, criam subprodutos no metabolismo microbiano, que, por sua vez, afetam o funcionamento do cérebro humano. São descobertas tão relevantes que a Food and Drug Administration, o órgão americano responsável por medicamentos e alimentos, aprovou um estudo da Universidade do Estado do Arizona em que médicos vão realizar transplantes de microbiota fecal (TMFs) em um grupo de vinte crianças e adolescentes autistas, entre sete e dezessete anos de idade, com graves problemas gastrointestinais. O TMF é a terapia mais agressiva disponível para "resetar" e repovoar um microbioma doente. Nesse procedimento, bactérias boas, filtradas, são transplantadas de uma pessoa saudável para o cólon de outra pessoa.

O incrível papel do microbioma na manutenção de uma boa saúde vem fascinando pesquisadores de todo o planeta. Você saberá mais ao longo do livro, inclusive o que pode ser feito desde já para equilibrar a comunidade microbiana do seu intestino e evitar uma disbiose intestinal. Por enquanto, porém, vamos tratar de outro objetivo central deste programa.

## EQUILIBRE OS HORMÔNIOS, REDUZA OS PICOS DE INSULINA E AUMENTE A SENSIBILIDADE À LEPTINA

Seu sistema endócrino, que controla e administra os hormônios do corpo, em muitos casos é quem fica no controle de como você se sente — mal-humorado, cansado, faminto, excitado, doente, saudável, com calor ou com frio. Ele comanda o desenvolvimento, o crescimento, a reprodução e o comportamento, por meio de um intrincado sistema de hormônios, os mensageiros químicos do corpo. Esses mensageiros são fabricados em diferentes partes do corpo (por exemplo, a tireoide, as glândulas ad-renais, a pituitária ou as gônadas), viajando dali pela corrente sanguínea até atingir órgãos e tecidos. Ao chegar a estes, agem sobre os receptores para engendrar uma reação biológica — geralmente com o objetivo de efetuar mudanças que permitam que o corpo funcione sem sobressaltos e mantenha o equilíbrio. Eles desempenham um papel vital em todos os sistemas do corpo: reprodutor, nervoso, respiratório, cardiovascular, esquelético, muscular, imunológico, urinário e digestivo. Para manter o corpo em equilíbrio, o poder de um hormônio específico é, em geral, contrabalançado pelo poder de outro.

Desequilíbrios hormonais podem levar a sérios problemas de saúde — transtornos metabólicos e de tireoide, infertilidade, câncer, queda de cabelo, fadiga, depressão, perda de libido, dores crônicas e muito mais. O caos hormonal pode ocorrer de maneira absolutamente natural durante períodos de estresse ou como resultado do envelhecimento ou de diversos problemas de saúde que afetam essa harmonia. As mulheres passam por quedas no nível de estrogênio e oscilações nos hormônios da tireoide durante e depois da menopausa, enquanto os homens sofrem uma queda nos níveis de testosterona de 1% a 2% ao ano depois dos trinta anos (parte dessa queda, porém, pode ser atribuída a fatores de estilo de vida — em geral ganho de peso — e não apenas ao envelhecimento). Como acabamos de ver, um microbioma desobediente também pode ter a ver com isso. E os níveis hormonais podem ser afetados por certas toxinas.

A boa notícia é que muitas vezes as disfunções hormonais podem ser tratadas através da dieta... e através do plano de ação apresentado neste livro. Um fator crucial são os probióticos (literalmente, "pela vida"), bactérias vivas que você pode ingerir na comida e nos suplementos. Surgiram novos e notáveis estudos mostrando como o poder da probiótica pode equilibrar a insulina, o hormônio principal do corpo, assim como outros hormônios relacionados ao apetite e ao metabolismo; ela pode ajudar a reduzir e até a eliminar a resistência à insulina e o diabetes.

Permita-me lhe dar um curso básico sobre insulina e alguns outros hormônios importantes relacionados ao metabolismo. A insulina, como você provavelmente já sabe, é um dos hormônios mais importantes do corpo. Proteína transportadora produzida pelo pâncreas, a insulina é mais conhecida por nos ajudar a levar às células, sob a forma de glicose, a energia dos carboidratos que ingerimos. Ela circula na corrente sanguínea, onde pega a glicose e a leva para dentro das células de todo o corpo, para que possa ser usada como energia. O excesso de glicose, de que as células não necessitam, é armazenado no fígado como glicogênio ou depositado em células de gordura.

As células normais e saudáveis reagem sem dificuldade à insulina. Mas quando são incessantemente expostas a níveis elevados desse hormônio, como resultado de picos constantes de glicose — repito, causados em geral pelo consumo em excesso dos carboidratos modernos —, nossas células se adaptam e se tornam "resistentes" ao hormônio. Isso leva o pâncreas a bombear mais insulina, pois níveis mais altos são necessários para que a glicose penetre nas células. Mas esses níveis mais altos também fazem a glicose sanguínea despencar a níveis perigosamente baixos, o que provoca desconforto físico e gera pânico no cérebro.

Como detalhei em *A dieta da mente*, são irrefutáveis as conexões entre glicose alta no sangue, resistência à insulina, diabetes, obesidade e risco de transtornos cerebrais. As pesquisas mostram não apenas uma correlação entre um nível alto de gordura corporal e uma redução do hipocampo, o centro da memória no cérebro, mas também os efeitos de grande alcance que as consequências metabólicas do diabetes e da obesidade têm sobre o cérebro. A partir de 1994, quando a Associação Americana de Diabetes recomendou que os americanos consumissem 60% a 70% de suas calorias com carboidratos, a taxa de diabetes disparou. Assim como a incidência de transtornos cerebrais. Quem sofre de diabetes tem risco duplicado de vir a sofrer de Alzheimer.

A natureza precisa dessa relação só veio à luz recentemente. Para início de conversa, quando você é diabético, tem por definição um nível alto de glicose no sangue, porque seu corpo não consegue transportá-la para as células. E, se essa glicose permanecer no sangue, causará enormes danos. Vai aderir às proteínas do corpo, num processo chamado de "glicação", que por sua vez desencadeia processos inflamatórios, assim como a produção de radicais livres. Tudo isso — glicação, processos inflamatórios e produção de radicais livres — contribui para o Alzheimer, o Parkinson e a esclerose múltipla. Mesmo quando se é pré-diabético, quando os problemas de glicose no sangue estão apenas começando a surgir, há uma associação com um declínio nas funções cerebrais e tem-se um fator de risco para o pleno desenvolvimento do Alzheimer.

Em 2016, Melissa Schilling, professora de administração de empresas na New York University, contribuiu para nossa compreensão da relação entre o diabetes e o Alzheimer ao descobrir um caminho compartilhado entre essas duas doenças. Reunindo décadas de pesquisa em química molecular, diabetes e Alzheimer, ela encontrou um ponto em comum: a insulina e as enzimas que decompõem esse importante hormônio. As mesmas enzimas que decompõem a insulina também decompõem a beta-amiloide, proteína que forma bloqueios e placas no cérebro de quem tem Alzheimer. Quando se libera insulina em excesso (uma condição conhecida como hiperinsulinemia) em razão de obesidade, diabetes ou de uma dieta ruim, as enzimas ficam ocupadas demais decompondo insulina e deixam de decompor beta-amiloides, fazendo com que estas últimas se acumulem. O trabalho de Schilling levou a uma constatação surpreendente: quase metade dos casos de Alzheimer nos Estados Unidos se deve provavelmente à hiperinsulinemia. Felizmente, a hiperinsulinemia pode ser prevenida e é tratável usando o protocolo alimentar apresentado neste livro. (Há pouco tempo, tive a oportunidade de conversar com o professor Schilling no *The Empowering Neurologist*, meu programa de entrevistas on-line. O vídeo está disponível no meu site, <www.drperlmutter.com>.)

Existem dois outros hormônios importantes ligados ao metabolismo que também têm em comum uma relação com a insulina: a leptina e a grelina. A bioquímica desses três hormônios dentro do corpo é extremamente complexa e depende de uma intensa regulação, mas vou tentar destilar o necessário para que você compreenda por que é tão importante manter o equilíbrio desses hormônios cruciais.

A leptina e a grelina são os dois principais hormônios do seu apetite. Enquanto a insulina controla o uso de energia e o armazenamento a partir da ingestão de alimentos, a leptina e a grelina controlam sua sensação de fome ou saciedade — elas determinam o "play" e o "pause" de nossos padrões alimentares. A leptina, nome que vem da palavra grega para "magro", participa de dezenas de processos do corpo, incluindo ajudar e coordenar as reações inflamatórias, mas é mais conhecida por seu papel na supressão do apetite. Ela reduz a ânsia de comer, agindo sobre centros específicos do cérebro. Como gosta de afirmar a terapeuta nutricional Nora Gedgaudas, a leptina diz a seu cérebro que "a caçada acabou". É o que lhe permite largar o garfo e parar de comer. Eis, em poucas palavras, como funciona: quando as células de gordura começam a se encher e se expandir, elas liberam leptina. Quando essas células começam a encolher, com a queima de seu conteúdo para a produção de energia, a torneira vai sendo fechada aos poucos, e a liberação de leptina diminui. Por fim, quando você está de novo em condições de sentir fome, graças à liberação de grelina, o ciclo se reinicia.

A grelina, o "hormônio da fome", é desencadeada pelo estômago vazio e faz o apetite aumentar. À medida que o estômago se enche de comida e se expande, ele sinaliza ao cérebro que é hora de fechar a torneira da grelina. Como você pode imaginar, uma ruptura do equilíbrio entre a leptina e a grelina vai enlouquecer seu desejo por comida, sua sensação de saciedade e sua cintura. As pessoas resistentes à leptina não se sentem saciadas (e não conseguem parar de comer), fenômeno que Gedgaudas chama de "Santo Graal da obesidade". Da mesma forma que o excesso de insulina resulta em resistência à insulina (e em diabetes), o excesso de leptina, desencadeado por uma sobrecarga de carboidratos e açúcares na alimentação, resulta em resistência à leptina. E níveis elevados de insulina deixam o cérebro menos sensível à leptina.

Em razão da atual prevalência da resistência à insulina, a maioria das pessoas — qualquer que seja seu peso — libera duas vezes mais insulina do que trinta anos atrás, para a mesma quantidade de glicose. E essa insulina elevada é responsável por, talvez, 75% a 80% de toda obesidade.

Obviamente, o objetivo é não apenas alcançar o controle ideal de glicose sanguínea por meio de níveis saudáveis de insulina, mas também equilibrar a relação entre a leptina e a grelina e, em especial, aumentar a sensibilidade do seu corpo à leptina. Vou mostrar como fazer isso, através da dieta e também de sono e exercícios. A privação do sono reduz a leptina, fazendo seu cérebro receber a mensagem de que precisa ir em busca de mais calorias; a atividade física melhora a sinalização da leptina (assim como a sensibilidade à insulina).

## ASSUMA O CONTROLE DE SEUS GENES

Quando você pensa no DNA, o código genético que herdamos, provavelmente pensará nas características e nos fatores de risco que seus pais biológicos lhe transmitiram através do DNA deles. Eles lhe deram olhos azuis, um corpo atlético e uma propensão a sofrer de problemas cardíacos no final da vida? Antes achávamos que o DNA fosse uma espécie de marcador permanente nos cromossomos do corpo e que não havia como mudá-lo. Mas hoje sabemos que, embora os genes codificados pelo DNA sejam essencialmente estáticos (salvo na ocorrência de uma mutação), a *expressão* desses genes pode ser altamente dinâmica.

Já mencionei nas páginas anteriores uma das áreas mais empolgantes da ciência atualmente: a epigenética, o estudo de setores do seu DNA (conhecidos como "marcos" ou "marcadores") que influenciam a forma como seus genes agem e se comportam. Simplificando, esses marcadores epigenéticos influenciam sua saúde e longevidade, assim como a saúde e a longevidade dos seus filhos. De fato, as forças que atuam sobre a atividade do seu DNA hoje — para o bem ou para o mal — podem ser transmitidas a seus futuros filhos biológicos. A atividade epigenética pode alterar até o risco de seus *netos* sofrerem de certas doenças e desordens. Da mesma forma, esses marcadores podem ser alterados de modo a afetar a expressão de seu DNA de outra maneira, criando a possibilidade de alterar o risco subjacente de certas doenças.

As forças epigenéticas podem nos afetar desde o útero até o dia da morte. Ao longo da vida, há muitas janelas de tempo em que ficamos extremamente suscetíveis a influências ambientais que podem alterar nossa biologia e que têm efeitos secundários, como a demência e o câncer do cérebro.

Há uma molécula importante, para a qual eu gostaria de chamar a atenção, e que tem tudo a ver com nossa capacidade de controlar a expressão de nossos genes: Nrf2. Quando o corpo vivencia um elevado estresse oxidativo — outra forma de dizer que há um desequilíbrio entre a produção dos radicais livres e a capacidade do corpo de contrabalançar seus efeitos nocivos —, ele aciona o alarme através da ativação da Nrf2, uma proteína específica que está presente em todas as células. Ela fica adormecida, incapaz de se deslocar ou agir, a menos que seja liberada por um ativador de Nrf2. Quando ativada, migra para o núcleo da célula e adere a um ponto específico do DNA, o que abre então a porta para a produção de um amplo leque de antioxidantes importantes, assim como enzimas desintoxicantes. O resultado é tanto a eliminação de toxinas nocivas quanto a redução dos processos inflamatórios.

O papel principal da via Nrf2 é proteger as células de estresses exteriores, como toxinas e carcinógenos. É um circuito antiquíssimo. Como foi descrito em um artigo de 2014 de pesquisadores da Universidade do Colorado, a via Nrf2 é conhecida como "o principal regulador da expressão genética antioxidante, desintoxicante e de defesa das células". Por essas razões, inúmeras pesquisas vêm sendo realizadas para estudar o papel dessa via crucial para a sobrevivência, sobretudo em transtornos como o Alzheimer, o Parkinson, a esclerose múltipla e até mesmo o autismo.

Mas não é preciso esperar que o corpo soe o alarme para ativar a via Nrf2. Você pode acioná-la por meio do consumo de certos ingredientes em sua dieta e da restrição calórica. O DHA, uma saudável gordura ômega-3, encontrada em muitos peixes, tem ação direta sobre a via Nrf2, assim como substâncias encontradas no brócolis, na cúrcuma, no extrato de chá verde e no café, ingredientes que estão recomendados no protocolo alimentar deste livro. A restrição calórica, por sua vez, ocorrerá de forma bastante natural, em decorrência da abordagem de baixo carboidrato do protocolo, assim como em razão dos jejuns ocasionais (mais a respeito adiante).

Nos últimos anos, os cientistas descobriram que os lactobacilos — bactérias boas que são parte fundamental da comunidade intestinal e que podem ser encontradas nos probióticos — estimulam a via Nrf2. Em estudos experimentais, essas bactérias boas fizeram com que animais reagissem ao estresse acionando genes protetores através da via Nrf2. Isso ilustra o poder efetivo das bactérias amigas do intestino. Elas não apenas atuam criando substâncias vitais, necessárias à sobrevivência, como criam um ambiente que influencia na melhora de nossa expressão genética.

Em meus livros anteriores, não incluí o debate sobre os telômeros, mas a ciência finalmente vem proporcionando pistas a respeito de sua importância da forma como podemos afetá-los negativamente. Os telômeros são "fechos" nas extremidades dos cromossomos que protegem os genes e possibilitam a divisão celular. São, portanto, cruciais para nossa saúde, e acredita-se que escondam segredos em relação ao envelhecimento e ao desenvolvimento de doenças. Em termos de doenças cerebrais, por exemplo, pesquisadores do Instituto Karolinska, na Suécia, demonstraram recentemente que "os telômeros estão envolvidos no mecanismo de ativação efetivo por trás do desenvolvimento da doença [de Alzheimer] [...]".

Demonstrou-se que o estresse oxidativo, provocado por estresse psicológico ou por excesso de açúcares e carboidratos, encurta os telômeros e, assim, a vida. Quanto mais curtos os telômeros, mais rápido é nosso envelhecimento. O fumo, a exposição a poluentes e a obesidade podem causar estresse oxidativo, encurtando, dessa forma, os telômeros. Por outro lado, podemos protegê-los mediante exercícios aeróbicos, consumo menor de açúcar, mais fibras alimentares e mais DHA. É o que o protocolo deste livro vai ajudá-lo a fazer.

## EQUILIBRE SUA VIDA

É o que todos queremos: mais equilíbrio em nossa vida. Mais harmonia entre trabalho e lazer, além de mais força para superar as dificuldades, sobretudo aquelas que são inesperadas. Todos nós temos coisas que nos tiram do eixo, sejam problemas físicos, sejam mentais. Estou certo de que, assim que puser em prática as estratégias deste livro, você desfrutará de uma vida melhor e mais equilibrada. Agora, passemos às regras.

# 3. As regras da alimentação

Seu corpo é uma máquina de incrível dinâmica e autocontrole. Estão embutidos nele sistemas de verificação que o mantêm no prumo. Não é porque você enfia o pé na jaca e deixa de lado os exercícios por um dia, por exemplo, que você vai engordar meia dúzia de quilos da noite para o dia. O corpo não funciona assim. A cada segundo ocorrem várias transações celulares, sem que você perceba, que ajudam a manter o equilíbrio geral e as configurações preferidas do corpo — aquilo que chamamos de homeostase. Faça uma analogia com sua personalidade. Ela se mantém relativamente constante, embora você tenha dias bons e ruins, momentos em que seu humor piora e outros em que você se sente eufórico.

O corpo muda diariamente, de acordo com as experiências vividas e com a forma de lidar com elas. Mesmo assim, tende a retornar a uma base geral — um estado em que os hormônios e as outras biomoléculas fluam do jeito certo, os neurônios sejam acionados adequadamente e seu sistema imunológico trabalhe a seu favor, e não contra você. Podem ocorrer problemas, porém, quando se ignoram os sistemas do corpo que mantêm a homeostase. De uma hora para outra, podemos ficar vulneráveis a doenças e transtornos. E a maneira mais fácil de abrir a porta para as disfunções é por meio dos ataques que fazemos a nosso próprio corpo com nossas escolhas alimentares cotidianas.

Recomendo que você adote um diário para registrar o que ocorre em sua vida à medida que ela segue adiante. Você pode tomar nota não apenas de suas razões para adotar um novo estilo de vida, mas também de seus pensamentos e objetivos, dos acontecimentos que mais o afetam e da forma como você toma decisões. Tente manter um registro em tempo real de seus pensamentos e emoções, sobretudo aqueles relacionados à alimentação. Surpreenda-se comendo sem pensar por cansaço ou estresse. Descubra padrões entre seu bem-estar emocional e as decisões que você toma na vida cotidiana. Sua atitude e seu ponto de vista têm um enorme impacto em suas escolhas diárias e em sua saúde como um todo, e você pode aprender a usar a alegria, assim como a frustração ou a decepção, como elemento motivador em sua trajetória para o sucesso. Nos dias ruins, que são inevitáveis, tente aumentar a vigilância em relação aos momentos complicados que afetam seus padrões de comportamento, impedindo que você pratique atividades saudáveis. Essa consciência de si vai ajudá-lo a fazer mudanças positivas e evitar que você saia dos trilhos por causa de uma gôndola de salgadinhos ou daquele colega de trabalho insistente que trouxe um saco de rosquinhas.

Desejo que você aprenda a viver de um jeito que consiga manter a longo prazo. Neste momento, tudo o que peço é que aplique ao máximo minhas recomendações e preste atenção na forma como seu corpo reage e muda. Recalibre um dia, uma refeição, um pensamento de cada vez, e com o tempo você verá os resultados se acumularem. Por isso, respire fundo, relaxe e prepare-se para descobrir um eu inteiramente novo.

Vamos, então, adentrar o campo de treinamento. É hora de aprender as regras alimentares:

- elimine o glúten (mesmo que você ache que não tem problema com ele)

- reduza os carboidratos, aumente as gorduras e as fibras

- abandone os açúcares (os de verdade, os processados e os artificiais)

- evite alimentos geneticamente modificados

- tome cuidado com o excesso de proteína

- aceite as maravilhas do ovo

## ELIMINE O GLÚTEN (MESMO QUE VOCÊ ACHE QUE NÃO TEM PROBLEMA COM ELE)

Em *A dieta da mente*, escrevi bastante sobre o glúten, chamando essa proteína "adesiva", encontrada no trigo, na cevada e no centeio, de um dos ingredientes mais inflamatórios da era moderna. Defendi que, enquanto uma pequena porcentagem da população é altamente sensível ao glúten e sofre da doença celíaca, é possível que quase *todos* tenham uma reação negativa, ainda que despercebida, ao glúten. E agora meu ponto de vista vem sendo validado por muitos grupos de pesquisa excelentes, inclusive um consórcio de cientistas da Universidade Harvard, da Universidade Johns Hopkins, do Centro Médico Naval e da Universidade de Maryland, que publicaram suas conclusões em 2015. Na época, minha posição pode ter parecido audaciosa, agressiva e aparentemente chocante e controvertida, mas desde então tem sido seguidamente confirmada pela literatura médica. Permita que eu forneça mais detalhes e evidências atualizadas.

A intolerância ao glúten — com ou sem a presença da doença celíaca — leva à produção das citocinas inflamatórias, que desempenham um papel-chave nas condições neurodegenerativas. O cérebro está entre os órgãos mais suscetíveis aos efeitos deletérios dos processos inflamatórios, e os efeitos inflamatórios secundários do glúten chegam ao cérebro por meio de um intestino permeável, que não consegue impedir que esse ingrediente tóxico provoque uma reação imunológica. O glúten é um veneno silencioso, porque pode gerar danos permanentes sem que você saiba. Aqueles que sofrem os sintomas da intolerância ao glúten reclamam, antes de tudo, de dores abdominais, náusea, diarreia, prisão de ventre e incômodo intestinal. Também podem sofrer sintomas neurológicos, como dores de cabeça, confusão mental, cansaço pouco habitual depois de uma refeição que inclua glúten, tontura e uma sensação geral de instabilidade. A maioria das pessoas, no entanto, pode não apresentar sintomas visíveis e mesmo assim estar sofrendo um ataque silencioso em alguma outra parte do corpo; por exemplo, no sistema nervoso. Embora os efeitos do glúten possam começar com dores de cabeça sem explicação, fadiga crônica e ansiedade, eles podem degenerar em transtornos mais sérios, como depressão e demência. É importante compreender que não é preciso sofrer de sintomas gastrointestinais para ter um intestino permeável. Como expliquei no capítulo 2, essa condição pode se manifestar como um transtorno autoimune, em problemas de pele, como eczema e psoríase, problemas cardíacos e todo um espectro de problemas relacionados ao cérebro.

Embora tenha havido controvérsia em relação à intolerância ao glúten das pessoas que não sofrem de doença celíaca, a ciência chegou a um veredicto. A sensibilidade não celíaca ao glúten (SNCG) tornou-se, finalmente, um diagnóstico da medicina convencional. Em um dos artigos recentes mais espantosos, publicado na revista *Clinical Gastroenterology and Hepatology*, um grupo de pesquisadores italianos realizou um teste rigoroso (isto é, randomizado, duplo-cego, placebo-controlado) para determinar os efeitos da administração de doses reduzidas de glúten a pessoas com suspeita de SNCG. Os participantes foram escolhidos de forma aleatória para consumir, durante uma semana, um pouco mais de quatro gramas seja de um alimento contendo glúten (aproximadamente a quantidade encontrada em duas fatias de pão de fôrma), seja de um produto sem glúten (amido de arroz), que serviu de placebo. Ao longo desse período, os participantes não sabiam se estavam ou não ingerindo glúten. Em seguida, fizeram uma dieta sem glúten durante uma semana, e depois disso os grupos foram invertidos. Os pesquisadores encontraram uma relação clara entre o glúten e sintomas intestinais, irritação ao redor da boca e, sobretudo, confusão mental e depressão; isto é, sintomas não intestinais. Eles relataram o seguinte: "Concluímos que a nota geral para os sintomas foi significativamente maior quando houve ingestão de glúten, em comparação com o placebo".

Hoje o glúten pode ser encontrado em toda parte, apesar do progresso do movimento antiglúten na indústria alimentícia. Ele está escondido em tudo, dos derivados de trigo ao sorvete, e até nos hidratantes para as mãos. É usado como aditivo em produtos supostamente "saudáveis", sem trigo. Todos os dias encontro pessoas que me falam dos efeitos do glúten. O que quer que as aflija, sejam dores de cabeça crônicas e ansiedade, sejam diversos sintomas neurológicos sem um diagnóstico claro, uma das primeiras coisas que faço é propor a eliminação total do glúten de sua dieta. E não canso de me surpreender com os resultados. Nem recomendo mais que se façam testes de intolerância ao glúten. **É preciso partir do pressuposto de que você é sensível ao glúten, e evitá-lo por completo.**

É crucial a compreensão de que o glúten é feito a partir de dois grupos principais de proteínas, as *gluteninas* e as *gliadinas*. Você pode ser sensível a qualquer uma dessas proteínas ou a uma das doze unidades menores que compõem a gliadina. Uma reação a qualquer uma delas pode levar a processos inflamatórios. Novos estudos têm apontado a gliadina, em particular, como responsável por efeitos danosos ao revestimento intestinal, levando à permeabilidade. Nas palavras do dr. Alessio Fasano, de Harvard, "[...] a exposição à gliadina induz um aumento da permeabilidade intestinal em todos os indivíduos, tenham eles ou não doença celíaca".

Em 2015, o dr. Fasano publicou um estudo de referência mostrando o caos que a gliadina pode provocar, sendo até a possível culpada por transtornos autoimunes e câncer. Resumindo, a gliadina desencadeia a produção de outra proteína, chamada zonulina, que decompõe o revestimento intestinal e aumenta a permeabilidade. Como você já sabe, quando esse revestimento fica comprometido, substâncias que deveriam ficar dentro do intestino vazam para a corrente sanguínea e provocam processos inflamatórios. A descoberta dos efeitos da zonulina sobre o corpo levou os pesquisadores a procurar doenças caracterizadas pela permeabilidade intestinal. E (surpresa!) isso levou à descoberta de que a maioria dos transtornos autoimunes — inclusive a doença celíaca, a artrite reumatoide, a esclerose múltipla, o diabetes tipo 1 e a síndrome do cólon irritável — se distingue por níveis anormalmente altos de zonulina e por um intestino permeável. A zonulina é tão poderosa que, quando os cientistas expõem animais à toxina, estes desenvolvem quase imediatamente diabetes tipo 1; a toxina induz o intestino permeável, e os animais começam a fabricar anticorpos para as ilhotas pancreáticas, as células responsáveis pela fabricação da insulina.

Para aqueles que estão tentando perder peso, o glúten pode impedir o corpo de atingir esse objetivo. O sobrepeso e a obesidade, afinal de contas, também têm raízes nos processos inflamatórios. E é uma via de mão dupla: os processos inflamatórios provocam ganho de peso, e o ganho de peso provoca processos inflamatórios. Em primeiro lugar, o aumento das citocinas inflamatórias na corrente sanguínea, marcadores de processos inflamatórios, provoca resistência à insulina. Isso explica por que aqueles que sofrem de outras condições inflamatórias correm um risco maior de desenvolver diabetes tipo 2. Em segundo lugar, os processos inflamatórios agem dentro das próprias células de gordura quando a obesidade se desenvolve. É bem verdade que a gordura corporal tem uma utilidade; ninguém pode viver totalmente sem gordura. A gordura, em si, não é um tecido inflamatório, mas, em grande quantidade, além do que seria saudável para o corpo, pode ser problemática e desencadear um ciclo de processos inflamatórios que se autoalimenta. Essa inflamação intracelular no tecido adiposo provoca ainda mais resistência à insulina e ganho de peso.

Os processos inflamatórios que ocorrem no cérebro e no intestino exacerbam as coisas. Lembre-se de que a leptina controla o apetite e o metabolismo. Quando o processo inflamatório atinge o cérebro, mais especificamente o hipotálamo, ele resulta em resistência à leptina, que, por sua vez, prejudica o metabolismo da glicose e da gordura. Uma situação semelhante pode ocorrer no intestino: os processos inflamatórios do intestino causam resistência à leptina e à insulina, em grande parte em virtude da exposição às toxinas do intestino, que passam para a corrente sanguínea. Uma toxina em especial, o lipopolissacarídeo (LPS), é produzida no intestino, seu devido lugar, por certas bactérias. Quando os LPS se infiltram através do revestimento intestinal, porém, não apenas provocam processos inflamatórios como também resistência à insulina no fígado e ganho de peso.

Existem outras conexões entre os processos inflamatórios e sobrepeso/ obesidade. Mas o que quero argumentar aqui é que o glúten leva a um intestino permeável, que por sua vez abre as portas para processos inflamatórios crônicos, que tornam praticamente impossível a perda de peso. Já perdi a conta de quantas pessoas que deixaram de lado o glúten contam histórias de perda de peso significativa. Como já mencionei, não era algo que eu esperava quando escrevi meus livros anteriores.

Em 2015 e 2016, novas pesquisas surgiram apontando os efeitos danosos do glúten também sobre o microbioma. De fato, é bem possível que toda a cadeia de efeitos adversos que ocorre quando o corpo é exposto ao glúten comece com uma alteração no microbioma — o grau zero. Nem seria preciso dizer: você tem que eliminar esse ingrediente de sua vida. Mostrarei na parte II como fazer isso.

## REDUZA OS CARBOIDRATOS, AUMENTE AS GORDURAS E AS FIBRAS

O que é melhor para você, uma dieta pobre em carboidratos ou uma dieta pobre em gordura? Vamos recorrer à melhor literatura médica disponível. Um estudo da Universidade Tulane, publicado em 2014 na prestigiosa revista *Annals of Internal Medicine*, submeteu metade de um grupo de 148 homens e mulheres obesos que não sofriam de doenças cardiovasculares nem de diabetes a uma dieta pobre em gordura e metade a uma dieta pobre em carboidratos. Foram acompanhados, então, durante um ano. Os resultados foram convincentes: "A dieta pobre em carboidratos foi mais eficiente para a perda de peso e a redução dos fatores de risco cardiovasculares que a dieta pobre em gordura. A restrição de carboidratos pode ser uma opção para aqueles que buscam perder peso e reduzir os fatores de risco cardiovascular". Aqueles que seguiram a dieta pobre em carboidratos perderam mais peso, reduziram mais a circunferência da cintura, melhoraram seus perfis lipídicos (mais colesterol bom, menos ruim) e tiveram uma queda drástica de triglicerídeos, importante fator de risco para doenças cardiovasculares.

Pois bem, por que um livro sobre a saúde do cérebro abordaria a saúde do coração? Para início de conversa, mais de um terço dos americanos adultos sofre de pelo menos um tipo de doença cardiovascular, enquanto um terço do total de mortes se deve a essas doenças. O custo anual dos cuidados com americanos sofrendo de doenças cardiovasculares chega às centenas de bilhões de dólares, e projeta-se que alcance aproximadamente 1,48 trilhão em 2030. As doenças cardiovasculares são um dos mais importantes problemas de saúde pública dos Estados Unidos. Em segundo lugar, tanto essas doenças quanto a obesidade são fatores de risco bem documentados de doenças cerebrais. O denominador comum, é claro, são os processos inflamatórios. Na verdade, no estudo de baixo carboidrato versus baixa gordura, os que fizeram a dieta pobre em carboidratos tiveram queda nos níveis de proteína C-reativa, um marcador sanguíneo de inflamações. Aqueles que fizeram a dieta pobre em gordura, porém, apresentaram um *pico* em seus níveis de proteína C-reativa.

Para mim, esses fatos são espantosos. Ao longo dos últimos sessenta anos, mais ou menos, disseram-nos várias e várias vezes que a gordura engorda, e que evitar gorduras tradicionais (como azeite de oliva, óleo de coco, gordura animal, nozes, abacate e ovo), trocando-as por gorduras substitutas processadas e industrializadas, seria melhor para nós e para nossa cintura. Isso levou as pessoas a adotarem uma dieta rica em carboidratos, com açúcares e gorduras sintéticas, cujo resultado foi desastroso.

A publicação de um estudo falho, décadas atrás, deu a partida na campanha contra as gorduras. Nos anos 1950, o dr. Ancel Keys, da Universidade de Minnesota, estava decidido a provar que haveria uma correlação entre o consumo de certas gorduras, particularmente as gorduras saturadas e o colesterol, e as doenças cardiovasculares. Em busca de uma relação linear, ele removeu alguns dos pontos de dados de seu gráfico, até enxergar uma correlação clara entre o consumo de gordura e as doenças cardíacas. Ele tirou os países que apresentavam um paradoxo — por exemplo, a Holanda e a Noruega, onde as pessoas ingerem muita gordura, mas têm poucas doenças cardíacas, e lugares como o Chile, onde os índices de doenças cardíacas são elevados, apesar de dietas pobres em gorduras. Aquilo que ficou conhecido como o "estudo de sete países" não empregou o rigor do método científico. Mas essas ideias truncadas prevaleceram, e o colesterol se tornou vilão.

Permitam que eu diga algumas palavras breves a respeito desse suposto vilão. O colesterol desempenha um papel crucial como nutriente do cérebro essencial para o funcionamento dos neurônios. Ele também é fundamental para a construção das membranas celulares. Além disso, o colesterol tem ação antioxidante e é um precursor de importantes moléculas auxiliares do cérebro, como a vitamina D, assim como hormônios relacionados aos esteroides (por exemplo, hormônios sexuais, como a testosterona e o estrogênio). O cérebro exige elevadas quantidades de colesterol como fonte de combustível. Todas as descobertas científicas recentes demonstram que, quando os níveis de colesterol estão baixos, o cérebro simplesmente não funciona direito. Quem possui colesterol baixo corre um risco muito maior de ter problemas neurológicos, de depressão a demência.

Mas a indústria alimentícia quer que você pense o contrário. Quando o colesterol virou o bandido, os executivos da indústria de alimentos agiram para produzir e distribuir substâncias hidrogenadas similares à manteiga, óleos vegetais processados e produtos alimentares contendo ingredientes terríveis. Começaram a rotular esses produtos, repletos das perigosas gorduras trans, como "baixo colesterol" e "colesterol zero". Na esteira dessa mudança de comida de verdade para comida industrializada, passamos a sofrer de níveis cada vez maiores de doenças crônicas geradas por processos inflamatórios, muitas delas exatamente as doenças que achamos estar prevenindo, como o diabetes e as doenças cardíacas.

A ideia de que precisamos restringir as gorduras saturadas não encontra respaldo nas recomendações nutricionais mais recentes. Na verdade, quando foram publicadas as novas recomendações do governo americano, em 2015, a maioria das pessoas — inclusive os "especialistas" em saúde — ficou chocada ao ver que haviam sido retiradas recomendações para limitar o consumo de alimentos ricos em colesterol, e que havia sido acrescentado um reconhecimento ao café como elemento potencial de uma dieta saudável. Imagine só! O maior risco à nossa saúde e ao ganho de peso vem da substituição das gorduras saturadas pelos açúcares e carboidratos pró-inflamatórios. Temos que trazer as gorduras saturadas de volta à mesa. Também temos que adotar mais gorduras naturais em geral, sem ter medo de uma dieta baseada em gorduras. E, simultaneamente, temos que reduzir nossa ingestão de carboidratos. Dietas cheias de glúten, ricas em gordura e carboidratos são as piores; elas não apenas geram o caos no metabolismo e estimulam os processos inflamatórios como também afetam nossas bactérias intestinais. Diversos estudos mostram que a única maneira de uma dieta rica em gordura funcionar é quando ela é acompanhada por baixo carboidrato; e quanto mais fibra, melhor. Lembre-se, são as fibras que alimentam os bichinhos do intestino e contribuem para a saúde intestinal.

Na parte II, vou lhe pedir que acrescente mais azeite de oliva à dieta, sobretudo à luz dos resultados dos recentes estudos do projeto Prevención con Dieta Mediterránea (Predimed). Eles foram realizados na Espanha e publicados no *Journal of the American Medical Association*, em 2015, para avaliar o efeito da dieta mediterrânea versus o efeito da dieta pobre em gordura, recomendada para quem tem câncer de mama. A incidência do câncer de mama aumentou mais de 20% em todo o mundo desde 2008.

A dieta mediterrânea é densa em nutrientes, pobre em açúcares e traz para a mesa gorduras em abundância. Os estudos analisaram mais de 4200 mulheres entre sessenta e oitenta anos de idade ao longo de seis anos. Essas mulheres foram divididas em três grupos diferentes. Um deles foi posto numa dieta mediterrânea, acrescida de castanhas variadas. O segundo grupo também seguiu a dieta mediterrânea, mas acrescida de azeite de oliva. E o terceiro grupo seguiu uma dieta pobre em gordura. Ao cabo de 4,8 anos, havia um total de 35 casos confirmados de câncer de mama na soma dos três grupos. O risco de câncer de mama no grupo com a dieta mediterrânea acrescida de castanhas foi 34% menor, quando comparado ao risco na dieta pobre em gordura, enquanto o risco de câncer de mama no grupo da dieta mediterrânea acrescida de azeite de oliva foi incrivelmente 55% menor, se comparado ao grupo da dieta pobre em gordura.

Se por meio da dieta é possível se proteger de uma doença tão grave quanto o câncer, um mal que tem raízes nos processos inflamatórios, imagine contra quantas outras você pode se prevenir. Outros estudos replicaram o projeto Predimed e chegaram à mesma conclusão. Um deles em especial, publicado na mesma revista em 2015, concluiu que "uma dieta mediterrânea suplementada por azeite de oliva ou castanhas está associada a uma melhora nas funções cognitivas".

Para mim, fica claro que a guinada de 180 graus em nossas escolhas alimentares ao longo do último século é a culpada por muitas das nossas pragas modernas. À medida que passamos de uma dieta rica em gordura, rica em fibras e pobre em carboidratos para uma dieta pobre em gorduras, pobre em fibras e rica em carboidratos, fomos simultaneamente passando a sofrer de condições crônicas, muitas das quais afetam o cérebro. Por isso, prepare-se para comer como um caçador-coletor. Você não vai mais ter medo da gordura alimentar, nem mesmo do tipo saturado, rico em colesterol. Você vai cortar carboidratos e turbinar as gorduras e as fibras.

## ABANDONE OS AÇÚCARES (OS DE VERDADE, OS PROCESSADOS E OS ARTIFICIAIS)

O açúcar se encontra em quase todo alimento empacotado. Pode aparecer sob diferentes rótulos — açúcar de cana, malte de cevada, frutose cristalina, caldo de cana evaporado, caramelo, xarope de milho rico em frutose, maltodextrina —, mas é açúcar assim mesmo (há mais de sessenta nomes para o açúcar). Os americanos consomem 22 colheres de chá de açúcar por dia e mais de sessenta quilos de açúcar por ano. Nos últimos cem anos, quintuplicou o consumo de frutose, encontrada naturalmente nas frutas, mas consumida, sobretudo, em alimentos altamente processados que contêm xarope de milho rico em frutose. A frutose está atrelada ao desenvolvimento da doença hepática gordurosa não alcoólica, uma condição em que a gordura se acumula no fígado e desencadeia processos inflamatórios, além de poder levar também à alteração cicatricial e à cirrose. O consumo de frutose, na verdade, está associado à resistência à insulina, ao excesso de gordura no sangue e à pressão arterial elevada (hipertensão). Comparada à glicose, a frutose tem sete vezes mais probabilidade de resultar em agregados de proteína e carboidratos aderentes, similares ao caramelo, chamados produtos finais de glicação, que causam estresse oxidativo e processos inflamatórios. A frutose não provoca a produção de insulina ou leptina, os dois hormônios-chave que regulam o metabolismo, e em parte é por isso que dietas ricas em frutose podem levar à obesidade e às suas consequências metabólicas, que podem chegar ao cérebro e causar disfunções. Na verdade, o açúcar provoca mudanças em nossas membranas celulares, artérias, hormônios, sistema imunológico, intestino e em todo o nosso sistema neurológico.

> **Corte o suco de laranja:** Você tomaria uma lata de refrigerante no café da manhã? Provavelmente não (embora haja quem tome). Quando faço essa pergunta a uma plateia, emendo com outra: Qual é a escolha ideal, suco de laranja ou uma lata de Coca-Cola ou Pepsi normal? O público supõe que é o primeiro, mas a verdade é que um copo de suco de laranja de 350 ml contém 36 gramas de carboidratos, ou nove colheres de chá de açúcar puro, mais ou menos o mesmo que uma latinha de Coca-Cola normal. Mas e quanto à vitamina C? Sinto muito, pessoal. A vitamina C não compensa de forma alguma os efeitos nocivos de tanto açúcar. E se você acha que o suco espremido em casa é melhor, saiba que sucos, em geral, não são uma boa ideia. Quando as frutas e os legumes estão em estado natural, com todas as suas fibras, o açúcar é liberado mais lentamente na corrente sanguínea, moderando a reação da insulina. Ao transformá-los em sucos, perdem-se as fibras — a polpa.

Embora gostemos de pensar que estamos fazendo um bem a nós mesmos ao trocar o açúcar refinado por produtos seminaturais, como adoçantes à base de estévia e sucralose (que são anunciados como "de origem natural"), trata-se de produtos químicos disfarçados. E quanto aos adoçantes artificiais? O corpo humano não consegue digeri-los, e é por essa razão que eles não possuem calorias. Mesmo assim, eles têm que passar pelo trato gastrointestinal. Durante muito tempo, partimos do pressuposto de que os adoçantes artificiais são, em sua maioria, ingredientes inócuos, que não afetam nossa fisiologia. Longe disso. Em 2014, um artigo divisor de águas, que desde então virou referência, foi publicado na revista *Nature*, provando que os adoçantes artificiais afetam as bactérias do intestino, de maneira que leva a disfunções metabólicas, como a resistência à insulina e o diabetes, contribuindo para o mesmíssimo sobrepeso e a mesmíssima epidemia de obesidade que a propaganda afirma que eles solucionam.

---

**Fique atento: exemplos de açúcares e adoçantes populares**

Caldo de cana evaporado

Xarope de milho

Xarope de milho rico em frutose

Frutose cristalina

Frutose

Sacarose

Malte

Maltose

Maltodextrina

Dextrose

Açúcar de beterraba

Açúcar turbinado

Açúcar invertido

Aspartame

Ciclamato

Sacarina

Sucralose

---

## EVITE ALIMENTOS GENETICAMENTE MODIFICADOS

Diversas pesquisas estão sendo realizadas para estudar os efeitos dos organismos geneticamente modificados (transgênicos) sobre nossa saúde e sobre o meio ambiente. Os transgênicos são plantas ou animais que passaram por engenharia genética com DNA de outros seres vivos, como bactérias, vírus, plantas e animais. As combinações genéticas resultantes não ocorrem naturalmente, nem na vida selvagem nem através de cruzamentos tradicionais. Os alimentos transgênicos são criados, em geral, para combater pragas e parasitas que ameaçam plantações ou utilizados em cultivos em que se deseja obter determinadas características. Nos anos 1990, por exemplo, o vírus *ringspot* dizimou quase metade das plantações de mamão papaia no Havaí. Em 1998, os cientistas desenvolveram uma versão geneticamente modificada do papaia, batizada de papaia arco-íris, resistente ao vírus. Hoje, mais de 70% dos papaias cultivados no Havaí são transgênicos.

O milho e a soja são os dois principais produtos agrícolas transgênicos nos Estados Unidos, e estima-se que os transgênicos se encontrem em nada menos que 80% dos alimentos processados convencionais. Restrições ou proibições totais foram impostas à produção e à venda de transgênicos em mais de sessenta países do mundo inteiro, entre eles Austrália, Japão e todos os países da União Europeia. Mas, nos Estados Unidos, o governo os autoriza. O problema: muitos estudos que mostram que os transgênicos são seguros foram realizados pelas mesmas empresas que os criaram, e que agora obtêm lucro com eles. Em todo o país, pessoas estão se unindo para reivindicar uma rotulagem mais precisa dos alimentos, que permita escolher não ser cobaia desse "experimento".

Existe uma grande variedade de alimentos geneticamente modificados ou manipulados que a indústria dos transgênicos apresenta para tentar nos convencer dos méritos dessa tecnologia. Em vários lugares da África, cultiva-se um tipo de batata-doce manipulado para se tornar resistente a determinado vírus. Manipulou-se o arroz para aumentar sua quantidade de ferro e vitaminas. Vegetais são geneticamente modificados para se tornar mais resistentes a extremos meteorológicos. Certas árvores frutíferas e castanheiras são manipuladas para dar frutos mais cedo do que seria o normal. Até bananas são modificadas geneticamente para produzir vacinas humanas contra doenças como a hepatite B. Tudo isso soa muito promissor, sobretudo quando se pensa nas questões de escassez de comida nos países em desenvolvimento. Mas a história não para por aí. Embora seja verdade que nem todo organismo geneticamente modificado é intrinsecamente ruim, os métodos usados para criar e cultivar transgênicos podem embutir práticas com consequências de longo alcance, muitas das quais ainda não compreendemos.

Afirma-se, por exemplo, que o novo salmão AquAdvantage (produzido pela empresa AquaBounty) é seguro para o consumo humano. Mas a Food and Drug Administration (FDA), o órgão responsável por esse tipo de controle nos Estados Unidos, avaliou apenas o efeito desse peixe geneticamente modificado sobre o meio ambiente. Nenhum estudo foi realizado para avaliar seus efeitos sobre o ser humano. Sabemos que a modificação de genes altera proteínas específicas, e que as proteínas que consumimos afetam nossa própria expressão gênica. Não existem estudos sobre como o consumo desse peixe afeta a expressão gênica nos seres humanos que o ingerem. Segundo Jaydee Hanson, analista de políticas sênior no Center for Food Safety [Centro pela segurança alimentar], "o modus operandi da FDA consiste em carimbar os estudos falhos e distorcidos da AquaBounty e em seguida afirmar que seu processo de revisão é científico". Hanson acrescenta: "A avaliação insuficiente de risco da FDA vai na contramão da realidade, da ciência e da vontade do público, que há muito tempo pede que a agência ponha a saúde dos consumidores e a segurança ambiental na frente dos interesses corporativos da indústria de biotecnologia".

Em uma análise devastadora dos transgênicos feita pela revista *Consumer Reports*, foi citada a seguinte frase do dr. Robert Gould, presidente do conselho dos Physicians for Social Responsability [Médicos pela responsabilidade social]: "A alegação de que os transgênicos não representam riscos à saúde humana não pode se apoiar em estudos que mensuraram um intervalo de tempo curto demais para determinar os efeitos de uma exposição pela vida inteira". Gould prossegue pedindo mais pesquisas para avaliar os efeitos a longo prazo dos transgênicos, considerando, em particular, o fato de estudos com animais mostrarem que eles podem causar danos ao sistema imunológico, ao fígado e aos rins. O médico também aponta que a falta de rotulagem impede até que os pesquisadores possam rastrear os efeitos potenciais dos transgênicos sobre a saúde.

Além dos receios em relação aos efeitos das alterações genéticas nos transgênicos sobre a saúde humana, um dos aspectos mais problemáticos — e polêmicos — dos transgênicos tem a ver com as atuais práticas de cultivo na produção de alimentos geneticamente modificados. Os agricultores não extraem mais as ervas daninhas dos campos com colheita manual ou máquinas, simplesmente borrifam sobre as plantações o glifosato (ingrediente ativo do Roundup, um herbicida comum), uma substância química que mata as intrusas. Além disso, aplicam uma quantidade extra desse produto logo antes da colheita para obter uma safra maior e o utilizam também como agente secador, para preparar o solo para uma nova semeadura. Nos Estados Unidos, agricultores borrifaram 1,8 milhão de toneladas de glifosato desde 1974, ano em que o Roundup chegou ao mercado. Em todo o mundo, são 9,4 milhões de toneladas lançadas sobre os campos. Estima-se que até 2017 os produtores americanos terão aplicado inacreditáveis 1,35 milhão de toneladas de glifosato em suas plantações.

A fim de proteger as plantações contra o herbicida, as sementes são geneticamente modificadas, tornando-se resistentes aos seus efeitos. No mundo agrícola, essas sementes são conhecidas como *Roundup ready* — "prontas para o Roundup". O uso de sementes transgênicas prontas para o Roundup permitiu que os agricultores empregassem enormes quantidades desse herbicida, o que significa que os alimentos transgênicos — e os alimentos cultivados de maneira convencional — estão, invariavelmente, contaminados com glifosato, o "fumo" do século XXI, que causa graves danos à saúde humana. Os agricultores que produzem alimentos orgânicos receiam que seus campos também fiquem contaminados. O glifosato é um veneno como nenhum outro, tóxico para o intestino e que atinge o cérebro.

Muitos dos efeitos adversos do glifosato podem ser constatados em doses baixíssimas, o que contraria a ideia de que haveria algum nível seguro de exposição. Daria para escrever um livro inteiro sobre as questões políticas e os efeitos biológicos do glifosato. Mas, por enquanto, vou citar apenas as maiores preocupações no que diz respeito à saúde humana.

O glifosato:

- atua como um poderoso antibiótico, massacrando bactérias benéficas do intestino e rompendo, dessa forma, o equilíbrio saudável de seu microbioma;

- mimetiza hormônios como o estrogênio, provocando ou estimulando a formação de tumores cancerosos sensíveis a hormônios;

- prejudica a ação da vitamina D, que tem um papel importante na fisiologia humana;

- reduz os níveis de substâncias cruciais como ferro, cobalto, molibdênio e cobre;

- compromete a capacidade de eliminar toxinas;

- prejudica a síntese do triptofano e da tirosina, aminoácidos importantes na produção de proteínas e neurotransmissores.

Não me surpreenderia nem um pouco se em breve fosse revelado que a epidemia de obesidade pode, pelo menos em parte, ser atribuída ao uso indiscriminado de glifosato e ao consumo de transgênicos, em razão de seus efeitos químicos sobre a saúde do intestino e o microbioma. Nunca é bastante ressaltar a importância de evitar alimentos que tiveram contato com o glifosato. E ele pode ser encontrado nos lugares mais improváveis. Em 2015, por exemplo, foi detectado na fórmula PediaSure Enteral, amplamente administrada em hospitais americanos a crianças sob terapia intensiva que necessitam de nutrição. É também usado na indústria vitivinícola e foi encontrado até em produtos sanitários, por ser usado na indústria do algodão.

É preciso que nos ergamos em protesto contra essa experiência inaceitável. Enquanto o glifosato não é proibido, devemos dar prioridade a produtos orgânicos, alimentos à base de animais criados no pasto e a produtos comprovadamente livres de transgênicos.

Já foi criado um exame de urina que mede o glifosato. Não seria má ideia realizar um exame desses (veja mais na p. 83).

## TOME CUIDADO COM O EXCESSO DE PROTEÍNA

Imagine que você está num jantar com os amigos. Na manhã desse mesmo dia, uma manchete nos meios de comunicação dá conta dos riscos à saúde relacionados à carne vermelha. Essa notícia específica se espalhou como incêndio na imprensa porque a fonte foi a Faculdade de Saúde Pública de Harvard. Segundo o estudo, para cada porção adicional de carne vermelha não processada consumida diariamente além da porção única aceitável (mais ou menos do tamanho de um pacote de baralho), o risco de morte prematura aumenta 13%; já uma porção diária de carne vermelha processada, como um cachorro-quente, duas fatias de bacon ou uma fatia de frios, aumenta o risco em 20%. Você é apaixonado por um bom bife, mas um comensal do outro lado da mesa — vegetariano — decide lançar o debate, e a coisa fica um pouco acalorada. Quem tem razão?

É comum que me perguntem a respeito do consumo de carne. O estudo de Harvard que acabei de citar não é pequeno. Até hoje é o maior e mais prolongado estudo relativo ao suposto elo entre a carne vermelha e a duração da vida. Incluiu dados de dois estudos, com mais de 37 mil homens e 83,6 mil mulheres. Os voluntários foram acompanhados, em média, por 24 anos, durante os quais um total de 23926 homens e mulheres desses grupos morreu — 5910 de doenças cardiovasculares e 9464 de câncer. A cada quatro anos, eles enviavam informações sobre a própria dieta. De maneira geral, aqueles que comeram mais carne vermelha tiveram índices de mortalidade mais altos, se comparados àqueles que comeram menos. Entre aqueles que comeram uma ou mais porções de carne por dia, os aumentos correspondentes no risco em homens e em mulheres foram respectivamente de 18% e 21% para morte cardiovascular e 10% e 16% para morte por câncer. Essas análises foram ponderadas para levar em conta os fatores de risco de doenças crônicas — entre eles idade, histórico familiar de doenças cardíacas e câncer, índice de massa corporal e nível de atividade física. Embora essas conclusões tenham seu mérito, não contam a história completa. Afinal de contas, trata-se de uma correlação estatística.

Se a carne vermelha aumenta seu risco de morte prematura em 21%, isso pode motivá-lo a conter a vontade de comer um suculento bife ou um pedaço de bacon e aprender a gostar de tofu e tempeh. Mas não se esqueça de que estamos falando do risco *relativo* por comer mais carne vermelha comparado ao risco se comermos menos. Seria mais apropriado levar em conta o risco *absoluto*, o que reduz consideravelmente essas porcentagens — para um único algarismo. Para complicar uma questão que já é complexa, há o fato de que os maiores amantes de carne vermelha costumam já possuir outros fatores de risco para doenças graves e que reduzem a expectativa de vida. Embora os dados pareçam corresponder ao estereótipo, eles mostram que quem come muita carne vermelha também tende a evitar exercícios, consumir bebidas alcoólicas em excesso e fumar. Os pesquisadores tentaram ponderar, no estudo, os efeitos de estilos de vida pouco saudáveis e concluíram que a mortalidade e o consumo de carne continuam associados. Mas, com tantas variáveis, é difícil extrair números concretos que sejam significativos. E é ainda mais difícil aplicar a todo mundo essas estatísticas. Os efeitos de escolhas pouco saudáveis dependem do seu ponto de partida — sua idade, há quanto tempo você tem determinados hábitos e quais são seus fatores de risco subjacentes, do ponto de vista genético. Isso complica ainda mais as coisas.

Uma conclusão importante do estudo foi que a taxa de mortalidade mais alta poderia ser reduzida se o consumo diário de carne fosse limitado a menos da metade de uma porção. Isso representa menos de três porções e meia por semana. A moderação vale a pena. A carne não é de todo ruim, sobretudo quando não é processada. E é aí que reside a chave para desfrutar da carne vermelha: escolha carne de alta qualidade, de animais que não tenham sido tratados com antibióticos e cuja ração não tenha incluído grãos geneticamente modificados e borrifados com glifosato. Meu palpite é que, se fosse feito um estudo comparando quem come carne convencional e quem come carne orgânica de animais alimentados com pasto, veríamos uma diferença nos riscos à saúde, qualquer que fosse a quantidade de carne consumida! A carne de alta qualidade também possui gorduras de alta qualidade.

Gostaria de abordar outra ideia equivocada que ouço com frequência. Ao contrário do que se poderia imaginar, reduzir o consumo de carboidratos não implica aumentar o consumo de proteínas. Não é para comer carne todo dia. Muitas pessoas acham que são necessários cem gramas de proteína por dia, mas na verdade só precisamos de metade disso (veja logo adiante). Os vegetarianos costumam me perguntar se precisam se preocupar com a quantidade de proteína que ingerem, e eu os tranquilizo dizendo que já é suficiente aquilo que consomem a partir de fontes vegetais, legumes, ovos, castanhas e sementes. É provável que você ingira uma quantidade diária de proteína acima do necessário, talvez até demasiada. As proteínas são um componente essencial de qualquer dieta, mas *mais* não é necessariamente *melhor* ou *mais saudável*. Proteínas adicionais não vão ajudá-lo a queimar mais gordura, desenvolver mais massa muscular ou ficar mais forte. Um consumo excessivo representa mais calorias do que o corpo necessita, o que o faz armazenar mais gordura e aumentar o risco de morte precoce.

Um estudo de 2014 realizado em diversas instituições do mundo inteiro demonstrou a importância da redução do consumo de proteínas para a longevidade. Durante esse estudo, que durou dezoito anos, os indivíduos com a ingestão mais alta de proteínas apresentaram um risco quatro vezes maior de morrer de câncer e cinco vezes maior de morrer de diabetes (observe que parte desse risco maior pode ser atribuída, em especial, ao excesso de proteínas animais). Mas eis o que os pesquisadores também encontraram: o risco mais alto de morte por câncer foi identificado em pessoas entre cinquenta e 65 anos que consumiam altas quantidades de proteína. Em pessoas acima dos 65 anos, essa tendência foi revertida: esse grupo teve uma *redução* do risco de câncer (mas o mesmo risco quintuplicado de mortalidade por diabetes). Então, como ficamos? O estudo concluiu: "Os resultados sugerem que uma ingestão reduzida de proteínas na meia-idade, seguida de um consumo moderado ou elevado de proteínas nos adultos idosos, pode otimizar a manutenção da saúde e a longevidade".

Segundo a agência Centers for Disease Control and Prevention [Centros para o controle e a prevenção de doenças], precisamos extrair apenas 10% a 35% das calorias diárias de alimentos proteicos — isso representa cerca de 46 gramas de proteína para as mulheres e 56 gramas para os homens. É fácil atender a essa demanda diária se levarmos em conta o seguinte: um pedaço de carne de 85 gramas tem cerca de 21 gramas de proteína (se você comer um pedaço de 225 gramas, ele pode conter mais de cinquenta gramas).

---

**Mais não é *melhor*: você precisa de menos proteína do que imagina**
Pouco carboidrato não é sinônimo de muita proteína. A dieta da mente para vida pede uma ingestão diária limitada de proteínas — não mais que cerca de 46 gramas para as mulheres e 56 gramas para os homens.

---

Neste protocolo alimentar, você vai se regalar com as deliciosas proteínas que poderá comer, sem se sentir privado de nada. Para garantir que obtenha a combinação adequada de diferentes proteínas, com sua respectiva composição de aminoácidos, você vai misturar os tipos de proteína. E a maravilha do ovo será uma das fontes de proteína de alta qualidade, que você vai amar tanto quanto eu.

## ACEITE AS MARAVILHAS DO OVO

Os ovos são um pilar na minha dieta. Entro em pânico quando acabam os ovos em casa — e não quando penso que são um alimento rico em colesterol. Lembre: não poderia ser mais falsa a ideia de que o colesterol alimentar, como aquele encontrado nas gorduras saturadas da carne, se transforma diretamente em colesterol no sangue. Os cientistas nunca conseguiram estabelecer uma relação entre, de um lado, as gorduras alimentares animais e o colesterol alimentar, e, de outro, os níveis de colesterol no sangue e o risco de doenças cardíacas coronarianas. E, quando os pesquisadores tentam rastrear uma relação entre o colesterol no sangue e o consumo de ovos, sempre constatam que os níveis de colesterol entre aqueles que comem pouco ou nenhum ovo são idênticos aos daqueles que consomem muito ovo. Mais de 80% do colesterol em seu sangue é produzido pelo fígado, e, ao contrário do que você pode imaginar, verificou-se que o consumo de colesterol, na verdade, *reduz* a produção de colesterol no corpo.

Os ovos — incluindo a gema — são um alimento imbatível. São versáteis e têm um bom custo-benefício. São minas de ouro nutricionais. Ovos inteiros contêm todos os aminoácidos essenciais de que necessitamos para sobreviver, além de vitaminas, minerais e antioxidantes que sabidamente protegem os olhos. E podem ter efeitos positivos de longo alcance em nossa fisiologia. Eles não apenas nos mantêm saciados e satisfeitos, mas também nos ajudam a controlar a glicose sanguínea e, por tabela, uma enorme série de fatores de risco de doenças tão diversas quanto problemas cardíacos, câncer e transtornos relacionados ao cérebro.

Você verá que recomendo o consumo de bastante ovo neste plano. Considero uma opção perfeita para o café da manhã, porque proporciona a combinação ideal de gorduras e proteínas para "dar o tom" biológico do corpo durante o dia. Por favor, não tenha medo do ovo, muito menos da gema "rica em colesterol". Mas, como ocorre com outras fontes de proteína, escolha com cuidado seus ovos. Aqueles que vêm de galinhas criadas livres, que se alimentam do mesmo que encontrariam na natureza (plantas e insetos, e não grãos processados), são os melhores. E também são mais gostosos! Dá para fazer inúmeras coisas com os ovos. Sejam eles mexidos, fritos, cozidos, poché ou no preparo de pratos, os ovos são, de fato, um dos ingredientes mais versáteis.


MUITO ALÉM DA COMIDA

Neste capítulo, ressaltei diversas "regras" relativas à nutrição. Mas, como você verá mais adiante, a coisa vai muito além disso. Ninguém muda a própria saúde para melhor só com a alimentação. Embora implementar as ideias desta seção contribua para libertá-lo de diversas formas, é preciso levar muito mais coisas em conta, em relação àquilo que influi na sua saúde e no risco de doenças cerebrais: o quanto você pode reduzir o estresse em sua vida, como dorme à noite, os medicamentos que ingere por achar que lhe fazem bem, e como você se sente em relação a si mesmo e àqueles à sua volta. Vou fornecer todas as ferramentas e estratégias práticas para lidar com cada aspecto da vida. Vamos, agora, passar à parte ii.

PARTE II

# O essencial

*Há quinze meses fiz uma mudança definitiva em minha dieta e em meu estilo de vida, adotando uma alimentação pobre em carboidratos, sem glúten e rica em proteínas. De um ponto de partida de carnudos 102 quilos, caí para noventa, e estou adorando! Comecei aos poucos, eliminando todos os açúcares, carboidratos e glúten durante trinta dias. Perdi um quilo por semana, mesmo sem alterar minhas idas à academia, que eram, sendo bem otimista, esporádicas. Minhas calças jeans, que antes eram apertadas, começaram a deixar aparecer o cofrinho, o que me obrigou a encolhê-las lavando em água quente. Pela primeira vez em muito tempo, fiquei feliz de me olhar no espelho depois do banho — caramba, no auge dos 48 anos, minha aparência está melhor do que aos vinte, quando eu fazia duas horas por dia de academia!*

Pat L.

# 4. Como começar: avalie seus fatores de risco, conheça seus números e prepare sua mente

É hora de transformar conhecimento científico em sucesso. Já lhe dei muitas informações até aqui. Você aprendeu muito sobre os avanços da biologia da saúde no século XXI, o que em parte pode ter virado de ponta-cabeça sua noção de sabedoria popular. Se você ainda não começou a mudar algumas coisas em sua vida com base naquilo que leu, agora é sua oportunidade. Na parte II, você vai aprender a modificar seu modo de vida e trazer seu corpo — e seu cérebro — de volta ao bem-estar ideal. Você vai se sentir cheio de energia e vibração e sofrerá menos de condições crônicas.

Fazer alterações no estilo de vida, mesmo pequenas, pode parecer difícil demais no começo. Como você vai conseguir resistir aos hábitos do dia a dia? Você vai se sentir com fome ou privado de alguma coisa? Será que vai ser impossível sustentar para sempre esse novo estilo de vida? Este programa é factível, considerando seus horários e compromissos? Dá para atingir um ponto em que seguir essas instruções vire uma coisa automática, quase como algo natural?

Respire fundo. Em breve você terá ainda mais informações e inspiração para ajudá-lo a prosseguir num caminho saudável pelo resto da vida. Quanto mais você seguir minhas recomendações, mais rapidamente verá resultados (e conseguirá mantê-los!). Tenha em mente que este programa tem muito mais benefícios do que aqueles óbvios para o corpo. Pôr fim ao medo do declínio cognitivo pode ser o primeiro e mais evidente em sua cabeça, mas os benefícios não ficam por aí. Você constatará mudanças em todos os aspectos de sua vida. Vai se sentir mais confiante e com mais autoestima. Vai se sentir mais jovem e com um controle maior de sua vida e de seu futuro. Conseguirá atravessar mais facilmente períodos de estresse, terá motivação para seguir ativo e relacionar-se com outros e se sentirá mais satisfeito no trabalho e em casa. Em suma, vai se sentir e *vai ser* mais produtivo e realizado.

E seu sucesso vai propagar ainda mais sucesso. Quando sua vida se tornar melhor, mais plena, mais cheia de energia, você não vai querer voltar para seu estilo de vida antigo, pouco saudável. Sei que você é capaz. E tem que ser, por você mesmo e por seus entes queridos. A recompensa vale muito a pena.

Vamos começar com uma lista resumida de todo o programa:

**Prólogo: *Avalie* seus fatores de risco, conheça seus números e prepare sua mente**

- avalie seus fatores de risco usando o teste da p. 80

- faça exames de laboratório usando o guia da p. 81

- desligue o piloto automático (veja a p. 85) e pense na ideia de jejuar por um dia

**Passo 1: *Corrija* sua dieta e o excesso de comprimidos**

- aprenda como se livrar dos vilões de sua dieta (veja a p. 96) e dê as boas-vindas aos mocinhos (veja a p. 100), que vão ajudá-lo a reforçar a estrutura e o funcionamento do seu corpo

- conheça quais os suplementos que você deve acrescentar ou não a sua alimentação diária (veja a p. 109) e os medicamentos que, se possível, você deve jogar fora (veja a p. 118)

**Passo 2:** *Reforce* **suas estratégias de apoio**

- estabeleça uma rotina de exercícios que você consiga manter (veja a p. 125)

- preste atenção nas dores, principalmente nas costas e nos joelhos (veja a p. 136)

- reserve tempo para dormir (veja a p. 139)

- reduza o estresse e busque a tranquilidade, em quatro passos fáceis (veja a p. 145)

- desintoxique o ambiente a seu redor (veja a p. 162)

**Passo 3:** *Adapte* **o planejamento a você**

- escolha a hora ideal para comer (veja a p. 168), dormir (veja a p. 172) e se exercitar (veja a p. 170). Acostume-se a planejar seus dias, de modo que atinja suas metas diárias levando em conta suas restrições de horário e responsabilidades. Seja rigoroso em relação à sua agenda e suas realidades

Agora, vamos dar início ao prólogo, que vai prepará-lo para o passo 1.

## AVALIE SEUS FATORES DE RISCO

O teste a seguir vai muni-lo de alguns dados pessoais que o ajudarão a ter uma ideia de seus fatores de risco para doenças e transtornos cerebrais, que podem se manifestar sob a forma de enxaquecas, convulsões, transtornos motores e de humor, disfunções sexuais e TDAH, assim como severo declínio mental a longo prazo.

Lembre: os órgãos e sistemas do corpo estão fortemente interligados e entrelaçados. Se esse teste determinar que você corre um risco mais elevado de sofrer de transtornos cerebrais, isso também significa que corre um risco maior de ter uma série de outras doenças que não estão, em si, relacionadas ao cérebro.

Responda às perguntas seguintes o mais sinceramente possível (S para sim; N para não). Caso não saiba a resposta a alguma questão, pule-a.

1. Você sofre de depressão ou ansiedade crônica? S/N

2. Você nasceu de cesariana? S/N

3. Você está mais de dez quilos acima do peso? S/N

4. Você tomou antibióticos pelo menos uma vez no último ano? S/N

5. Você pratica pouco exercício? S/N

6. Você consome adoçantes artificiais (encontrados em refrigerantes diet, chicletes sem açúcar e outros alimentos e produtos rotulados como "zero açúcar") pelo menos uma vez por semana? S/N

7. Você está fazendo uma dieta pobre em gorduras? S/N

8. Você já teve um diagnóstico de transtorno do sono ou sofre de insônia? S/N

9. Você toma inibidores da bomba de prótons (tais como lansoprasol, omeprazol, pantoprazol) de tempos em tempos, contra azia ou refluxo ácido? S/N

10. Você ingere alimentos transgênicos, como milho e soja não orgânicos? S/N

11. Você tem a sensação de que não consegue lidar bem com o estresse? S/N

12. Você tem um parente consanguíneo que recebeu diagnóstico de Alzheimer ou doença arterial coronariana? S/N

13. Sua glicemia de jejum é de 100 mg/dL ou superior? S/N

14. Você já recebeu diagnóstico de transtorno autoimune (por exemplo, tireoidite de Hashimoto, doença de Crohn, artrite reumatoide, lúpus, síndrome do cólon irritável, esclerose múltipla, diabetes tipo 1, psoríase, doença de Graves)? S/N

15. Você toma laxantes às vezes? S/N

16. Você toma anti-inflamatórios não esteroides (por exemplo, ibuprofeno, naproxeno) pelo menos uma vez por semana? S/N

17. Você tem diabetes tipo 2? S/N

18. Você tem sensibilidade acentuada a substâncias químicas comumente encontradas em produtos do cotidiano? S/N

19. Você sofre de alergias alimentares ou tem intolerância ao glúten? S/N

20. Você come pão, massas e cereais? S/N

Não fique assustado se constatar que respondeu "sim" à maioria dessas questões. Quanto mais "sins" você tiver, maior seu risco de sofrer de patologias disfuncionais que podem ter impacto sobre sua saúde. Mas isso não é definitivo. O objetivo central deste livro é empoderá-lo para tomar conta de sua saúde como nunca antes.

## CONHEÇA SEUS NÚMEROS: O EXAME DE SANGUE BÁSICO

Recomendo que você marque os seguintes exames laboratoriais, ou pelo menos o maior número possível deles, assim que puder. É claro que é possível iniciar o programa deste livro hoje, enquanto espera pela consulta com um médico e pelos resultados. Conhecer seus números, além de motivá-lo a seguir adiante, também vai ajudá-lo a estabelecer metas para o resultado de cada teste. Você também saberá quais são os seus pontos fracos biológicos, de modo que fique atento para a melhora dessas taxas.

Incluí, onde convinha, metas saudáveis para esses índices. Note que alguns desses exames normalmente não são pedidos por médicos tradicionais. Por isso, pode ser necessário buscar auxílio adicional com um praticante de medicina funcional para completá-los (confira meu site, <www.drperlmutter.com>, para mais detalhes).

**Insulina de jejum**: se você só puder fazer um teste desta lista, faça este. Ele é de importância crucial, e qualquer serviço de saúde pode realizá-lo. Muito antes de a glicemia aumentar, à medida que uma pessoa se torna diabética, o nível de insulina de jejum vai aumentar, indicando que o pâncreas está fazendo hora extra para lidar com o excesso de carboidratos na dieta. É um sistema de alerta precoce muito eficiente para se antecipar à curva do diabetes. Por isso, tem enorme relevância na prevenção de transtornos cerebrais. É desejável que esse número fique abaixo de 8 µIU/ml (o ideal é que fique abaixo de 3).

**Glicemia de jejum**: uma ferramenta de diagnóstico comum para detectar pré-diabetes e diabetes, este teste mede a quantidade de açúcar (glicose) no sangue depois de ficar pelo menos oito horas sem comer. Um nível entre 70 e 100 mg/dL é considerado normal, mas não se deixe enganar. Uma glicemia próxima de 100 é qualquer coisa, menos normal. Nesse nível, você está apresentando sinais de resistência à insulina e diabetes e terá um risco maior de doenças cerebrais. O ideal é ter uma glicemia de jejum inferior a 95 mg/dL.

**Hemoglobina A1C**: à diferença do teste de glicemia de jejum, este teste revela uma glicemia "média" ao longo de um período de noventa dias e representa um indicador muito melhor do controle geral da glicemia. Especificamente, mede a quantidade de *glicação* pela qual passou a proteína hemoglobina. Trata-se de um processo relativamente lento, mas a hemoglobina glicada é um poderoso antecipador do risco de doença de Alzheimer, assim como um dos principais precursores do encolhimento do cérebro. Um bom valor de A1C está entre 4,8% e 5,4%. Note que pode levar tempo para melhorar esse índice, e é por isso que em geral ele só é medido a cada três ou quatro meses.

**Frutosamina**: semelhante ao teste da hemoglobina A1C, o teste de frutosamina é usado para medir o nível médio de glicemia, mas num período mais curto — duas a três semanas. O nível de frutosamina deve se situar entre 188 e 223 µmol/L. É possível detectar alterações positivas nesse teste ao cabo de duas a três semanas.

**Teste de glifosato na urina**: o glifosato, lembre-se, é o ingrediente ativo encontrado no popular herbicida Roundup, usado amplamente na agricultura convencional dos dias de hoje. O exame para detectar a presença dessa substância no corpo é feito através da urina e ainda não está disponível no Brasil. O desejável é testar negativo para níveis detectáveis de glifosato na urina, medido em μg/L.

**Proteína C-reativa**: é um marcador de processos inflamatórios no corpo. O resultado desejável fica entre 0 e 3 mg/L (o ideal é que fique abaixo de 1 mg/L). Pode demorar vários meses até que a CRP (do inglês "C-reactive protein") melhore, mas é possível notar alterações positivas depois de apenas um mês seguindo meu protocolo.

**Homocisteína**: níveis elevados desse aminoácido produzido pelo corpo estão associados a uma série de condições, entre elas a aterosclerose (estreitamento e endurecimento das artérias), doenças cardíacas, derrames e demência. Hoje, ela é considerada em geral como bastante tóxica para o cérebro. Um nível de homocisteína de apenas 14 — valor excedido por muitos de meus pacientes em seus exames iniciais — foi descrito pelo *New England Journal of Medicine* como associado a uma *duplicação* do risco de Alzheimer (qualquer nível de homocisteína acima de 10 μmol/L no sangue é considerado "elevado"). Também foi demonstrado que níveis altos de homocisteína triplicam a taxa de encurtamento de telômeros (lembre-se de que os telômeros são aquelas tampas, na ponta de seus cromossomos, que protegem os genes, e cujo comprimento é um indicador biológico da velocidade de seu envelhecimento). Em geral, é fácil melhorar os níveis de homocisteína (veja mais adiante). O nível deve ficar em 8 μmol/L ou menos. Tanto a vitamina D quanto as gorduras ômega-3 podem alongar os telômeros, ao aumentar a atividade da telomerase, a enzima envolvida no alongamento dos telômeros. Há várias drogas que podem inibir as vitaminas B e elevar a homocisteína (veja a lista em <www.drperlmutter.com>, na seção "Resources"), mas a maioria das pessoas pode corrigir de imediato esse nível, tomando suplementos com vitaminas B e ácido fólico. Costumo pedir aos pacientes que têm homocisteína baixa que tomem diariamente, durante três meses, 50 mg de vitamina B6, 800 µg de ácido fólico e 500 µg de vitamina B12, e refaçam o exame.

**Vitamina D**: hoje, é reconhecida como um hormônio crucial para o cérebro (lembre: na verdade ela não é uma vitamina; veja mais detalhes na p. 112). É interessante notar que níveis mais altos de vitamina D também estão associados a telômeros mais compridos, o que é bom. É provável que seu nível de vitamina D esteja baixo, como o da maioria da população mundial (o normal é estar entre 30 e 100 ng/mL, mas o ideal é que esteja em torno de 80 ng/mL). A maioria dos americanos sofre de deficiência desse nutriente essencial, por passar muito tempo entre quatro paredes e usar filtro solar. Quem vive em latitudes mais ao norte tem um risco maior dessa deficiência.

Como pode levar tempo até que os níveis de vitamina D no corpo melhorem por meio de suplementação, convém começar com 5000 UI (unidades internacionais) de vitamina D uma vez por dia, e depois de dois meses medir o nível através de um exame. Se ao cabo desse período seu nível estiver igual ou menor que 50 ng por mililitro (ng/mL), tome mais 5000 UI diariamente e faça novo teste em dois meses. O que importa é o nível mantido pelo corpo, e não a dose. Peça a seu profissional de saúde que o ajude a ajustar a dosagem para atingir um nível ideal. Tendo feito isso, uma dose diária de 2000 UI em geral é o suficiente para manter um nível saudável. Mas peça recomendações específicas ao seu médico.

Tendo seguido meu protocolo por uns dois meses, é uma boa ideia repetir esses exames laboratoriais, para medir a melhora. Em alguns desses parâmetros, pode levar tempo até que se constatem mudanças significativas, mas, se você seguir à risca o plano, sentirá mudanças positivas no prazo de algumas semanas pelo menos, o que deve motivá-lo a seguir em frente.

## PREPARE SUA MENTE

Sei que, a esta altura, alguns de vocês podem estar um pouco preocupados. Considerando as autoavaliações e os exames laboratoriais que, espero, você já realizou (ou há de realizar em breve), talvez possa achar que as cartas estão marcadas contra você. E a ideia de cortar carboidratos só adiciona estresse indesejado. Estou aqui para ajudá-lo, razão pela qual vamos levar em conta três coisas a fim de preparar sua mente para seguir adiante de maneira resoluta e com a compreensão de que você tem controle sobre essas cartas, podendo mexer nelas de modo que fiquem marcadas a seu favor.

### DESLIGUE O PILOTO AUTOMÁTICO

Rituais. Tradições. Hábitos. Rotinas. Todos nós os temos. Há aqueles que são bons e nos ajudam a continuar saudáveis e em forma. Mas há outros que nos fazem caminhar na outra direção ou ficar parados. De manhã, quando você acorda, sente certa confusão mental? Sem refletir, toma um café da manhã repleto de carboidratos? Atravessa o dia bebendo apressado refrigerantes e café cheios de calorias? Chega em casa exausto, querendo ter tido energia para se exercitar? Come o jantar distraidamente na frente da TV e depois cai na cama? Sua vida ficou tão automatizada que todos os dias se parecem, transcorrendo monótonos e sem interrupção?

Se for o caso, não se sinta mal. Você está lendo este livro para sair dessa rotina — a zona de conforto, que não vai ser tão confortável a longo prazo. Você não vai querer se olhar no espelho, daqui a cinco ou dez anos, e estar dez quilos mais gordo, cem vezes mais deprimido e a caminho de passar por sérios problemas de saúde, se é que já não os tem. Suponho que você tenha muletas — seus pratos, restaurantes, hábitos e atalhos prediletos em todos os aspectos da sua vida. Agora é a hora de acordar para uma vida *inteiramente nova*.

É importante aprendermos a desligar nosso piloto automático. Vou ajudá-lo a fazer isso com as estratégias do restante deste livro. Na hora em que você começar a 1) corrigir sua dieta e o excesso de comprimidos, 2) acrescentar suas estratégias de apoio e 3) planejar-se adequadamente, vai começar a se livrar do piloto automático, passando em vez disso a uma vida muito mais plena e energizante. O desligamento do piloto automático também ocorrerá de forma automática, assim que você apertar alguns botões do seu corpo, dando a largada ao programa com um jejum e, em seguida, abstendo-se totalmente de carboidratos.

### VELOZES E FURIOSOS (A LARGADA IDEAL É MESMO O JEJUM?)

Se você já fez uma dieta, deve ter havido um momento em que lhe mandaram comer cinco ou seis refeições pequenas e saudáveis durante o dia, para manter o metabolismo funcionando. Você foi convencido a acreditar que essa forma de se alimentar auxilia na queima de calorias e que qualquer sensação de fome soa alarmes que fazem o corpo armazenar gordura e desacelerar o metabolismo.

A tecnologia pode ter progredido enormemente ao longo dos anos, mas, do ponto de vista evolutivo, nosso DNA não difere em quase nada do DNA de nossos ancestrais caçadores-coletores. E, ao contrário do que talvez lhe tenham dito, nossos ancestrais não comiam seis vezes por dia. Para eles, ou era banquete, ou era fome. Eles precisavam aguentar longos períodos sem comida.

Platão tinha razão quando disse: "Jejuo para ter mais eficiência física e mental". Mark Twain também tinha, quando declarou: "Passar um pouco de fome faz mais pelo doente comum que os melhores remédios e os melhores médicos". Muitas religiões incentivam o jejum como prática espiritual. Há o jejum islâmico do Ramadã, o jejum judaico do Yom Kippur e uma série de práticas seculares de jejum no cristianismo, no budismo, no hinduísmo e no taoismo. Embora sejam muitos os diferentes tipos de jejum, em geral todos eles têm uma coisa em comum: exigem uma abstinência ou uma redução voluntária de comida, bebida ou ambos, por certo período.

O jejum é uma forma há muito tempo consolidada de reiniciar fisicamente o metabolismo, provocar perda de peso e até aumentar a clareza do raciocínio e a criatividade (este último item faz sentido, do ponto de vista evolutivo; quando a comida está em falta, precisamos pensar rápido e com inteligência para encontrar nossa próxima refeição!). As evidências científicas de seus benefícios só fazem se acumular. Na primeira parte do século xx, os médicos começaram a recomendá-lo no tratamento de diversos transtornos, como o diabetes, a obesidade e a epilepsia. Hoje, dispomos de um impressionante corpo de pesquisas que mostram que jejuns intermitentes — desde os sazonais, que duram alguns dias, até simplesmente pular uma ou duas refeições em certos dias da semana — podem aumentar a longevidade e retardar o aparecimento de doenças que tendem a encurtar a vida, entre elas a demência e o câncer. E, embora a sabedoria popular diga que o jejum desacelera o metabolismo e força o corpo a recorrer à gordura diante de algo que percebe como um processo de fome, na verdade ele propicia ao corpo benefícios que podem acelerar e melhorar a perda de peso.

Nosso consumo alimentar diário típico fornece glicose ao cérebro como combustível. Entre uma e outra refeição, o cérebro recebe um fluxo contínuo de glicose, fabricada a partir do glicogênio, armazenado, na maior parte, no fígado e nos músculos. Mas há um limite para a glicose que as reservas de glicogênio podem fornecer. Quando essa reserva escasseia, nosso metabolismo se transforma, e criamos novas moléculas de glicose a partir dos aminoácidos tirados das proteínas encontradas principalmente nos músculos. O lado bom é que obtemos mais glicose; o lado ruim é que isso ocorre às custas de nossos músculos. E a perda muscular não é uma coisa boa.

Por sorte, nossa fisiologia oferece um caminho adicional para turbinar o cérebro. Quando fontes rápidas de energia, como a glicose, não estão mais disponíveis para alimentar as necessidades energéticas do corpo, o fígado começa a utilizar gordura corporal para criar cetonas, as moléculas especializadas que descrevi na parte i. Uma cetona em especial desempenha um papel de protagonista: o ácido beta-hidroxibutírico (beta-hba, na abreviatura em inglês). O beta-hba funciona como uma excepcional fonte de combustível para o cérebro, que nos permite operar cognitivamente durante extensos períodos de escassez de comida. Essa fonte alternativa preserva nossa massa muscular porque ajuda a reduzir nossa dependência da gliconeogênese — processo em que o corpo cria glicose através da conversão de fontes não carboidratas, como aminoácidos dos músculos. É sempre bom quando se consegue evitar a degradação muscular em nome da geração de combustível, usando-se, em vez disso, nossas reservas de gordura, com a ajuda de cetonas como o beta-HBA. E o jejum é uma maneira de atingir esse objetivo.

Jejuar também turbina a via Nrf2, que abordei no capítulo 2, levando a uma melhora na desintoxicação, uma redução dos processos inflamatórios e um aumento da produção de antioxidantes, que protegem o cérebro.

Apesar de todos os benefícios do jejum que acabei de descrever, talvez um dos melhores resultados dessa prática, sobretudo durante o prólogo deste programa, é ajudá-lo a se preparar mentalmente para o protocolo alimentar. Caso você esteja receoso em razão da redução drástica, da noite para o dia, do seu consumo de carboidratos, não consigo imaginar melhor maneira de preparar sua mente — e seu corpo — para essa façanha do que jejuar por um período de 24 horas antes de iniciar o programa. Também recomendo, quaisquer que sejam sua condição e seu histórico de saúde, que você consulte seu médico antes de iniciar qualquer período de jejum. Se você estiver tomando algum remédio, por exemplo, pergunte se deve continuar a tomá-lo durante o jejum.

Portanto, a menos que você possua alguma condição de saúde que o impeça de jejuar, tente adotar os seguintes objetivos:

**Jejuar por um dia inteiro**: antes de começar meu plano de refeições de catorze dias (veja a p. 202), estabeleça uma base mental e física, bebendo apenas água filtrada durante o período de 24 horas que antecede essa primeira refeição. Para muitas pessoas, é mais cômodo começar o jejum no sábado (ou seja, o jantar da noite de sexta é a última refeição) e iniciar o programa da dieta numa manhã de domingo. Um jejum de 24 horas também é uma ótima forma de retornar a esse estilo de vida caso você tenha tido alguma recaída nos carboidratos.

**Pular o café da manhã de vez em quando**: o corpo acorda em estado de cetose moderada. Quando você pula o café da manhã, consegue manter o corpo nesse estado durante algumas horas, até o almoço de meio-dia. Experimente pular o café da manhã uma ou duas vezes por semana. Durante meu plano de refeições de catorze dias, pedirei que faça isso. Se os dias em que eu lhe pedir que pule o café da manhã não forem convenientes, escolha um ou dois outros dias durante a semana que funcionem melhor para você.

**Jejuar por 72 horas inteiras**: quatro vezes por ano, entre num jejum prolongado de 72 horas, durante as quais você só beberá água filtrada. É um tipo de jejum mais intenso, como você pode imaginar. Por isso, certifique-se de ter experimentado alguns jejuns de 24 horas antes de tentar este. Jejuar em períodos de mudança de estação (últimas semanas de setembro, dezembro, março e junho) é uma excelente prática a ser adotada.

## PARE DE UMA VEZ SÓ (PARA CORTAR OS CARBOIDRATOS)

O.k., você está quase pronto para o passo 1. Sei o que está passando pela sua cabeça. A ideia de sofrer uma crise de abstinência ao cortar os carboidratos é assustadora. Permita-me contar a história de Jen Z. antes de dar alguns conselhos.

*Meu nome é Jen. Tenho 54 anos e por muitos e muitos anos sofri com alguns problemas bastante complicados. Eu tinha sobrepeso e não conseguia emagrecer, sentia cansaço crônico, tinha dificuldade para me concentrar e contraí um transtorno autoimune de pele chamado vitiligo, em que a pele deixa de produzir pigmento. Depois de alguns anos com esses problemas, fui diagnosticada com um melanoma com metástase e passei por cirurgias, além de uma imunoterapia muito agressiva e radioterapia. O tratamento do câncer me deixou com sérios danos ao sistema nervoso e à pele, total falta de energia, artrite e dores tão fortes nas articulações que às vezes eu mal conseguia andar. Meu cérebro parecia do tamanho de uma ervilha. Eu não conseguia me lembrar de coisas que sempre soubera, nem conseguia me concentrar em nada.*

*Depois de muito pesquisar, tentando descobrir quanto tempo isso duraria, cheguei à conclusão de que aquele era meu novo estado normal e que eu teria de lidar com isso. Sou apaixonada por equitação, e isso me deixou com a sensação de que tudo aquilo pelo qual eu batalhara estava sendo tomado de mim.*

*Então, certo dia, há uns sete meses, um amigo compartilhou comigo um artigo sobre um médico que teve o diagnóstico de câncer do cérebro, incurável, estágio quatro. Na luta pela própria vida, ele descobriu o estilo de vida de baixo carboidrato. Chamo de estilo de vida porque não é uma dieta na qual se entra e sai, mas um novo jeito de viver. Àquela altura, eu estava em busca de uma forma de recuperar um pouco da minha saúde e tentando evitar a necessidade de seguir tratamentos para o câncer. Por isso, pensei em experimentar. A versão desse novo estilo de vida própria para o câncer é bastante radical, mas tem valido tanto a pena! As duas primeiras semanas foram muito difíceis, com desejos por comida e meu corpo se ajustando à mudança na dieta, mas pude sentir as mudanças ocorrendo, e a sensação foi boa. Entrei de cabeça! Depois de umas quatro semanas, eu não sofria mais das dores da artrite, o inchaço nas articulações havia ido embora e meu peso estava diminuindo sem que eu fizesse nada além de mudar a minha alimentação. Hoje, sete semanas mais tarde, tenho sido muito fiel ao programa! Poucas vezes ingeri alimentos não permitidos, e, mesmo assim, não passaram de algumas mordidas. Não é tão complicado, e você logo saberá que fez uma escolha inteligente!*

*De qualquer maneira, provavelmente estou melhor hoje do que já estive nos últimos vinte anos ou mais. Meu cérebro voltou a funcionar, melhor ainda que antes; meu sistema nervoso, destruído pela radioterapia, está se regenerando; o problema de pele que me disseram que só pioraria está, ao contrário, regredindo; meu nível de energia está incrivelmente alto; e voltei a treinar cavalos. O melhor de tudo é que há três anos estou livre do câncer, meu peso é quase o ideal, e eu me sinto ótima. Não vou dizer que não foi difícil começar, mas, depois que você consegue entender tudo (é preciso ler um monte de rótulos), vai ficando mais fácil a cada dia.*

A grande maioria de vocês não terá dificuldade em cortar os carboidratos da noite para o dia. Para alguns pode ser difícil, principalmente para aqueles que baseiam uma parte importante da dieta nos carboidratos. Se você passar por variações de humor, queda repentina no nível de energia e intensos desejos alimentares nos dois ou três primeiros dias do programa, tenha paciência. São efeitos temporários, que desaparecerão ainda na primeira semana. Seus pensamentos vão ficar mais claros, seus níveis de energia vão decolar e você vai se dar conta da importância de ter tomado essa decisão. Você não vai querer voltar atrás. Eis algumas questões adicionais a levar em conta ao encarar a missão de dizer não aos viciantes carboidratos.

**Alavanque sua motivação**: açúcares e drogas têm muito em comum. O desejo por ambos age sobre as mesmas vias neurológicas, razão pela qual livrar-se tanto das drogas quanto dos açúcares — sob a forma de carboidratos processados — pode levar a efeitos de abstinência indesejados (embora cortar o açúcar seja mais fácil que cortar a maior parte das drogas). Como acabei de comentar, muitas pessoas não têm nenhuma dificuldade em cortar os carboidratos, mas você pode vivenciar uma "sede" de curta duração, variações de humor, dores de cabeça, fraqueza, talvez algumas dores pelo corpo. Isso é normal. Quando se der conta de que esse desconforto é simplesmente um efeito colateral natural da abstinência de uma substância viciante, use essa conclusão para afastar seus receios e frustrações, transformando-os numa fonte de motivação e resolução. Recorde-se de que esses efeitos são temporários e não duram muito tempo. Quando não se sentir muito bem e tiver necessidade de comer aquele prato rico em carboidratos que está parecendo muito tentador, convença a si mesmo a dizer não. Não deixe que os carboidratos o controlem, como se fossem uma droga. Pense em como você vai se sentir melhor ao expulsá-los de sua dieta.

**Esteja munido de alternativas**: sejamos francos, passar da noite para o dia de uma dieta rica em carboidratos para uma dieta de zero carboidrato pode ser uma alteração significativa no estilo de vida. Reconheça isso. Admita que é uma forma de se alimentar que pode exigir algum tempo para se acostumar — e não há problema nisso. Durante os primeiros dias de transição, muna-se de suprimentos para um contra-ataque quando sentir desejos. Tenha sempre à mão lanches de alta qualidade, como castanhas in natura ou pastas à base de castanha, queijos saborosos, ovos cozidos ou vegetais crus com molhos deliciosos (veja mais ideias de lanches na p. 200). Não se preocupe em contar calorias ou em evitar o excesso de lanchinhos. Faça isso apenas para atravessar a fase de transição, e prometo que sairá dela mais saudável, mais feliz e muito mais leve — e os desejos vão desaparecer logo, logo.

**Evite tentações**: diga adeus a alguns de seus restaurantes favoritos. A parte mais difícil nessa mudança de consciência a respeito dos carboidratos é o começo. Não sabote a si mesmo nem torne as coisas mais difíceis frequentando restaurantes e praças de alimentação, onde você sabe que ficará tentado e terá dificuldade em encontrar algo para comer que atenda ao novo estilo de vida. Entre no rumo do êxito desde o começo, evitando tentações desnecessárias. Evidentemente, use o bom senso. Você tem compromissos a respeitar e lugares em que precisa estar, como eventos na escola dos filhos, no trabalho, em sua vida pessoal e social. A vida continua à sua volta, e é preciso levar isso em conta. Planeje o início dessa nova fase para um momento em que sentir que pode começar de verdade. Se você sabe que terá um café da manhã de trabalho na sexta-feira, que inclui um bufê cheio de pães, rosquinhas e waffles, não deixe que isso o atrapalhe e adie para o sábado o início do protocolo. E durante o plano de refeições de catorze dias, leve uma marmita para o trabalho, de modo que mantenha o controle e não fique preso a decisões que só incluem opções pouco saudáveis.

**Aceite o desafio**: assuma hoje o compromisso de que você vai adotar para sempre o estilo de vida de baixo carboidrato. Esta é possivelmente a melhor coisa que você pode fazer pela sua saúde. Mas os benefícios não serão duradouros se você recair no seu modo de vida anterior. Se sair do caminho, seu corpo também sairá — ele voltará ao estado anterior depois de uns dois meses (mais ou menos a mesma quantidade de tempo que um corpo inteiramente em forma leva para passar do auge físico a ficar fora de forma por completo). Portanto, antes de executar estes passos, pergunte a si mesmo por que quer mudar. Seja franco e ponha no papel essas razões. Então, siga em frente e faça uma selfie — seu retrato de "antes". Marque no calendário o dia em que vai começar: será o dia em que você aceitou o desafio, ciente de que está assumindo um compromisso efetivo com sua saúde. Esta não é uma dieta de curto prazo, é uma mudança para a *vida inteira*. Vai ser ótimo para o seu corpo — e para seu futuro.

**Acredite em si próprio, mesmo que os outros não acreditem**: você vai encontrar pessoas que darão apoio a seu novo estilo de vida e outras que tentarão sabotá-lo. Alguns vão manifestar curiosidade em relação a suas novas escolhas alimentares, outros vão ironizá-lo, dizendo que você é mal informado, ingênuo ou simplesmente maluco. Entre estes podem até estar parentes e melhores amigos. Esteja preparado para encarar essas situações complicadas, às vezes até constrangedoras. Quando você recusar aquele pedaço de bolo de chocolate que seu primo fez para a festa de aniversário, sem falar em todas as outras delícias sobre a mesa, decore as seguintes palavras: "Comecei uma dieta nova e estou me sentindo bem demais para sair dela; infelizmente ela proíbe certos ingredientes. Quer saber mais sobre ela?". Com um discurso adequado e informações, vem a compreensão. Embora você vá se deparar com gente que continuará cética, não se deixe desanimar. As pessoas podem ficar chocadas com sua recusa de um pedaço de pizza ou de um sanduíche no café da tarde, mas assuma sua decisão com firmeza e segurança. Seu objetivo é ter a melhor saúde possível. As pessoas sempre farão julgamentos. Acredito que, assim que você se acostumar a lidar com os negativistas e a explicar suas razões, em pouco tempo eles seguirão seus passos.

Lembre-se de que falar com seu médico antes de iniciar este protocolo é uma boa ideia, principalmente se você tiver qualquer problema de saúde que exija tomar medicamentos sob prescrição médica. Isso é ainda mais importante caso você opte por um jejum de 24 horas antes de começar. Ao dar início a este novo estilo de vida, você alcançará as seguintes metas fundamentais:

- iniciar uma nova forma de alimentar seu corpo, inclusive seu microbioma e seu cérebro, através dos alimentos que ingere;

- reforçar a estrutura e o funcionamento do corpo inteiro, por meio da combinação certa de suplementos, incluindo os probióticos;

- adicionar estratégias complementares ao plano, focando em mais atividade física, sono reparador, atenção aos cuidados pessoais e ao seu eu emocional, além de promover uma limpeza em seu entorno físico.

Você já conhece as regras. Já conhece suas metas. E já conhece as informações que embasam os dois. Agora você está pronto. Vamos para o passo 1.

# 5. Passo 1 — A correção da dieta e do excesso de comprimidos

O que é permitido nesta dieta, exatamente? O plano de cardápio e as receitas na parte III vão ajudá-lo a seguir o protocolo, mas antes vou fazer uma lista básica para auxiliá-lo nas compras e no planejamento de suas refeições. Também vou orientá-lo sobre como escolher os suplementos adequados para complementar a dieta e como evitar, se possível, certos medicamentos.

## COMO LIMPAR A COZINHA COM O "SIM OU NÃO"

A dieta da mente para a vida pede que a entrada principal seja composta de frutas e legumes integrais mais fibrosos, coloridos e ricos em nutrientes que crescem acima da terra, acompanhados por uma proteína. Uma dieta de baixo carboidrato não significa comer grandes quantidades de carne e outras fontes de proteína. Pelo contrário: um prato de baixo carboidrato inclui uma porção razoável de vegetais (três quartos do prato) e apenas 85 gramas a 110 gramas de proteína (e não mais que 225 gramas de proteína, ao todo, por dia). As gorduras de que você necessita serão obtidas, em seu estado natural, através das proteínas, dos ingredientes usados para preparar suas refeições (como a manteiga e o azeite de oliva) e de castanhas e sementes. O mais bonito dessa dieta é que você não precisa se preocupar em controlar as porções. Caso siga estas orientações, seu sistema natural de controle de apetite entrará em ação, e você comerá a quantidade certa para as necessidades energéticas do corpo.

OS VILÕES ("NÃO")

Nos dias que antecedem o início de sua nova forma de comer, convém fazer uma lista do que você tem na cozinha e eliminar os itens que você não vai mais consumir. Comece se livrando do seguinte:

**Todas as fontes de glúten**, inclusive as versões integrais ou multigrãos de pães, massas, doces, bolachas e cereais. Os seguintes ingredientes também podem levar glúten escondido e devem ser banidos da sua cozinha (confira os rótulos para se certificar de que outros produtos não contêm os seguintes ingredientes):

achocolatados industrializados

alimentos empanados

almôndegas e bolinhos de carne

amido modificado

aromatizante natural (nos rótulos)

aveia (exceto se for comprovadamente zero glúten)

*Avena sativa* (um tipo de aveia)

barrinhas energéticas (exceto se forem comprovadamente zero glúten)

batata frita congelada (costuma ser polvilhada com farinha)

bebidas prontas à base de vinho

bebidas quentes instantâneas

cachorros-quentes

cafés e chás aromatizados

caldos/ sopas industrializados

castanhas carameladas

centeio

cereais

cerveja

cevada

ciclodextrina

corante caramelo (muitas vezes obtido a partir da cevada)

cuscuz marroquino

dextrina

embutidos

espelta (ou trigo-vermelho)

extrato de fitoesfingosina

extrato de grãos fermentados

extrato de levedura

extrato de malte hidrolisado

farelo de aveia (exceto se for comprovadamente zero glúten)

farinha de trigo (integral ou não)

feijão enlatado

frios

geleias

gérmen de trigo

hambúrguer vegetal

kamut

kani kama, bacon etc.

ketchup

maionese (exceto se for comprovadamente zero glúten)

malte/ sabor artificial de malte

maltodextrina

matsá (pão sem fermento)

misturas industrializadas para marinadas

misturas para pudim

mix de castanhas industrializado

molhos industrializados em geral (para salada, para carnes etc.)

produtos hidrolisados

proteína de soja

proteínas vegetais (proteína vegetal hidrolisada e texturizada)

queijos azuis

queijos processados

seitan ("carne" de glúten)

semolina

shoyu e molho teriyaki

sopas

sorvetes

substitutos do creme de leite

substitutos do ovo

tabule

trigo

triguilho (bulgur)

triticale

*Triticum aestivum* (um tipo de trigo)

*Triticum vulgare* (um tipo de trigo)

vegetais fritos/ tempurá

vinagre de malte

vodca

xarope de arroz integral

Tome extremo cuidado com alimentos rotulados como "zero glúten", "sem glúten", "glúten free" ou "selo GF" e sempre verifique a lista de ingredientes. Para alguns dos alimentos listados, como as barrinhas energéticas e a maionese, existem hoje em dia marcas de qualidade e comprovadamente zero glúten. Porém, é bom fazer o dever de casa. Uma barrinha energética zero glúten, por exemplo, pode conter grande quantidade de açúcares e ingredientes artificiais indesejáveis. Não é porque um alimento é rotulado "zero glúten" e "orgânico" que ele necessariamente cumpre as recomendações deste livro. E produtos assim podem estragar todo o seu esforço para pôr em prática meu protocolo e colher os benefícios à saúde.

Muitos alimentos comercializados como "zero glúten" na verdade nem teriam mesmo por que conter glúten (como água, frutas, vegetais, ovos). Mas o termo "zero glúten" não significa que um alimento seja orgânico, de baixo carboidrato ou saudável. Na verdade, a indústria usa esse termo em produtos processados para substituir o glúten por outros ingredientes, como amido de milho, farinha de milho, amido de arroz, fécula de batata ou polvilho. Todos podem ser igualmente nocivos. São amidos processados que podem ser alergênicos e promover processos inflamatórios.

**Todos os tipos de carboidratos, açúcares e amidos processados:**

| | |
|---|---|
| açúcar (branco e mascavo) | frutas secas |
| alimentos fritos | geleias/ gelatinas/ conservas |
| barrinhas energéticas | isotônicos |
| batatas chips | massa de pizza |
| biscoitos | mel |
| bolos | bolo |
| cookies | refrigerantes |
| doces | snacks doces |
| donuts | sucos |
| frozen yogurt ou sorbet de fruta | tortas e bolos |

xarope de agave                                            xarope de milho

xarope de bordo

**Os principais vegetais com amido e alguns que crescem sob o solo:**

| | |
|---|---|
| batata | ervilha |
| batata-doce | inhame |
| beterraba | milho |

**Alimentos industrializados com rótulo "zero gordura" ou "baixo teor de gordura"**: a menos que sejam verdadeiramente zero gordura, baixo teor de gordura e conforme o protocolo, como água, mostarda e vinagre balsâmico.

**Margarina, gordura vegetal, gorduras trans (óleos hidrogenados e parcialmente hidrogenados), todas as marcas comerciais de óleo de cozinha (soja, milho, algodão, canola, amendoim, cártamo, uva, girassol, farelo de arroz e gérmen de trigo)**: mesmo que sejam orgânicos. É comum que as pessoas cometam o equívoco de achar que os óleos vegetais são derivados dos vegetais. Não são. Trata-se de um termo incrivelmente enganoso, um resquício dos dias em que os fabricantes de alimentos precisavam distinguir essas gorduras da gordura animal. Esses óleos costumam vir de grãos, como o milho, de sementes ou de outras plantas, como a soja. E são altamente refinados e quimicamente alterados. A maior parte dos americanos ingere gordura, sobretudo, a partir desses óleos, que estão cheios de gorduras ômega-6 pró-inflamatórias, o oposto das gorduras ômega-3 anti-inflamatórias. Não os consuma.

**Soja não fermentada (por exemplo, tofu e leite de soja) e alimentos processados feitos com essa soja**: procure na lista de ingredientes "proteína isolada de soja"; evite queijo de soja, hambúrguer de soja, cachorro-quente de soja, nuggets de soja, sorvete de soja, iogurte de soja. Atenção: embora alguns molhos de soja fermentados naturalmente sejam, em teoria, sem glúten, muitas marcas comerciais contêm traços de glúten. Caso você precise usar um molho de soja na cozinha, use molho de soja tamari, feito 100% a partir de grãos de soja e sem trigo.

### OS HERÓIS ("SIM")

Antes de tudo: lembre-se de dar preferência a orgânicos e alimentos não transgênicos, uma forma de ficar longe do glifosato, que engorda e causa danos ao intestino. Prefira carne de boi e de aves sem antibióticos e 100% orgânica, de animais criados no pasto. Isso é crucial, porque "criado no pasto" não significa necessariamente "orgânico". Significa que o animal é criado pisando em grama natural, onde pode comer, além da própria ração, todo tipo de folha, planta, inseto etc. que encontrar. Ao comprar peixes, escolha aqueles pescados na natureza, que costumam ter níveis de toxinas inferiores aos dos criados em cativeiro.

Cuidado com o termo "natural". A FDA americana não elaborou uma definição formal para esse termo, a não ser declarar que ele pode ser usado caso o alimento não contenha corantes, sabores artificiais ou substâncias sintéticas adicionadas. Mas perceba que o termo "natural" não quer dizer "orgânico", e não significa necessariamente que um alimento seja saudável. Ele pode estar repleto de açúcar, por exemplo. Quando vir esse termo, certifique-se de que leu bem a lista de ingredientes.

**Hortaliças:**

| | |
|---|---|
| acelga | alho-poró |
| acelga chinesa (*bok choy*) | aspargo |
| agrião | brócolis |
| alcachofra | broto de alfafa |
| alface e folhas similares | castanha-d'água |
| alho | cebola |

| | |
|---|---|
| cebolinha | gengibre |
| chalota | jícama |
| cogumelo | nabo |
| couve-de-bruxelas | rabanete |
| couve-de-folhas | repolho |
| couve-flor | salsão |
| couve-galega | salsinha |
| erva-doce (funcho) | vagem |
| espinafre | |

**Frutas e vegetais pobres em açúcar:**

| | |
|---|---|
| abacate | limão-taiti |
| abóbora | moranga |
| abobrinha | pepino |
| berinjela | pimentão |
| limão-siciliano | tomate |

**Alimentos fermentados:**

| | |
|---|---|
| carnes, peixes e ovos fermentados | iogurte com bactérias vivas |
| chucrute | kefir |
| frutas e vegetais em conserva | kimchi |

**Gorduras saudáveis:**

| | |
|---|---|
| azeite de oliva extravirgem | *ghee* |
| azeitonas | leite de amêndoas |
| castanhas e manteiga de castanhas | óleo de abacate |
| coco | óleo de coco (veja nota a seguir) |
| | óleo de gergelim |

| | |
|---|---|
| óleo de TCM (triglicerídeos de cadeia média), geralmente obtido a partir de óleo de coco ou de palmiste | banha de animal criado em pasto e manteiga orgânica ou de animal criado em pasto |
| queijos (exceto os azuis) | sementes (de linho, girassol, abóbora, gergelim e chia) |

Uma nota sobre o óleo de coco: esse supercombustível para o cérebro também reduz processos inflamatórios. Na literatura científica, ele é reconhecido por ajudar a prevenir e tratar doenças neurodegenerativas. Use-o ao preparar suas refeições. Como o óleo de coco é estável quando exposto ao calor, dê preferência a ele, em vez do azeite, ao cozinhar em alta temperatura. (Se não gostar de cozinhar com ele, você pode ingerir uma ou duas colheres de chá, como se fosse um suplemento — veja a p. 111.) O óleo de coco também é uma ótima fonte de triglicerídeos de cadeia média (TCM), um tipo excelente de ácido graxo saturado. Também pode ser acrescentado ao café e ao chá.

**Proteínas:**

carne de boi, de ave e de porco criados no pasto (boi, cordeiro, bisão, frango, peru, pato, avestruz, vitela)

carne de caça, crustáceos e moluscos (camarão, caranguejo, lagosta, mexilhão, amêijoa, ostra)

ovos inteiros

peixes selvagens (salmão, *black cod*, dourado, garoupa, arenque, truta, sardinha)

**Ervas, temperos e condimentos:**

condimentos em cultura (maionese lactofermentada, mostarda, raiz-forte, molho de pimenta, *relish*, vinagrete, guacamole, molho para salada e chutney de frutas)

mostarda

raiz-forte

*tapenade*

vinagretes, sobretudo aqueles sem glúten, trigo, soja e açúcar

Atenção: o creme azedo (*sour cream*), embora tecnicamente seja um laticínio fermentado, tende a perder o poder probiótico durante o processamento. Alguns fabricantes, porém, adicionam culturas vivas no final do processo; procure marcas com essa indicação no rótulo ("culturas vivas").

**Outros alimentos que podem ser consumidos ocasionalmente** (pequenas porções uma vez por dia, ou, de preferência, apenas duas ou três vezes por semana):

cenoura

grãos sem glúten: amaranto, trigo-sarraceno, painço, quinoa, arroz (branco, integral ou selvagem), sorgo, *teff*

leguminosas (feijão, lentilha, ervilha): exceto grão-de-bico e homus, que podem ser consumidos se forem orgânicos. Tome cuidado com o homus de produção industrial, que é repleto de aditivos e ingredientes inorgânicos. O homus clássico é composto apenas por grão-de--bico, tahine, azeite, suco de limão, alho, sal e pimenta.

leite de vaca e nata: de preferência em receitas, no café e no chá

pastinaca

Uma nota sobre a aveia: certifique-se de que qualquer aveia que você comprar seja verdadeiramente sem glúten; algumas são feitas em fábricas que processam derivados de trigo, o que causa contaminação. Em geral, recomendo limitar o consumo de grãos sem glúten, porque, quando processados para o consumo humano (como na moagem de aveia integral e no preparo do arroz para o empacotamento), sua estrutura física pode mudar, e isso pode aumentar o risco de uma reação inflamatória.

**Adoçantes:** estévia natural e chocolate (com pelo menos 75% de cacau).

**Frutas doces:** as melhores são as frutas vermelhas; tome cuidado em especial com frutas muito doces, como damasco, manga, melão, mamão, ameixa e abacaxi.

---

**Atenção ao rótulo**

Nos Estados Unidos, o selo do Departamento de Agricultura indica que um alimento foi produzido sem pesticidas sintéticos, organismos modificados geneticamente (transgênicos) ou fertilizantes à base de petróleo. Quando se trata de carnes orgânicas e laticínios, o selo indica que são produzidos a partir de animais criados em pasto, com dieta vegetariana, não tratados com antibióticos nem com hormônios, e com acesso ao ar livre. Caso o produto tenha sido feito com ingredientes 100% orgânicos, o rótulo pode dizer "100% orgânico". Por si só, a palavra "orgânico" indica que o alimento foi produzido com pelo menos 95% de ingredientes orgânicos.

"Feito com ingredientes orgânicos" significa que o produto foi fabricado com um mínimo de 70% de ingredientes orgânicos, com restrições em relação aos 30% restantes, e que não inclui transgênicos. Assim como o termo "natural", "orgânico" não é sinônimo de saudável. Hoje em dia não faltam junk foods orgânicas nas prateleiras dos supermercados, incluindo doces e bolachas que são tudo menos saudáveis. Na dúvida, esquadrinhe a lista de ingredientes. É o melhor jeito de saber.

---

Uma nota em relação à hora da feira: não há nada mais frustrante que gastar uma fortuna em produtos fresquinhos que começam a murchar ou estragar assim que você chega em casa. Planeje quais frutas e vegetais você pretende usar em um período de alguns dias, com base no plano de refeições, e compre-os à medida que precisar, a menos que pretenda fazer um estoque no congelador. Frutas e vegetais congelados são uma boa opção, desde que seja possível escolher orgânicos ou com selo de não transgênico. Três dicas a mais:

- evite frutas e vegetais danificados, desbotados ou pouco viçosos. Pergunte ao feirante o que acabou de chegar e o que é de produção local. Dê preferência aos sazonais se estiver comprando produtos frescos. Se você é fanático por frutas vermelhas, mas as que são "frescas" vieram de uma distância de milhares de quilômetros, troque-as pelas congeladas, mas orgânicas. Elas terão sido colhidas no auge da maturidade, o que conserva seus nutrientes;

- quanto mais brilhante, melhor. Quanto mais vivas forem as cores, mais nutrientes a fruta ou o vegetal contém. Quando houver opções de cor, como acontece com pimentões e cebolas, faça uma escolha variada. Cores diferentes fornecem nutrientes diferentes;

- cultivos de alto risco em relação aos transgênicos: mamão e abobrinha costumam ser geneticamente modificados. Por isso, procure pela certificação "não transgênico" ao comprá-los.

O QUE BEBER?

A bebida número um, para ter à mão o tempo todo, é a água filtrada, isenta de substâncias químicas que podem atacar seu microbioma. Recomendo muitíssimo a compra de um filtro, pelo qual deve passar toda a água que você for usar para beber ou cozinhar. Hoje em dia há uma enorme variedade de tecnologias de tratamento de água no mercado, de simples jarras purificadoras que você enche manualmente a geringonças que ficam embaixo da pia, ou aparelhos projetados para filtrar a água que chega à sua casa. Sou um grande entusiasta dos sistemas que usam osmose reversa ou filtros de carvão ativado. Por isso, se possível, dê uma olhada neles. A decisão é sua em relação ao sistema mais adequado a suas necessidades e seu orçamento. Certifique-se de que o filtro que você comprar remove fluorídeos, cloro e outros contaminantes em potencial. É importante que, qualquer que seja o filtro da sua escolha, você siga as instruções de manutenção do fabricante, para que ele continue a funcionar. À medida que se acumulam os contaminantes, os filtros vão se tornando menos eficientes, podendo até chegar a lançar substâncias químicas de volta à sua água filtrada.

Outras bebidas permitidas incluem café, chá e vinho (de preferência tinto), com moderação. São bebidas que contêm componentes benéficos ao intestino e à saúde do cérebro. Apenas cuide para não exagerar. O café e o chá contêm cafeína, que pode interferir no seu sono (a menos que você tome o descafeinado). Além do chá verde, que, como se sabe, contém componentes estimulantes da via Nrf2, recomendo veementemente o kombuchá. É uma forma de chá verde ou preto fermentado, conhecida há séculos. Gasoso e servido em geral gelado, acredita-se que ajude a turbinar a energia e até a perder peso. Note que o vinho deve ser limitado a uma taça diária para mulheres e duas para os homens.

### CRIE E MANTENHA UMA MINI-HORTA DE ERVAS E TEMPEROS

Não existe maneira melhor de dar vida a uma refeição que acrescentando um toque de especiarias ou uma pitada de ervas frescas. Ervas e especiarias culinárias podem transformar um prato sem graça numa iguaria. Embora alguns não sejam baratos, criar uma mini-horta digna de uma revista de culinária não leva ninguém à falência nem custa uma fortuna. Faça isso aos poucos. Eis uma lista de itens que vale a pena começar a reunir para fazer experiências em seus pratos. Escolha, sempre que possível, ervas orgânicas, colhidas no jardim, e especiarias e ervas não expostas à radiação ionizante. Uma boa maneira de começar é comprando alguns gramas de cada erva e especiaria que você queira experimentar; caso você compre itens secos, mantenha-os armazenados em seus invólucros originais, ou transfira-os para potinhos de vidro e rotule-os. Quanto às variedades frescas, guarde-as na geladeira e não demore a usá-las.

- açafrão
- alecrim
- alho (em pó ou fresco)
- canela
- cebolinha
- coentro
- cominho
- cravo
- cúrcuma
- curry em pó (vermelho e amarelo)
- endro
- estragão
- favas de baunilha
- gengibre (em pó ou fresco)
- hortelã
- louro
- manjericão
- noz-moscada
- orégano
- páprica
- pimenta caiena
- pimenta chili em pó
- pimenta-da-jamaica

- pimenta-do-reino

- pimenta vermelha moída

- sal marinho

- salsinha

- sálvia

- satureja

- sementes de mostarda (preta e amarela)

- tomilho

### REABASTEÇA SUA DESPENSA

Caso você tenha usado a lista de limpeza da cozinha, o mais provável é que sua despensa esteja se sentindo meio abandonada. Você deve ter se livrado de um sem-número de vilões. Então, o que colocar ali, além de óleos e vinagres?

- cacau em pó (com pelo menos 75% de cacau)

- caldos (de carne, frango e vegetais) orgânicos e caseiros (não use em tablete ou em pó!)

- castanhas e sementes

- farinha de amêndoa

- molho de pimenta

- peixes enlatados (salmão, atum, anchova)

- picles

- tomate pelado (incluindo extrato de tomate)

- vegetais enlatados

Agora que você corrigiu sua cozinha, é hora de corrigir sua farmácia caseira.

## QUE COMPRIMIDOS TOMAR — OU NÃO

A cada semana parece surgir nos meios de comunicação algo novo em relação ao uso de suplementos. Num dia, noticia-se que certas vitaminas nos são benéficas e vão prolongar nossa vida; no dia seguinte, lemos que algumas delas podem aumentar o risco de certas doenças, inclusive a demência. Embora seja verdade que vitaminas e suplementos nunca devessem ser usados como uma apólice de seguros contra lapsos na nossa dieta, certos produtos têm sua hora e seu lugar. E há uma diferença entre tomar doses exageradas de multivitamínicos e acrescentar suplementos naturais de nutrientes que o corpo não obteria facilmente de outra maneira que não pela dieta.

Hoje em dia existem muitos fabricantes de suplementos, e duas fórmulas criadas para obter o mesmo efeito podem ter diferentes combinações de ingredientes, assim como diferentes dosagens. Faça o dever de casa para encontrar suplementos melhores e de qualidade, que não contenham substâncias desnecessárias, esteja você comprando suplementos em geral ou probióticos. Uma boa maneira de saber quais são as melhores marcas é conversar com o supervisor da seção de suplementos e probióticos na loja de produtos naturais. São profissionais que tendem a estar bem informados em relação aos melhores produtos, sem agir como representantes de nenhuma empresa específica. Por isso, a indicação deles não é tendenciosa. Os suplementos, aí incluídos os probióticos, não são regulamentados pela FDA americana da mesma forma que os produtos farmacêuticos. Mais um motivo para você ficar atento e escolher uma marca cuja publicidade bata com os verdadeiros ingredientes.

Por exemplo, um pote de suplementos probióticos de "alta potência", com dez cepas de probióticos, pode ser comercializado como se entregasse "50 bilhões de culturas vivas por cápsula", mas, na hora em que você compra o produto, pode não estar adquirindo essa quantidade. O frescor e a viabilidade de cepas de probióticos industrializadas decai com o tempo, mesmo sob condições ideais de armazenamento. É por isso que é importante saber o que você está comprando e pedir a melhor marca, aquela que tem o histórico de melhor reputação. Compre seus probióticos em pequenas quantidades e com maior frequência, em vez de optar pelas embalagens tamanho-família com desconto.

Atenção: caso você esteja tomando atualmente algum medicamento sob prescrição médica, é importante falar com o médico antes de iniciar qualquer programa de suplementos. Você pode tomar a maior parte desses suplementos quando bem entender. A maioria não exige ingestão junto com comida. Duas exceções: não se deve tomar probióticos com o estômago vazio, e a goma-arábica, uma fibra prebiótica que recomendo muito e que hoje se encontra facilmente em lojas de produtos saudáveis nos Estados Unidos, deve ser tomada depois da refeição da noite (mais detalhes adiante).

Em geral, é melhor tomar os suplementos todos os dias no mesmo horário, para não esquecer. Para muitas pessoas, isso significa a parte da manhã, antes de sair de casa. A cúrcuma é o único dos suplementos que sugiro ingerir duas vezes por dia; tome uma dose pela manhã e outra à noite. Na p. 118 há uma lista de lembretes que criei para você, com todos os suplementos e probióticos, além das doses recomendadas.

A seguir, minhas recomendações.


### SUPLEMENTOS EM GERAL A LEVAR EM CONTA

DHA: o ácido docosa-hexaenoico (DHA) é o astro no reino dos suplementos e um dos "queridinhos" mais bem documentados na proteção do cérebro. O DHA é um ácido graxo ômega-3 que representa mais de 90% das gorduras ômega-3 do cérebro. Do peso da membrana de um neurônio, 50% é composto de DHA, componente-chave dos tecidos cardíacos. A deficiência em DHA está presente em diversos transtornos, entre eles a demência e a ansiedade. A fonte mais rica de DHA na natureza é o leite materno, o que explica por que a amamentação é permanentemente promovida como algo importante para a saúde neurológica. O DHA passou a ser acrescentado ao leite em pó, assim como a centenas de alimentos. Tome 1000 mg por dia. Não há problema em comprar DHA que venha combinado com EPA (ácido eicosapentaenoico), e tanto faz se for derivado de óleo de peixe ou de algas.

**Óleo de coco**: como citado na p. 102, caso você não cozinhe com frequência com esse óleo nem o coloque no café ou no chá, desfrute de seus benefícios consumindo uma ou duas colheres de chá por dia.

**Cúrcuma**: integrante da família do gengibre, a cúrcuma é o tempero que dá ao curry em pó sua coloração amarela. Há muito tempo é conhecida por suas propriedades anti-inflamatórias, antioxidantes e antiapoptóticas — ou seja, reduz o suicídio celular, ou apoptose. A cúrcuma tem sido estudada atualmente por suas aplicações em potencial na neurologia. Pesquisas mostram que ela pode incrementar o crescimento de células cerebrais, assim como aumentar os níveis de DHA no cérebro. Em algumas pessoas, a cúrcuma pode até rivalizar com os efeitos antidepressivos do Prozac. Há milhares de anos é empregada, tanto na medicina chinesa quanto na indiana, como um remédio natural para uma série de males. A curcumina, o componente mais ativo da cúrcuma, aciona os genes para produzir um amplo leque de oxidantes, que servem para proteger nossas preciosas mitocôndrias. Também melhora o metabolismo da glicose, que ajuda a manter um equilíbrio sadio das bactérias do intestino. Caso você não coma muitos pratos com curry, recomendo uma suplementação de 500 mg duas vezes por dia.

**Ácido alfa-lipoico**: encontrado dentro de todas as células do corpo, esse ácido graxo é responsável por produzir energia para as funções corporais. Cruza a barreira hematoencefálica e age como um poderoso antioxidante no cérebro. Os cientistas o vêm estudando como tratamento em potencial contra derrames e outros problemas cerebrais, como a demência, que envolvem danos aos radicais livres. Embora o corpo possa produzir esse ácido graxo satisfatoriamente, é melhor suplementá-lo, para assegurar-se de ter a quantidade necessária. O objetivo deve ser de 300 mg a 500 mg por dia.

**Extrato do grão de café verde**: é um dos acréscimos mais animadores a meu regime de suplementos. Demonstrou-se recentemente que esse extrato aumenta os níveis no sangue de uma proteína chamada "fator neurotrófico derivado do cérebro" (BDNF, do inglês *brain-derived neurotrophic factor*). Tudo o que eu disser não será o bastante para enfatizar a importância do BDNF, não apenas na manutenção da saúde do cérebro e de sua resistência a danos, mas também no desencadeamento do crescimento de células cerebrais e no aumento das conexões entre elas. Seguidos estudos mostram uma relação entre os níveis de BDNF e o risco de desenvolver Alzheimer. Em um estudo de referência publicado em 2014 no renomado *Journal of the American Medical Association*, pesquisadores da Universidade de Boston concluíram que, em um grupo de mais de 2100 pessoas idosas monitoradas durante dez anos, 140 desenvolveram demência. Aquelas com os níveis de BDNF mais elevado no sangue tinham menos da metade do risco de demência, em comparação com aqueles que tinham níveis mais baixos de BDNF. Níveis inferiores de BDNF foram documentados em pessoas com Alzheimer, assim como em pessoas com obesidade e depressão. Procure o concentrado de café verde integral e tome 100 mg diários. Demonstrou-se que uma única dose de extrato de grão de café verde *duplicou* os níveis de BDNF no sangue na primeira hora após a ingestão.

**Vitamina D$_3$**: tecnicamente é um hormônio, e não uma vitamina. Por definição, o corpo não produz vitaminas. Mas a vitamina D é produzida na pele através da exposição à radiação ultravioleta (UV) do sol. Embora a maioria das pessoas a associe à saúde óssea e aos níveis de cálcio, a vitamina D tem efeitos de longo alcance sobre o corpo, em particular no cérebro. Sabe-se que existem receptores de vitamina D em todo o sistema nervoso central; na verdade, os pesquisadores identificaram cerca de 3 mil sítios ligadores no genoma humano para a vitamina D. Também se sabe que a vitamina D ajuda a regular as enzimas no cérebro e o fluido cérebro-espinhal, envolvidos na fabricação de neurotransmissores e no estímulo do crescimento nervoso. Estudos realizados tanto em animais quanto em seres humanos apontaram que a vitamina D protege os neurônios dos efeitos danosos dos radicais livres, reduzindo os processos inflamatórios. Como já mencionei, a vitamina D também está associada a telômeros mais compridos. E eis um fato extremamente importante: a vitamina D realiza todas essas tarefas através de sua relação com as bactérias intestinais. Em 2010, descobriu-se que a flora do intestino interage com nossos receptores de vitamina D, controlando-os seja para aumentar, seja para diminuir sua atividade.

Como eu disse na p. 84, incentivo-o a testar seus níveis de vitamina D e a pedir a seu médico que encontre a dose ideal. Para adultos, geralmente recomendo começar com 5000 ui de vitamina D por dia. Algumas pessoas necessitam de mais, outras de menos. É importante pedir a seu médico que acompanhe seus níveis de vitamina D até que você atinja uma dose que o mantenha na parte de cima da faixa normal no exame de sangue.

## SUPLEMENTOS PARA AJUDAR A SAÚDE INTESTINAL

Os dois segredos para melhorar a composição e o funcionamento de suas bactérias intestinais são os prebióticos e os probióticos.

### PREBIÓTICOS

Os prebióticos, ingredientes que as bactérias do intestino adoram comer para alimentar seu crescimento e atividade, podem ser facilmente obtidos a partir de certos alimentos. Para que sejam considerados prebióticos, precisam atender três condições. A primeira e mais importante é que sejam indigeríveis, ou seja, que passem pelo estômago sem serem decompostos, quer pelos ácidos gástricos, quer pelas enzimas. A segunda é que eles têm que ser fermentados ou metabolizados pelas bactérias intestinais. A terceira é que essa atividade tem que resultar em benefício à saúde. As fibras alimentares prebióticas, por exemplo, atendem a todas essas exigências, e seus efeitos sobre o crescimento de bactérias saudáveis no intestino podem muito bem ser a razão pela qual atuam como anticâncer, antidiabetes, antidemência e antiobesidade.

Em sua esmagadora maioria, os americanos não chegam nem perto da dose adequada de prebióticos. Eu recomendo como objetivo pelo menos doze gramas por dia, vindos seja de alimentos naturais, de suplementos, seja de um misto de ambos. Repito, este é um dos passos mais importantes que você pode dar no sentido de um funcionamento saudável das bactérias boas do intestino, abrindo as portas para um futuro saudável para você mesmo. Abaixo, uma lista das principais fontes alimentares de prebióticos naturais.

- alho

- alho-poró

- aspargos

- cebola

- folhas de dente-de-leão

- goma-arábica (ou goma de acácia) comestível

- raiz de chicória

- tupinambo (alcachofra-de-jerusalém)

Embora alguns desses nomes possam ser um tanto desconhecidos para você, meu plano de cardápio vai ajudá-lo a empregá-los e obter um bocado de fibras prebióticas em sua dieta diária. Hoje em dia, muitas lojas de artigos naturais nos Estados Unidos oferecem produtos com fibra prebiótica em pó, que você pode simplesmente misturar na água. Esses produtos, muitos deles derivados da goma-arábica, representam uma fonte prática de fibra prebiótica concentrada, que nutre as bactérias do intestino. A goma-arábica (também chamada de fibra de acácia) foi objeto de inúmeros estudos. Descobriu-se que ela tem um impacto significativo na perda de peso. Uma pesquisa recente mostrou uma drástica redução tanto no índice de massa corporal quanto no percentual de gordura corporal entre mulheres adultas saudáveis que a tomaram como suplemento nutricional. A Food and Drug Administration considera a goma-arábica uma das fibras alimentares mais seguras e bem toleradas; ela não aumenta o risco de gases, cólicas abdominais ou diarreia.

Portanto, se você estiver procurando um suplemento prebiótico de fibras, opte pela goma-arábica. Você só precisa de uma ou duas colheres de sopa por dia em qualquer bebida — de preferência quinze a trinta minutos antes da refeição da noite. Doze gramas de fibras prebióticas por dia são uma meta excelente, mas pode levar uma ou duas semanas até que o corpo se acostume a tanto — você pode sofrer com um pouco de gases. Comece com apenas uma colher de sopa de fibra de acácia por dia, aumentando aos poucos para duas colheres diárias.

Ao escolher um suplemento prebiótico, atente para:

- rótulos como "vegano" ou "sem glúten"

- produtos isentos de soja, açúcar e *psyllium*

- nada de corantes, adoçantes ou sabores artificiais

### PROBIÓTICOS

Assim como ocorre com os prebióticos, é possível obter probióticos por meio da alimentação e dos suplementos. Em relação à comida, recomendo ter o seguinte na cozinha:

**Iogurte de cultura viva**: a prateleira de laticínios do supermercado nunca teve uma variedade tão grande. No que diz respeito ao iogurte, opções não faltam hoje, mas é preciso ter cuidado com o que se compra. Muitos iogurtes — tanto do tipo grego quanto do comum — estão cheios de açúcares, adoçantes e sabores artificiais. Leia os rótulos. Se você tiver intolerância à lactose, experimente iogurte à base de leite de coco. É uma excelente maneira de incluir na sua dieta muitos probióticos e enzimas boas para o intestino.

**Kefir**: é um produto obtido a partir do leite fermentado, similar ao iogurte. Trata-se de uma combinação singular de grãos de kefir (uma cultura simbiótica de levedura e bactérias) e leite de cabra, rica em lactobacilos e bifidobactérias, dois dos probióticos mais estudados no intestino. O kefir também é rico em antioxidantes. Caso você seja sensível ou intolerante à lactose, o kefir de leite de coco é igualmente delicioso e benéfico.

**Chucrute**: esse repolho fermentado alimenta as bactérias saudáveis do intestino e fornece colina, substância necessária para a transmissão apropriada dos impulsos nervosos do cérebro através do sistema nervoso central.

**Picles**: acredito que exista uma razão para tantas mulheres grávidas sentirem desejo de picles. Trata-se de um dos probióticos naturais mais básicos e apreciados. Para muitos, o picles pode ser o alimento de entrada para outras comidas fermentadas mais exóticas.

**Frutas e vegetais em conserva**: fazer conservas de frutas e vegetais, como palitos de cenoura e vagem, transforma o que é ordinário em extraordinário. Seja feito por você mesmo ou comprado, não se esqueça de que apenas alimentos em conserva sem pasteurização — conservados em salmoura, e não no vinagre — mantêm os benefícios probióticos.

**Condimentos em cultura**: é possível comprar ou fazer em casa maionese, mostarda, rabanete, raiz-forte, molho de pimenta, *relish*, vinagrete, guacamole, molho de salada e chutney de frutas lacto-fermentado. Lembre-se de procurar *sour cream* com adição de cultura viva.

**Carnes, peixes e ovos fermentados**: é melhor você mesmo fazer essas receitas em vez de comprar produtos industrializados, que em geral são processados junto com outros ingredientes indesejáveis.

O número de suplementos probióticos disponíveis hoje pode dar tontura. Milhares de diferentes espécies de bactérias compõem o microbioma humano, mas eu tenho algumas poucas joias a recomendar:

- *Lactobacillus plantarum*
- *Lactobacillus acidophilus*
- *Lactobacillus brevis*
- *Bifidobacterium lactis*
- *Bifidobacterium longum*

A maioria dos produtos probióticos contém diversas cepas, e eu o incentivo a procurar suplementos probióticos que contenham pelo menos dez diferentes cepas, com o maior número possível das espécies supracitadas. Diferentes cepas propiciam diferentes benefícios, mas essas são aquelas que mais ajudam a saúde do cérebro, porque:

- fortificam o revestimento intestinal e reduzem a permeabilidade do intestino;
- reduzem o LPS, molécula inflamatória que pode ser perigosa caso atinja a corrente sanguínea;
- aumentam o BDNF (fator neurotrófico derivado do cérebro), intimamente conhecido como "hormônio de crescimento" do cérebro;
- sustentam o equilíbrio geral das bactérias, afastando quaisquer colônias "do mal".

Caso seu objetivo seja perder peso, sugiro buscar as seguintes espécies, além daquelas anteriores:

- *Lactobacillus gasseri*
- *Lactobacillus rhamnosus*

Para aqueles com transtornos de humor, inclusive depressão, busquem:

- *Lactobacillus helveticus*

- *Bifidobacterium longum*

Lembre: procure tomar seus probióticos com o estômago vazio, e tente tomá-los pelo menos trinta minutos antes das refeições.

LISTA DE LEMBRETE DE SUPLEMENTOS

| Nome | Dose | Frequência |
| --- | --- | --- |
| DHA | 1000 mg | Diária |
| Óleo de coco | 1 a 2 colheres de chá | Diária (se não for usado para cozinhar/ café/ chá) |
| Cúrcuma | 500 mg | Duas vezes por dia |
| ALA | 300 mg a 500 mg | Diária |
| Extrato de grão de café | 100 mg | Diária |
| Vitamina D | 5000 UI | Diária |
| Fibra prebiótica | 12 g | Diária (15 a 30 minutos antes do jantar) |
| Probióticos | 1 cápsula multicepa | Diária (pelo menos 30 minutos antes das refeições) |

COMPRIMIDOS SOBRE OS QUAIS VOCÊ DEVERIA REFLETIR ANTES DE TOMAR

A esmagadora maioria dos americanos toma diariamente algum tipo de medicamento, seja comprado sob prescrição médica, seja por conta própria. Três em cada cinco americanos adultos, em média, tomam remédio receitado; em 2015, o *Journal of the American Medical Association* publicou a conclusão de que a prevalência dos remédios com receita entre aqueles com vinte anos ou mais subiu para 59% em 2012, contra 51% apenas doze anos antes. E o percentual de pessoas que tomam cinco ou mais remédios com receita quase duplicou durante o mesmo período. Subiu de 8% para 15%.

Entre as drogas mais comumente usadas está um tipo que aumenta o risco de males cerebrais: as estatinas. Já expus no passado meus argumentos a respeito das estatinas, e a seguir apresento minha lição principal. Mas as estatinas não são o único problema. Recomendo com veemência que você faça uma lista dos remédios que tem em sua farmácia doméstica e busque reduzir o número de drogas que toma, a menos que elas sejam absolutamente necessárias para tratar uma condição (e, é claro, converse com seu médico caso esteja pensando em parar de tomar algum medicamento que lhe foi prescrito). A seguir, a lista das maiores ameaças:

**Estatinas**: as estatinas para redução do colesterol têm sido apresentadas como uma forma de reduzir os níveis de inflamação como um todo. Mas novas pesquisas revelam que essas poderosas substâncias químicas podem reduzir as funções cerebrais e aumentar o risco de diabetes, doenças cardíacas, prejuízo das funções cognitivas e depressão. A razão é simples: o corpo, e em particular o cérebro, precisa de colesterol para prosperar. Além disso, o colesterol participa da estrutura e da sustentação da membrana celular, da síntese de hormônios e da produção de vitamina D. Páginas e mais páginas de dados científicos têm mostrado, com frequência, que níveis de colesterol excessivamente baixos estão relacionados à depressão, à perda de memória e até a atos violentos contra si mesmo e contra outros.

**Remédios contra refluxo ácido (inibidores da bomba de prótons)**: estima-se que 15 milhões de americanos usem inibidores da bomba de prótons (IBPS) contra a doença do refluxo gastroesofágico (DRGE). São drogas vendidas sob prescrição médica ou direto no balcão, com uma variedade de marcas, como lansoprasol, omeprazol, pantoprazol. Elas bloqueiam a produção de ácido gástrico, algo de que o corpo necessita para a digestão normal. Nos últimos dois anos, estudos que tiveram ampla divulgação têm demonstrado os efeitos negativos dessas drogas. Elas não apenas geram vulnerabilidade a infecções e deficiências nutricionais, algumas das quais podem ser fatais, mas também aumentam o risco de doenças cardíacas e falência renal crônica. E elas pintam o sete nas bactérias do intestino. Quando os pesquisadores examinaram a diversidade dos micróbios em amostras de fezes de quem toma duas doses diárias de inibidores da bomba de prótons, constataram alterações drásticas com apenas uma semana de tratamento. São drogas que, na prática, arruínam a integridade do sistema digestivo, ao provocar alterações radicais nas bactérias do intestino.

**Paracetamol**: cerca de um quarto dos adultos americanos (por volta de 52 milhões de pessoas) toma semanalmente algum medicamento que contém paracetamol (nome comercial: Tylenol) para dores e febre. Também é o ingrediente mais comum nos remédios nos Estados Unidos: encontra-se em mais de seiscentos medicamentos. Mas não é tão benigno quanto quiseram nos fazer acreditar. Já está demonstrado que é ineficiente na dor da osteoartrite, exatamente um dos problemas para os quais é vendido de forma indiscriminada. Além disso, novas pesquisas mostram que ele compromete as funções cerebrais, aumentando o risco de erros cognitivos. Embora pesquisas preliminares já tenham mostrado que o paracetamol não apenas causa dor física, mas também psicológica, hoje é conhecida a real natureza de seus efeitos, graças a um estudo de 2015 da Universidade do Estado de Ohio, que revelou que o paracetamol confunde as emoções positivas e negativas. Os participantes que tomaram paracetamol sentiram emoções menos fortes quando lhes foram apresentadas fotos, tanto agradáveis quanto perturbadoras, se comparados ao grupo de controle, aqueles que receberam placebos.

Também se sabe que o paracetamol reduz os níveis de um dos antioxidantes mais vitais ao corpo, a glutationa, que ajuda a controlar o dano oxidativo e os processos inflamatórios no corpo, particularmente no cérebro. E em outro estudo de 2015, cientistas dinamarqueses concluíram que os filhos de mulheres que tomam paracetamol na gravidez têm maior probabilidade de tomar medicamentos para TDAH antes de atingir os sete anos de idade. É comum que se "receite" Tylenol, considerado "seguro", a mulheres grávidas. Espero que essa forma de pensar mude logo.

**Anti-inflamatórios não esteroides**: estamos falando do ibuprofeno (Advil) e do naproxeno. Assim como o Tylenol, trata-se de analgésicos e antitérmicos bastante populares — diariamente, cerca de 17 milhões de pessoas os tomam. São drogas que atuam reduzindo no corpo a quantidade de prostaglandinas, uma família de substâncias químicas produzidas pelas células e que exercem funções importantes. As prostaglandinas promovem o tipo de processo inflamatório de curto prazo necessário para a cura; auxiliam a função coaguladora das plaquetas no sangue; e protegem o revestimento do estômago contra os danos provocados pela acidez. Em razão destas duas últimas funções, os AINES podem comprometer o revestimento intestinal; o efeito colateral número um são úlceras, hemorragias e incômodos estomacais. Pesquisas mostram que eles danificam o intestino delgado e podem prejudicar o revestimento intestinal, abrindo caminho justamente para o problema que deveriam enfrentar: os processos inflamatórios.

**Antibióticos**: deveria ser óbvio. Antibióticos são antivida. Matam bactérias, tanto as boas quanto as ruins. Quase todos nós necessitamos de uma rodada de antibióticos em algum momento da vida. Os efeitos da exposição aos antibióticos sobre as bactérias do intestino podem persistir durante vários meses após o tratamento, e novos estudos concluíram que uma única rodada de antibióticos pode alterar o microbioma de uma pessoa pelo resto da vida. Tais alterações podem ter efeitos de longo alcance sobre o corpo, caso o equilíbrio das bactérias saudáveis não seja restaurado.

São conhecimentos novos que vêm depois de um número crescente de evidências de que os antibióticos também levam a mudanças para pior na sensibilidade à insulina, na tolerância à glicose e no acúmulo de gordura, por causa da forma como alteram as bactérias do intestino. São drogas que mexem até mesmo com nossa fisiologia, mudando a forma como metabolizamos os carboidratos e como o fígado metaboliza a gordura e o colesterol. O dr. Brian S. Schwartz, da Faculdade de Saúde Pública Bloomberg Johns Hopkins, estudou essa correlação e chega a dizer: "Seu índice de massa corporal pode ser alterado para sempre pelos antibióticos que você tomou na infância".

Os cientistas têm acompanhado a forte correlação entre a exposição aos antibióticos e o risco de ganho de peso e de diabetes tipo 2. Veja os dois mapas a seguir. À esquerda, vemos a quantidade de prescrições de antibióticos por mil pessoas, e à direita os índices de obesidade, listados por estado. A similaridade entre os dois mapas é impressionante.

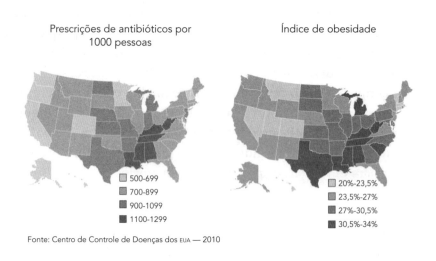

Fonte: Centro de Controle de Doenças dos EUA — 2010

O mapa seguinte mostra as prescrições de antibióticos por mil pessoas e a prevalência do diabetes na idade adulta. Uma vez mais, nota-se uma correlação. Além disso, lembre-se de que há uma relação notável entre o risco de demência e a obesidade, assim como o diabetes na idade adulta. Acho que você é capaz de entender o argumento que estou tentando reiterar: o uso excessivo de antibióticos está estimulando não apenas a epidemia de obesidade e diabetes, como também aumentando os índices de demência.

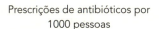

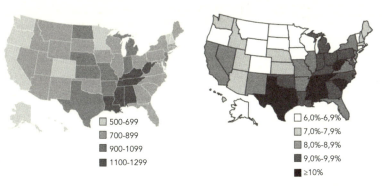

Fonte: Centro de Controle de Doenças dos EUA — 2010

Conclusão: é preciso ter cuidado em relação ao uso de antibióticos. E os pais devem se abster de pedir ao pediatra antibióticos para os filhos ao menor sinal de resfriado. Na parte III, farei algumas recomendações para situações em que os antibióticos podem ser necessários para você e sua família.

Não resta dúvida de que os medicamentos têm sua devida hora e lugar, sejam eles vendidos sob prescrição médica ou não. Mas vivemos em um mundo em que nos medicamos, automedicamos e ficamos dependentes de comprimidos com muita facilidade. O debate nos Estados Unidos a respeito da dor e do alívio à dor, em especial, gerou muita discussão a respeito do abuso de analgésicos. Só em 2014, mais de 14 mil americanos morreram de overdose de opioides receitados, e diariamente mais de mil pessoas chegam às emergências dos hospitais por uso incorreto dessas drogas. Quem sabe chegue o dia em que consigamos minimizar o uso de medicamentos e maximizar a capacidade natural de cura do corpo. Caso você dependa de medicamentos, eu o incentivo a trabalhar com seu profissional de saúde na busca de métodos alternativos de tratamento e gestão de seus problemas de saúde. Tenho confiança de que, seguindo o programa deste livro, você vivenciará uma redução de seus sintomas, quer continue a precisar de tratamento com medicação, quer não.

# 6. Passo 2 — O reforço das estratégias de apoio

Existem alguns denominadores comuns nos estudos mundo afora sobre populações cujos habitantes têm vida incomumente longa, saudável e produtiva até a casa dos noventa anos, com taxas de incidência de câncer menores que a metade das que ocorrem nos Estados Unidos, poucos casos de depressão e quase nenhum de demência. Nessas chamadas "zonas azuis" as pessoas conservam uma perspectiva positiva em relação à vida, têm relações pessoais e familiares sólidas e sentem-se parte de uma comunidade unida. Na vida cotidiana, praticam atividade física, consomem ingredientes frescos e de produção local e não ingerem comida industrializada. Na "zona azul" da Icária, na Grécia, a gordura representa mais de 50% das calorias consumidas diariamente pela população, e mais da metade da energia adiposa dos icarianos vem do azeite de oliva. Na Sardenha, na Itália, onde há uma comunidade em sua maioria composta de pastores de ovelhas, as pessoas caminham o dia inteiro, desfrutam da companhia alheia e bebem vinho tinto local na hora das refeições. Os famosos habitantes de Okinawa, no Japão, muitos dos quais vivem perto de 110 anos, baseiam sua dieta em vegetais, bebem *awamori* (um tipo de saquê) e mantêm-se fisicamente ativos na velhice. Também respeitam e honram os mais velhos. A única "zona azul" nos Estados Unidos fica incrustada um pouco a leste do centro de Los Angeles, cidade conhecida pela poluição do ar e pela alta densidade populacional. A comunidade de adventistas do sétimo dia de Loma Linda, na Califórnia, perto da metrópole, contraria o senso comum segundo o qual é preciso viver numa região remota e intocada para ter uma vida longa e livre de doenças.

Todas as populações citadas se assenhoraram dos princípios de uma vida saudável sem fazer esforço, sem sequer ter consciência disso. O cuidado pessoal, para além da dieta, é cruelmente negligenciado pela nossa sociedade, embora fatores como a prática regular de exercícios, um sono melhor e um tempo dedicado à autorreflexão possam fazer enorme diferença em nossa saúde. O mundo agitado em que vivemos nos faz sentir ansiedade e impressão de falta de tempo, e nos momentos de estresse adotamos hábitos pouco saudáveis, que nos levam na direção errada e nos deixam progressivamente cansados, sem criatividade, infelizes e dependentes de drogas e estimulantes. O estresse aumenta de forma intensa a pressão sobre nosso sistema biológico, subindo do intestino até o cérebro.

Levando isso em conta, gostaria de apresentar-lhe algumas estratégias não relacionadas à dieta que melhoram nossa saúde em geral e previnem problemas mentais:

- adotar uma rotina de exercícios que você consiga manter

- ficar atento a dores, principalmente nas costas e nos joelhos

- reservar tempo para o sono

- reduzir o estresse e encontrar a tranquilidade de quatro maneiras simples

- desintoxicar o ambiente a seu redor

## ADOTAR UMA ROTINA DE EXERCÍCIOS QUE VOCÊ CONSIGA MANTER

Você sabia que, com exercícios, é possível turbinar fisicamente seu cérebro e cortar pela metade o risco de Alzheimer?

As evidências já não são mais apenas empíricas. Toda semana surge um novo estudo que demonstra os benefícios neuroprotetores dos exercícios. O sedentarismo parece provocar a atrofia do cérebro, ao mesmo tempo que aumenta o risco de Alzheimer e de outros tipos de demência. Demonstrou-se que ser sedentário é duas vezes mais mortal que ser obeso.

Em fevereiro de 2016, um estudo finlandês mostrou que estar fora de forma na meia-idade está relacionado a um volume cerebral menor no final da vida. A massa cinzenta é onde se encontram todos os seus neurônios; portanto, seu volume pode refletir a saúde do cérebro. Pouco tempo depois, outro estudo, realizado por pesquisadores de quatro importantes instituições de pesquisa dos Estados Unidos, concluiu que quem sofre de Alzheimer ou de comprometimento cognitivo leve (CCL, um precursor do Alzheimer) vivencia um encolhimento menor da massa cinzenta quando queima mais calorias através de um programa de exercícios. Em outras palavras, mais atividade física representou maior manutenção do volume cerebral e menor risco de doenças. Os pesquisadores acompanharam 876 adultos ao longo de um período de trinta anos e registraram detalhadamente a quantidade e o tipo de exercício relatado por cada participante. Além disso, cada indivíduo passou por um teste rigoroso para avaliar as funções cerebrais. E todos passaram por exames de imagem cerebral com um sofisticado escâner de ressonância magnética. Aqueles com níveis mais altos de atividade física tiveram uma incrível redução de 50% do risco de Alzheimer, em comparação com aqueles que eram mais sedentários.

Vivemos numa época em que nos ensinaram a esperar "fórmulas mágicas" que resolvam nossos males. Quando se trata do Alzheimer, não existe nenhuma. Veja, porém, como você pode proteger seu cérebro pelo simples fato de amarrar os cadarços e se mexer.

Além de proteger o cérebro, os exercícios melhoram a digestão, o metabolismo, a excreção, a imunidade, a aparência, o tônus e a força muscular, a densidade óssea, a circulação e a saúde cardíaca, além de ajudar a normalizar o peso. Uma simples caminhada de 25 minutos pode reduzir o risco de morte prematura em 30%; uma caminhada rápida de mesma duração pode acrescentar sete anos à vida. A atividade física também é uma atividade emocionalmente positiva. Pode melhorar a autoestima e a confiança e proporcionar mais energia. Pode acionar nossos "genes inteligentes", fazer com que nos sintamos mais jovens, evitar a depressão e nos ajudar a fazer escolhas de vida mais saudáveis, entre elas o cardápio do jantar.

---

**Exercícios físicos regulares:**

- reduzem o risco de morte por qualquer causa
- reduzem o risco de problemas cerebrais
- reduzem o risco de depressão (e podem ser usados como tratamento contra ela)
- aumentam a quantidade de BDNF, o "hormônio de crescimento" do cérebro
- aumentam a energia, a força, a flexibilidade e a coordenação motora
- aumentam a circulação do sangue, o fornecimento de oxigênio às células e aos tecidos e a saúde cardíaca
- reduzem os desejos alimentares, os níveis de glicemia e o risco de diabetes
- reduzem os processos inflamatórios e o risco de doenças relacionadas à idade, entre elas o câncer
- aumentam a sensação de bem-estar e felicidade

---

O que aconteceu da última vez que você tentou entrar em forma? Conseguiu? Ou manteve uma rotina durante algumas semanas, e, quando viu, o verão tinha chegado e você não queria nem se olhar de maiô ou sunga? Talvez você nem consiga se lembrar de quando a coisa desandou, mas o fato é que aconteceu.

O problema com qualquer pessoa que tenta se tornar ativa não é tanto o começo, mas a parte da *manutenção*. A chave é encontrar alguma coisa que você ame fazer e que o leve a: 1) alongar e fortalecer seus músculos e 2) pôr seu sangue para fluir pelo corpo, aumentar seu batimento cardíaco e exigir, de maneira saudável, do seu sistema cardiovascular.

Consulte seu médico antes de iniciar um programa de exercícios, caso você tenha qualquer problema de saúde e/ ou use medicamentos que possam afetar essa iniciativa.

Alongar-se e fortalecer os músculos é importante, porque a grande maioria das pessoas foca apenas em exercícios aeróbicos e pula os exercícios de alongamento e levantamento de pesos. Quando você não alonga nem fortalece os músculos, não apenas prejudica a saúde óssea e a massa muscular como também corre o risco de sofrer lesões que o impedirão de se manter ativo. A partir da p. 133, apresento uma rotina extremamente básica de alongamento e fortalecimento, criada por mim, que pode ser feita em casa. Além disso, sugiro que visite meu site, <www.drperlmutter.com>, para acessar vídeos da execução desses movimentos, que devem ser feitos em combinação com a rotina de exercícios aeróbicos que você escolher. Os vídeos dão conta dos principais grupos musculares — braços e ombros, peitoral, costas, abdome e pernas. Faça esses exercícios três ou quatro vezes por semana, com um dia de repouso entre uma sessão e outra.

O ideal é buscar **um mínimo de vinte minutos de exercícios aeróbicos seis dias por semana**. É desejável elevar o batimento cardíaco a pelo menos 50% do nível de repouso durante pelo menos quinze desses vinte minutos. Há vários tipos diferentes de monitores de batimento cardíaco no mercado; e vários tipos de equipamentos de ginástica, como bicicletas ergométricas, elípticos e esteiras, hoje também incluem monitores. Calculadoras on-line também podem ajudá-lo a encontrar a meta e o máximo batimento cardíaco, para saber quando você está na zona apropriada e quando está excedendo o limite. No início, você pode ter a impressão de não conseguir atingir uma meta aceitável de batimento cardíaco, ou, ao atingi-la, não conseguir sustentá-la por muito tempo. Mas essa meta pode ser atingida aos poucos. Eu costumava dizer a um de meus pacientes: "Se você não consegue correr cinco quilômetros, então pelo menos dê uma caminhada até a esquina". Você tem que começar de algum jeito, e se caminhar até a esquina representa seu primeiro passo rumo a uma melhora da saúde, assim seja. Até pessoas presas a uma cadeira de rodas podem e de fato devem praticar exercícios aeróbicos.

> **Golfe não conta:** uma resposta que me dão com frequência quando pergunto a meus pacientes a respeito de seu programa de exercícios, talvez pelo fato de morar no sul da Flórida, é mais ou menos assim: "Bem, doutor, eu percorro dezoito buracos de golfe três vezes por semana". Não tenho nada contra golfe, mas isso não conta como exercício aeróbico — mesmo que você caminhe por todo o campo, o que hoje em dia é lamentavelmente raro.

Crie um plano realista, que você consiga manter. Para alguns, significa participar de aulas coletivas na academia do bairro; para outros, passar mais tempo cuidando do jardim, fazer ioga e nadar, entrar para uma equipe de esporte coletivo da redondeza, caminhar depressa no shopping ou acompanhar uma série de exercícios on-line ou na tv. Desde o ensino médio sou corredor de longa distância, e ultimamente passei a usar, para fazer exercícios aeróbicos, um elíptico, uma bicicleta ergométrica e uma bicicleta off-road. Em alguns dias eu forço mais, em outros menos. Sugiro que você faça o mesmo: mescle dias de exercício de alta intensidade por pouco tempo com dias em que você adota um ritmo moderado por um período mais longo. A regra dos vinte minutos deve ser o seu mínimo. O ideal é aumentar o tempo à medida que você adquirir força e condicionamento físico. Vá tornando os exercícios mais intensos também. A intensidade pode ser aumentada pela velocidade (isto é, correr ou pedalar mais rápido), pela resistência (ladeiras mais íngremes, halteres mais pesados), pela duração (períodos mais longos em que você dá o máximo de si, a ponto de perder o fôlego) e pela extensão do movimento (esticar-se até mais embaixo, fazer flexões chegando mais perto do chão).

A quantidade de tempo ideal para se exercitar, na verdade, para obter o máximo benefício, está próxima de 450 minutos por semana. Isso dá uma média de pouco mais de uma hora por dia, o que pode parecer muito, mas não é, quando se leva em conta que é um total que reflete minutos *acumulados* de exercício. Você não tem tampouco que manter o batimento cardíaco máximo durante uma hora inteira, mas precisa deixar seu corpo em movimento por esse período mínimo total de tempo na maior parte dos dias da semana. É mais fácil do que você imagina. Pode ser um trote de vinte minutos pela manhã, uma caminhada rápida sem rumo durante outros vinte minutos, na hora do almoço, e depois vinte minutos antes do jantar realizando tarefas domésticas que exijam esforço físico. Se você pular o exercício num dia, basta fazer por mais tempo no dia seguinte. Não chega a fazer diferença a forma como você divide esses 450 minutos ao longo de uma semana. Tente ser o mais assíduo possível quando planejar seus exercícios diários propriamente ditos (por exemplo, vinte minutos de aeróbico todas as manhãs, antes de tomar banho), mas não precisa se flagelar caso não seja perfeito todo santo dia. Em alguns dias você terá que alterar o ritmo de sua rotina habitual, e em outros será impossível encaixar exercícios formais. Tente progredir, não tente ser perfeito.

E não é preciso exagerar na tecnologia, por maior que seja a variedade de aparelhos no mercado para rastrear coisas como a frequência cardíaca. Assim como a dor pode lhe servir de guia para saber quando você extrapolou (falarei mais a respeito adiante), sua sensação de momento pode valer tanto quanto qualquer bugiganga tecnológica. Sua respiração fica rápida e profunda durante os exercícios? Você começa a transpirar? Seus músculos começam a doer um pouco ao levantar pesos e doem no dia seguinte, quando você está em repouso? Existe uma diferença entre correr e cortar grama com calma, tanto quanto existe uma diferença entre usar um peso de dois quilos e um peso de cinco quilos.

Nós todos temos um raciocínio imagético, e pesquisas mostram que se imaginar na forma física que você almeja pode ajudá-lo a atingir suas metas de boa forma. Tente ter em mente uma imagem vívida e realista. Isso vai motivá-lo a cada novo passo rumo a sua imagem pessoal de saúde. Pense naquilo que representa para você ter um corpo malhado e em forma. Você participará das coisas da vida em sua plenitude, sem ser refreado por falta de energia ou força. Visualize a si mesmo envolvido em várias atividades divertidas que você deseja experimentar, inclusive aventuras e viagens de férias que exijam fisicamente de você. Pense em atividades que possa realizar sozinho, em grupo ou com a família.

Concentre-se ainda naquilo que você ganhará em termos de vigor, equilíbrio, coordenação motora, flexibilidade e acuidade mental (e fortaleza mental!). Você vai dormir melhor, gerir com mais facilidade o estresse, desfrutar de um metabolismo mais rápido, ficar mais produtivo, de maneira geral, e perder menos tempo doente, de cama, com um resfriado ou outra doença. Sei que você faz o melhor que pode para prevenir doenças. Caso esteja lidando com algum problema crônico, vai administrá-lo de forma admirável para que ele tenha menos impacto sobre você. Vai se sentir mais realizado tanto no trabalho quanto em casa — e será mesmo! E vivenciará relações mais sólidas e mais íntimas com seus entes queridos.

## COMO CRIAR SUA PRÓPRIA ACADEMIA PARA TREINO DE FORÇA (E SEM PERSONAL!)

Não é preciso muito equipamento para fazer um ótimo treinamento de força. Na verdade, não é preciso nem se inscrever numa academia tradicional, contratar um personal ou gastar dinheiro em aparelhos e bugigangas espalhafatosas para adquirir resistência física. Dá para fazer muita coisa usando apenas o peso do próprio corpo. As flexões e os abdominais tradicionais, por exemplo, não exigem nada além de você e o chão. Mas, para fazer um treinamento de força para o corpo inteiro, sugiro que você arrume dois pesinhos simples. Dá para comprá-los pela internet ou numa loja de artigos esportivos. Escolha pesos com pegada confortável. Comece pelos mais leves (um ou dois quilos) e vá aumentando o peso à medida que adquirir força e quiser se desafiar mais.

Embora existam no corpo vários músculos e grupos musculares que precisam ser trabalhados de forma regular, convém pensar neles em termos de parte superior, parte inferior e meio.

- Parte superior: ombros, tríceps, bíceps, peito e dorsais (músculo "latíssimo do dorso")

- Parte inferior: coxas/ quadríceps e panturrilhas

- Região central: torso e abdominais

Nos dias em que você optar por fazer musculação — que, insisto, deve ser feita três ou quatro vezes por semana —, realize exercícios para cada uma dessas três áreas principais. Embora o ideal seja exigir sempre um pouco de cada grupo muscular, se o tempo estiver curto você pode dividir as áreas nas quais vai se concentrar. Por exemplo, caso você exercite tríceps, bíceps, panturrilhas e região central numa segunda-feira, na quarta você pode se dedicar a ombros, peito, coxas e um pouco mais da região central. Há quem goste de incluir musculação na rotina diária de exercícios, o que não tem problema, desde que você não repita os mesmos grupos musculares duas vezes seguidas. Dê pelo menos um ou dois dias de descanso a esses músculos entre as sessões.

Eu o incentivo a incluir um pouco de exercícios para a região central em cada sessão de treinamento de força. Turbinar seus músculos centrais, mantendo-os fortes, é fundamental para saúde — mais do que ter braços torneados. A região central é, em grande parte, responsável por mantê-lo ativo e capaz de executar as tarefas do dia a dia — desde sair da cama até sentar-se no vaso, vestir-se, manter-se em pé e caminhar —, praticar esportes e participar de atividades como andar de bicicleta, jogar tênis e dançar. Uma região central forte previne dores nas costas, aumenta a estabilidade e o equilíbrio, turbina sua resistência e auxilia uma boa postura. Uma barriga tanquinho não é o objetivo. Longe disso. Você só precisa trabalhar sua região central e seus abdominais de forma rotineira, para evitar que seus músculos centrais fiquem fracos e sem flexibilidade. Na verdade, uma região central assim pode ter impacto negativo sobre as pernas e os braços, sugando energia de seus movimentos e prejudicando suas atividades cotidianas.

Há dezenas de exercícios diferentes para trabalhar a parte superior, a parte inferior e a região central. E muitos exercícios exigem da região central, mesmo focando em outras partes do corpo. Mais adiante apresento alguns exercícios básicos para o fortalecimento muscular. A maioria deles exige pesos. Como diversos exercícios aeróbicos também exigem muito de vários grupos musculares, você notará que alguns de seus músculos vão ganhar força e tônus mais rapidamente, por tirarem mais proveito dos movimentos (por exemplo, uma aula de spinning também trabalha o quadríceps e a panturrilha, de forma equivalente à de exercícios com peso; a natação trabalha a parte superior e as costas).

Você pode resolver se arriscar e testar outros métodos de treino de resistência, seja usando equipamento comum de academia, seja fazendo aulas centradas no fortalecimento (por exemplo, pilates, várias formas de ioga e aulas de ginástica voltadas especificamente para condicionamento e ganho de massa muscular). Costumo ir à academia para fazer musculação, porque tenho acesso a um leque mais amplo de ferramentas.

### OMBROS: ELEVAÇÕES BÁSICAS

Fique em pé, com as pernas afastadas na linha dos quadris e os braços nas laterais do corpo. Segure um peso em cada mão, mantendo os ombros para baixo e o peito estufado, numa postura adequada. Eleve os pesos lateralmente, para fora, até a altura do ombro (como se formasse uma letra T com o corpo). Ao elevá-los, com a palma das mãos voltadas para o chão, comprima as omoplatas, e em seguida baixe os pesos. Complete três séries de doze repetições (levantar e baixar doze vezes).

Experimente a seguinte variação: em vez de erguer os braços para o lado, levante-os à frente do corpo, com braços retos e palmas das mãos para baixo.

### TRÍCEPS: EXTENSÃO

Segure com as duas mãos um peso sobre a cabeça. Tente usar um peso de pelo menos dois quilos. Leve os ombros para trás, forçando o torso e o abdome. Mantendo sempre os cotovelos apontados para a frente, dobre-os e deixe o peso baixar atrás de sua cabeça. Em seguida, levante de novo o peso acima da cabeça, esticando os braços. Mantenha a região central e os glúteos contraídos durante todo o exercício. Complete três séries de vinte repetições.

*BÍCEPS: ROSCA BÁSICA*

Fique em pé com as pernas afastadas na linha dos quadris, segurando um peso em cada mão. Na posição inicial, as mãos ficam para baixo ao longo do corpo, com a palma para a frente. Mantendo os cotovelos perto do torso e a parte superior do braço imóvel, levante os antebraços, dobrando os cotovelos com os pesos enquanto contrai os bíceps. Realize três séries de vinte repetições.

*PEITO: FLEXÃO CLÁSSICA*

Deitado com o rosto virado para o chão, posicione as mãos na altura dos ombros e toque o chão com a ponta dos pés. Erga o corpo mantendo-o ereto. Conte cinco segundos e desça lentamente, tentando atingir uma inclinação de noventa graus nos cotovelos. Procure não encostar no chão. Repita a flexão, voltando para a posição ereta. Complete três séries de doze flexões.

*DORSAIS: REMADA AMPLA*

O melhor exercício para trabalhar os músculos das costas é fazer a puxada numa barra fixa. Mas há outra forma, usando pesos: fique de pé, com o peito para cima e as costas eretas, segurando um peso em cada mão, na frente das coxas, com a palma das mãos para baixo. Em seguida, flexione ligeiramente os joelhos e incline-se para a frente, sustentando o peso com a cintura. Continue a inclinar-se para a frente até que a parte superior do corpo fique quase paralela ao chão. Deixe os pesos baixarem até ficarem na frente das canelas. Com a cabeça reta e os olhos focados no chão, levante os pesos, flexionando os cotovelos. É um movimento parecido com o da remada, só que num semiagachamento. Sustente a angulação dos joelhos e dos quadris e, depois de uma breve pausa, baixe de novo os pesos. Complete três séries de doze repetições.

*COXAS/ QUADRÍCEPS: AVANÇO*

Fique de pé, com as pernas afastadas na linha dos quadris, e os joelhos ligeiramente flexionados. Segure os pesos com os braços soltos ao lado do corpo. Essa é a posição inicial. Em seguida, dê uma passada à frente com a perna direita, mantendo o equilíbrio e agachando-se até a altura dos quadris. Mantenha o tronco ereto e a cabeça para cima. Não deixe o joelho flexionar para além dos pés. Usando o calcanhar como apoio, retorne à posição inicial. Repita esse movimento com a perna esquerda até completá-lo. Faça três séries de doze repetições.

*PANTURRILHAS: PONTA DOS PÉS*

Fique de pé, com as pernas afastadas na linha dos quadris. Segure um peso em cada mão, com os braços soltos ao lado do corpo. Levante o corpo na ponta dos pés e sustente a posição por cinco segundos. Volte para a posição inicial. Complete três séries de doze repetições.

*REGIÃO CENTRAL: ABDOMINAIS CLÁSSICOS*

Deite-se no chão, com os joelhos flexionados e os calcanhares tocando o solo. Cruze os braços sobre o peito, em forma de xis. Certifique-se de que os ombros estão soltos e relaxados, para evitar tensionar o pescoço. Com os pés fixos no solo, suba o máximo possível em direção aos joelhos e depois volte à posição inicial. Você pode encostar no chão ou não. Continue fazendo abdominais durante um minuto, e em seguida faça uma pausa de trinta segundos. Repita isso cinco vezes.

*REGIÃO CENTRAL: ABDOMINAL BICICLETA*

Comece na mesma posição inicial do abdominal clássico. Girando o corpo levemente, aproxime o joelho esquerdo do cotovelo direito. Volte à posição inicial. Complete o movimento com o joelho direito e o cotovelo esquerdo. Continue por dois minutos, e depois faça uma pausa de trinta segundos. Repita isso cinco vezes.

Separe um tempo para escrever as razões que o levaram a fazer essas importantes mudanças no seu condicionamento físico. Em vez de começar com "Eu quero ter uma barriga durinha e braços sarados", procure escolher objetivos mais significativos, como "Quero aproveitar mais o tempo ao lado da minha família e não ficar em constante luta contra a minha dor crônica" ou "Quero fazer o que for possível para prevenir o Alzheimer, já que minha mãe sofreu com isso". Tente ver as coisas de uma perspectiva mais geral e seja ousado e firme em seus objetivos.

## FICAR ATENTO A DORES, PRINCIPALMENTE NAS COSTAS E NOS JOELHOS

Nunca é demais ressaltar a importância de não negligenciar duas partes do corpo cruciais para se manter ativo, reduzindo, assim, o risco de doenças: a parte inferior das costas e os joelhos. Vamos começar pelas dores lombares.

Os números são impressionantes: depois dos resfriados e da gripe, as dores lombares são o segundo maior motivo de ida dos americanos ao médico e a principal causa de incapacidades no trabalho. As lombalgias são o segundo problema neurológico mais comum nos Estados Unidos — perdem apenas para as dores de cabeça. E são a terceira causa mais comum de atendimento na emergência dos hospitais. Em algum momento da vida, mais de 90% dos americanos adultos sofrerão de dores fortes na parte inferior das costas, afetando negativamente a qualidade de vida. Estima-se que as dores lombares tenham um custo anual para a economia americana de 50 bilhões a 100 bilhões de dólares.

Em meus trinta e poucos anos de medicina, deparei-me rotineiramente com as dores lombares. No início da minha carreira, muitos pacientes eram encaminhados ao neurocirurgião porque, naquela época, acreditava-se que a maior parte das dores lombares era causada por "ruptura de disco". Hoje, sabemos que essa ideia estava errada, e que, na grande maioria dos casos, a dor lombar não é causada por problemas de disco. Quase sempre é causada por danos aos tecidos moles — ou seja, músculos, tendões e ligamentos.

Embora haja muitas causas possíveis para as dores lombares, de distensões musculares ao câncer, gostaria de chamar a atenção para uma condição em especial que é extremamente comum, mas pouco diagnosticada: a síndrome do piriforme. O piriforme (palavra que vem do latim e significa "em forma de pera") é um músculo estreito, localizado na região dos glúteos, bem perto do nervo ciático. Por isso, quando o piriforme sofre um espasmo ou uma distensão, pode afetar o nervo ciático e provocar uma dor que desce direto da nádega até a perna, como se fosse um disco rompido. A dor perna abaixo é chamada de ciática. Também pode-se sentir dormência e formigamento na parte de trás da perna e até no pé, devido à inflamação do nervo ciático.

É difícil conceber quantos pacientes passaram por cirurgias lombares desnecessárias por aquilo que parecia ser um problema de disco, quando desde o início se tratava de síndrome do piriforme. Um tempo atrás, estava procurando um carro novo e fui parar numa concessionária. O gerente da loja estava claramente sofrendo dores terríveis. Estava curvado e bastante receoso de se apoiar na perna esquerda. Não pude me conter. Pedi a ele que me acompanhasse até sua sala, onde fiz com que se deitasse sobre as costas. Não se esqueça de que ele não fazia a menor ideia de que eu era um neurologista; aliás, não sabia nem que eu era médico. Ele seguiu minhas instruções enquanto toda a equipe de vendas acompanhava, curiosa, através da divisória de vidro do escritório.

Pedi a ele que flexionasse o joelho esquerdo, enquanto virava o queixo para a esquerda. Com um movimento suave, alonguei o músculo piriforme, empurrando o joelho flexionado para o outro lado do corpo, à direita. Estava extremamente tenso e até um pouco dolorido quando comecei essa técnica de alongamento do piriforme, mas depois de alguns espasmos o músculo começou a se soltar. Fiz, então, o gerente se levantar e dar uma caminhada. A dor tinha desaparecido por completo. Foi um alvoroço na concessionária.

Posso afirmar, por minha experiência pessoal, que espasmos do piriforme podem incapacitar as pessoas. Podem impedi-las de trabalhar, de fazer exercícios, e às vezes podem tornar difícil até se levantar de uma cadeira. Faça exercícios para alongar e trabalhar esse músculo. É a maneira mais garantida de se manter ativo.

Dores nos joelhos também são uma causa extremamente comum de incapacidade. É a causa número dois de dores crônicas; mais de um terço dos americanos relata sofrer de dores no joelho. Isso significa mais de 100 milhões de pessoas. Só nos Estados Unidos, mais de 600 mil próteses de joelho são colocadas a cada ano. Até 2030, estima-se que a demanda total de cirurgia de próteses no joelho possa ultrapassar os 3 milhões, em grande parte por causa de pessoas idosas que continuam mais tempo no mercado de trabalho e do aumento das taxas de obesidade. A prótese no joelho é recomendada em certos casos, mas é muito comum que, depois de colocada, as pessoas lamentem ter autorizado. Deve-se reservar as cirurgias para aqueles poucos pacientes que atendem aos requisitos e que têm maior probabilidade de se beneficiar com elas. Para a maioria das pessoas, porém, é recomendável evitá-la — e todos os seus riscos — e, em vez disso, concentrar-se em fortalecer os joelhos e os músculos em volta deles.

Muitas pessoas que praticam esportes sofrem dores no joelho em razão de uma coisa que se chama síndrome da dor patelofemoral. O principal sintoma dessa síndrome é uma dor na parte da frente do joelho ao sentar-se, pular, agachar-se ou usar uma escada — em especial ao descê-la. A ruptura do joelho, em que ele subitamente não consegue suportar o peso do corpo, também é comum. Ou você pode sentir uma sensação de estalo ou ranger ao caminhar ou mover o joelho. Isso, em geral, deve-se a desgaste, lesões, excesso de peso, mau alinhamento da rótula ou alterações estruturais sob a rótula.

Na academia, constantemente vejo pessoas usando joelheiras de vários tipos, para manter a patela alinhada e aliviar esse sintoma. No fim das contas, porém, isso tende a piorar a situação. Exercícios para manter fortes o quadríceps e os músculos posteriores da coxa manterão a rótula em seu lugar, a menos que haja algum problema sério de alinhamento das pernas. Palmilhas ortopédicas no calçado também podem ajudar.

Eu mesmo sofri de síndrome patelofemoral nas duas pernas, e é impressionante como isso pode doer. Certa vez não consegui subir, em minha casa, os vinte degraus que levam ao quarto. Meu ortopedista queria me dar uma injeção de esteroides, mas preferi consultar antes um fisioterapeuta, que me colocou de volta no rumo da saúde com exercícios básicos para reforçar meus quadríceps. Em apenas quatro meses, passei de incapaz de subir uma escada a capaz de escalar mil metros em menos de três horas e meia, numa viagem à Nova Zelândia.

Se você estiver sentindo dor em alguma parte do corpo, precisa prestar atenção nela. É um sinal de que algo está errado. Pode indicar simplesmente que você está exagerando nos exercícios — sejam eles aeróbicos ou de peso —, não deixando o corpo se recuperar o suficiente entre duas sessões. Pode ser que você não tenha feito direito o alongamento para um determinado exercício, sofrendo um estiramento num músculo, ligamento ou tendão. E pode ser que haja um problema de alinhamento que exija um aparelho ortopédico. Se você pratica esportes e isso causa dor, pare e avalie. Cuide da dor assim que ela aparece, modificando, se necessário, sua rotina de exercícios, descansando os músculos doloridos e mesclando exercícios para diferentes músculos.

Se estiver em dúvida em relação à origem da dor, busque o auxílio de um fisioterapeuta ou, ainda melhor, de um fisiatra. Fisiatras são médicos que tratam de uma ampla variedade de problemas de saúde que afetam o cérebro, a coluna vertebral, os nervos, ossos, articulações, ligamentos, músculos e tendões.

## RESERVAR TEMPO PARA O SONO

Qual foi a última vez em que você teve uma boa noite de sono? Se não foi na noite passada, você não é o único. Um em cada cinco de nós tem dificuldade para dormir. Já escrevi muito sobre o assunto, uma vez que os transtornos do sono afetam diretamente o cérebro, os níveis inflamatórios e o risco de problemas cerebrais. A qualidade e a quantidade de sono têm um impacto impressionante em quase todos os sistemas do seu corpo. Na geração passada, não pensávamos muito no valor do sono, a não ser como algo que atualiza o corpo, como uma bateria recarregável. Hoje em dia, porém, o estudo do sono constitui um campo à parte da medicina, que fez algumas descobertas revolucionárias a respeito de seu significado para a saúde humana.

O sono pode ser descrito como uma "dieta da mente", porque conserta e revitaliza o cérebro e o corpo de várias maneiras diferentes — não admira que passemos aproximadamente um terço da vida dormindo. Nossa glândula pituitária, por exemplo, só começa a bombear o hormônio de crescimento quando estamos dormindo. O hormônio de crescimento natural antienvelhecimento, além de simplesmente estimular o crescimento e a proliferação das células, também renova o sistema imunológico e reduz os fatores de risco para ataques cardíacos, derrames e osteoporose. Contribui até na nossa capacidade de manter o peso ideal, ajudando a queimar gordura para obter combustível.

De fato, conseguir um sono de qualidade é fundamental para o bem-estar ideal. Quanto melhor você dormir regularmente, menor seu risco de vários tipos de problemas de saúde. E, ao contrário, um sono de má qualidade tem efeitos adversos de longo alcance sobre o corpo e sua funcionalidade. Pesquisas demonstraram, de maneira convincente, que nossos hábitos de sono influenciam o quanto comemos, o quanto engordamos (ou emagrecemos), quão forte nosso sistema imunológico está (e se podemos atravessar bem o inverno), o quanto podemos ser criativos e cheios de ideias, quão bem lidamos com o estresse, quão rápido conseguimos pensar e quão bem nos lembramos das coisas. O hábito de dormir mal por períodos prolongados é um fator de confusão mental e perda de memória, diabetes e obesidade, doenças cardiovasculares, câncer, depressão e Alzheimer.

Na verdade, embora tenha sido escrito muito a respeito de quanto distúrbios do sono são comuns em pacientes com Alzheimer, acreditava-se que esses distúrbios fossem uma consequência da doença. Pesquisas mais recentes, porém, indicam que pode ser o contrário: distúrbios do sono podem, na verdade, reforçar a maneira como o cérebro produz a proteína beta-amiloide, um marcador do Alzheimer. Como afirmam os autores de um estudo de 2015, prestar atenção nos problemas do sono e intervir quando ele não for inteiramente restaurador pode ser uma forma de alterar um fator de risco para o desenvolvimento futuro da doença.

Eis algumas estratégias para tirar máximo proveito do sono:

**Priorize e respeite a hora de dormir**: da mesma forma que você agenda uma reunião importante, programe a hora de dormir e seja inflexível ao reservar esse tempo exclusivamente para o sono. Como o corpo metaboliza muitos de seus dejetos depois das dez da noite e o sistema imunológico se revitaliza entre as onze da noite e as duas da manhã, é importante estar dormindo nesses horários. Por isso, decida qual deve ser o seu horário de ir para a cama e acordar (por exemplo, dez da noite e seis da manhã) e não permita que nada perturbe esse intervalo de tempo (veja na p. 173 mais a respeito de como descobrir o número de horas de sono de que você necessita).

**365 dias por ano**: não permita que os fins de semana e os feriados façam desandar sua rotina de sono. Faça o possível para manter uma programação rígida de sono todos os dias do ano, não importa o que ocorra. Seu corpo — e seu cérebro — vão agradecer.

**Faça um exame de sonoterapia**: o termo médico para isso é "polissonografia". É um procedimento indolor e não invasivo, em que você passa uma ou duas noites em uma clínica de sonoterapia. Ao dormir, um profissional de medicina do sono registra diversas funções biológicas, para determinar se você sofre de transtornos como a apneia do sono (veja nos próximos itens) ou a síndrome das pernas inquietas.

**Cuidado com o que você ingere**: evite cafeína no fim do dia e fique atento a medicamentos que você toma e que possam afetar o sono. Entre as drogas prejudiciais ao sono estão a pseudoefedrina (presente no Allegra D, entre outros), remédios para dor de cabeça com cafeína, nicotina, drogas para o tratamento de hipertensão e insuficiência cardíaca congestiva, antidepressivos inibidores seletivos de recaptação de serotonina, corticosteroides e estatinas.

**Crie um ambiente tranquilo e limpo para o sono:** nada de aparelhos eletrônicos no quarto. Mantenha-o organizado, limpo e numa temperatura confortável para dormir, idealmente entre 18°C e 21°C (se for possível regular essa temperatura).

**Prepare-se para dormir:** antes de ir para a cama, reserve um tempo para desacelerar, desconectar-se de atividades estimulantes, dando a deixa para o corpo de que está na hora de descansar. Evite telas (computadores, tablets e similares) por pelo menos uma hora antes de se deitar. Procure tomar um banho quente, ouvir uma música relaxante, ler algo leve, ou colorir um livro ilustrado para adultos. Antes de se deitar, experimente fazer alguns exercícios de respiração profunda (veja uma aula rápida na p. 157). Para algumas pessoas, o exercício físico pode provocar um sono repousante, mas para muitos, exercícios perto demais da hora de dormir podem agir como um estimulante, impedindo que se sintam cansados o bastante para dormir. Se você pertencer a este último tipo, programe sua rotina regular de exercícios para mais cedo, pelo menos quatro horas antes de ir para a cama.

**Vista-se adequadamente:** use roupas folgadas para dormir, adequadas à temperatura ambiente, para não sentir nem frio nem calor.

**Experimente a melatonina:** caso seu ritmo circadiano esteja desarranjado, o que pode acontecer de tempos em tempos quando você viaja de um fuso horário a outro ou força o corpo a sair do ciclo preferido de sono e vigília (você pode ter ficado acordado até mais tarde ou tirado um cochilo mais prolongado à tarde), um suplemento de melatonina pode ser uma boa experiência. Você também pode experimentar a melatonina caso esteja tendo uma dificuldade inexplicável para dormir durante vários dias seguidos, já que isso pode ser um sinal de que o ritmo do corpo foi perturbado. A melatonina é o hormônio natural do sono em nosso corpo. Mas também ajuda a controlar nosso ritmo de 24 horas. Liberada depois do pôr do sol, desacelera o funcionamento do corpo e reduz a pressão arterial e a temperatura central do corpo, preparando-nos para o sono. A melatonina pode ser comprada como um suplemento. A dose apropriada se situa entre 1 mg e 3 mg, na hora de dormir.

**Livre-se da apneia do sono**: como foi mencionado, uma polissonografia pode determinar se você sofre desse transtorno cada vez mais comum, que impede o sono reparador de milhões de pessoas. A apneia do sono pode ser mais grave do que antes se acreditava. Ela provoca um colapso das vias respiratórias durante o sono. A respiração é cortada várias vezes e o sono fica fragmentado. O ronco alto e a falta de sonhos costumam ser sintomas da apneia do sono (veja o quadro). Em 2015, um novo e alarmante estudo, publicado na revista *Neurology*, concluiu que a apneia do sono pode ser um fator na ocorrência precoce de comprometimento cognitivo leve (CCL) e de Alzheimer. O CCL, muitas vezes, antecede a demência. Os autores do estudo descobriram que pessoas com apneia do sono desenvolveram comprometimento cognitivo leve quase dez anos mais cedo do que aqueles que não sofriam de problemas respiratórios durante o sono. O período de desenvolvimento do Alzheimer também parece se acelerar: aqueles com apneia do sono desenvolveram a doença, em média, cinco anos antes daqueles que dormiam bem. A teoria dos pesquisadores é que os efeitos adversos da restrição de oxigênio no cérebro podem ter algo a ver com essa correlação, assim como o fato de que o sono desencadeia uma enorme quantidade de eventos fisiológicos que ajudam o cérebro a se "refrescar", arrumar um pouco a casa e se livrar de proteínas que, do contrário, poderiam prejudicar as células nervosas.

---

**Sintomas da apneia do sono:**

- fadiga e falta de energia frequentes
- sensação de sono excessiva durante o dia
- micção noturna frequente
- tosse, soluço ou engasgamento noturno
- respiração irregular durante o sono (por exemplo, ronco)
- dores de cabeça matinais
- refluxo gastroesofágico
- depressão

---

Os cientistas documentaram alterações cerebrais anormais em pessoas que sofrem de apneia do sono. A boa notícia é que essas alterações podem ser revertidas através de tratamento. Pesquisas mostram que irregularidades na substância branca do cérebro, por exemplo, podem ter forte diminuição quando a apneia do sono é tratada. Em geral, isso é obtido pelo auxílio de um aparelho chamado CPAP (da sigla em inglês para *continuous positive airway pressure*, ou "pressão positiva contínua nas vias aéreas"); esse aparelho, que se usa durante o sono, emprega uma leve pressão do ar para manter abertas as vias aéreas. Os benefícios podem ser sentidos de imediato, e pesquisas mostram que, numa questão de meses, as alterações cerebrais são revertidas e há uma enorme melhora nas funções cognitivas, assim como no humor, no estado de alerta e na qualidade de vida. A obesidade também pode desencadear a apneia do sono, em razão do excesso de peso e da gordura em torno do pescoço. Aqueles que perdem peso muitas vezes sentem alívio e deixam de ter necessidade do CPAP.

Tende-se a subestimar o valor do sono. Ele é, possivelmente, mais importante que as coisas que fazemos durante o dia. Arianna Huffington, a criadora do site de notícias Huffington Post, dedicou um livro inteiro a esse tema. Eu recomendo que leia *The Sleep Revolution* [A revolução do sono], caso queira aprender mais a respeito do sono e de como torná-lo da melhor qualidade. Escreve ela: "É um dos grandes unificadores da história da humanidade. Ele nos liga uns aos outros, a nossos ancestrais, a nosso passado e ao futuro. Não importa quem sejamos, ou onde estejamos no mundo e em nossas vidas, compartilhamos a necessidade do sono".

Devo observar que suas recém-descobertas escolhas alimentares vão funcionar em sincronia com seus recém-descobertos hábitos de sono. À medida que você limpa sua dieta e reduz os processos inflamatórios, vai aumentar as probabilidades de um sono profundo e reparador. Conheça a história de transformação de A. K.:

*Sendo eu alguém que assistiu à morte da própria mãe, inválida, em razão do Alzheimer, tenho um profundo interesse pessoal em prevenir essa doença em minha família. Estou sempre atento a toda nova informação sobre como prevenir essa doença terrível.*

*Antes de começar minha dieta, eu consumia um monte de junk food processada, inclusive refrigerantes diet, biscoitos e batatas chips, além do prato de aveia diário que meu médico me mandava comer. Eu estava num rumo perigoso. Assim que me apresentaram a informações sobre um estilo de vida pobre em carboidratos, rico em gordura e livre de glúten, dei-me conta instantaneamente de que eram as informações que eu tanto esperava.*

*Fui até uma loja de azeites e comprei um vidro, comecei a comer carne de boi criado no pasto, cortei os grãos, aderi ao chá verde e comprei um pouco de estévia como adoçante (ocasional). Também comecei a comer mais verduras orgânicas (na verdade, todos os dias).*

*Antes disso, eu também sofria de artrite nas articulações, principalmente à noite, o que me fazia acordar várias vezes com dor. Se uma alteração do padrão de sono representa uma evidência de que a dieta está dando certo, para mim ela já valeu a pena só por esse motivo. Faz apenas seis semanas, e a mudança já é INCRÍVEL!!!*

## REDUZIR O ESTRESSE E ENCONTRAR A TRANQUILIDADE DE QUATRO MANEIRAS SIMPLES

Em meu livro *Power Up Your Brain: The Neuroscience of Enlightenment* [Turbine seu cérebro: a neurociência da iluminação], o dr. Alberto Villoldo e eu contamos a história de como a ciência veio a compreender o dom da neurogênese no ser humano. Embora os cientistas tenham provado há muito tempo a neurogênese em outros animais, foi apenas nos anos 1990 que o foco se voltou para os seres humanos. Em 1998, a revista *Nature Medicine* publicou um relatório do neurologista sueco Peter Eriksson em que ele afirmava que existem dentro do cérebro células-tronco neurais que são continuamente reabastecidas em número e que podem se transformar em neurônios cerebrais. E, de fato, ele tinha razão: a cada minuto de nossas vidas estamos vivenciando uma "terapia de células-tronco" no cérebro. Não ficamos limitados a uma quantidade finita de células cerebrais; da mesma forma, o cérebro é flexível e pode fabricar sem parar novas células e conexões. Isso é conhecido como "neuroplasticidade". Ela explica por que vítimas de derrame conseguem aprender de novo a falar.

Em setembro de 2014, tive a felicidade de atuar como secretário-geral de um simpósio internacional que abordou as pesquisas mais recentes sobre a saúde do cérebro. O dr. Michael Merzenich, neurocientista e professor emérito da Universidade da Califórnia em San Francisco, um dos maiores pioneiros em pesquisas sobre a plasticidade do cérebro, explicou que fatores do estilo de vida — alguns até que podem surpreendê-lo — podem, de fato, afetar a capacidade do cérebro de fabricar novas conexões.

Já tratei das formas como podemos afetar de maneira positiva o cérebro, tais como exercícios físicos, sono reparador, dieta cetogênica e acréscimo de determinados nutrientes, como a cúrcuma e a gordura DHA ômega-3. São técnicas que apresentam o efeito adicional de reduzir o estresse que nosso cérebro e nosso corpo sofrem diariamente. O estresse será sempre parte de nossas vidas; o segredo é manter bem longe o estresse desnecessário, para preservar e estimular as conexões neurais. E há outras maneiras de obter um impacto positivo sobre o cérebro e suas conexões, que não têm nada a ver com o que você come, com o quanto faz exercícios ou com a qualidade do seu sono. Quando fazemos uma pausa para mudar a forma como enxergamos o mundo à nossa volta, e para agir de determinadas maneiras que reduzem ainda mais o estresse em nosso corpo, estamos, na verdade, mudando para melhor a estrutura física e funcional do cérebro. Com esse objetivo, vou alinhavar as quatro maneiras adicionais de auxiliar a obtenção desse resultado:

- flexione o músculo da gratidão

- mantenha fortes laços sociais — na maior parte, off-line

- reserve um tempo para desacelerar

- saia ao encontro da natureza sempre que puder

## FLEXIONE O MÚSCULO DA GRATIDÃO

A ciência chegou a um veredicto: quanto mais gratidão sentimos, mais resiliente o cérebro se torna, física e até mesmo emocional e espiritualmente.

Gostaria de explicar através de exemplos como incorporei em minha vida a ideia de buscar a gratidão diante da adversidade. Vários meses atrás, recebi um e-mail que tinha um link para um artigo a meu respeito numa revista. O artigo era tudo, menos positivo. O autor o publicara — uma ladainha de afirmações acusatórias e depreciativas a meu respeito — pouco antes de lançar um livro; logo, ficou claro que ele estava em busca de atenção para si e para seu livro. Minha primeira reação, vinda da região mais primitiva no centro do meu cérebro, foi de raiva, indignação e um forte sentimento de necessidade de retaliar.

Ao longo das horas seguintes, recebi outros e-mails, de amigos preocupados e querendo saber como eu ia "reagir". Lembro-me muito bem de ter conversado no telefone com meu editor e meu agente literário, que perguntaram: "O que você pretende fazer?". Minha resposta a eles: "Deus o abençoe". Embora de início eu tenha ficado com raiva por alguém ter me atacado daquela forma, dei-me conta de que eu deveria sentir uma imensa gratidão ao autor daquele artigo altamente crítico, pois me proporcionava a oportunidade de vivenciar de maneira real o fato de que não permito que outros me definam. Foi uma experiência bastante positiva, pois não fez nada além de reforçar minha autoestima.

A gratidão foi estudada em laboratório. Em 2015, pesquisadores da Universidade de Indiana examinaram dois grupos de pessoas que estavam passando por tratamento para depressão e ansiedade. Pediu-se a um dos grupos que participasse de um exercício de gratidão por escrito, enquanto nada foi pedido ao outro grupo, que serviu como controle. As pessoas no grupo da gratidão por escrito passaram vinte minutos, durante as três primeiras de uma série de sessões semanais de aconselhamento, redigindo cartas de agradecimento a pessoas em suas vidas. Três meses depois do final do aconselhamento, os indivíduos dos dois grupos passaram por uma experiência bem bolada, que usava um escâner de imagem cerebral.

Os participantes foram colocados em um tipo específico de escâner cerebral de ressonância magnética, e ganharam de presente quantias diversas de dinheiro falso, provindas de benfeitores imaginários. Para aumentar o realismo, os nomes e as fotos dos supostos benfeitores apareciam numa tela, para que os participantes pudessem vê-los. Os pesquisadores disseram o seguinte aos participantes: caso eles quisessem comunicar que sentiam gratidão pelo dinheiro, poderiam doar parte dele, ou todo, a um terceiro da escolha deles ou a uma instituição de caridade. Pode parecer uma experiência inusitada, em razão de tantas restrições, mas os pesquisadores coletaram dados reais, dizendo aos participantes que receberiam dinheiro de verdade, em espécie, descontada qualquer quantia prometida a terceiros ou à caridade.

O que os pesquisadores descobriram foi que, em média, quanto mais forte o sentimento de gratidão relatado pelo participante, mais dinheiro ele doava e mais atividade era detectada nas ressonâncias cerebrais, especialmente em áreas que em geral não estão associadas às emoções. Isso significa que a gratidão é um sentimento singular, que afeta o cérebro de maneira singular. Além disso, os pesquisadores descobriram que o exercício de gratidão tinha efeitos tanto de curto quanto de longo prazo. Não apenas os indivíduos que puseram a gratidão no papel relataram um maior sentimento de gratidão duas semanas depois do exercício, na comparação com o grupo de controle, mas meses depois suas ressonâncias cerebrais apresentaram maior atividade relacionada à gratidão. Eles ainda estavam programados para se sentir bastante gratos.

A moral da história, aqui, é que a gratidão funciona principalmente por alimentar um ciclo de gratidão. Ela se perpetua. Ao praticar a gratidão, você fica mais atento a ela, o que, por sua vez, permite-lhe desfrutar melhor de seus benefícios psicológicos. Nas palavras de um dos autores do estudo: "[...] pode-se pensar até no cérebro como se ele tivesse uma espécie de 'músculo' da gratidão, que pode ser exercitado e reforçado (o que não difere tanto de várias outras qualidades que, é claro, podem ser cultivadas por meio da prática). Se isso for verdade, quanto maior o esforço que você fizer para sentir gratidão num dia, mais forte a sensação que o acometerá espontaneamente no futuro".

Uma das maneiras mais fáceis de praticar a gratidão é iniciar um diário, criado para esse exercício específico. Gaste dois minutos por dia, talvez logo antes de ir para a cama, anotando algumas coisas pelas quais você sente gratidão. Podem ser coisas mínimas ocorridas durante o dia ou experiências mais importantes, ou ainda bilhetes de agradecimento para pessoas que tiveram um impacto positivo na sua vida. Experimente escrever uma carta a alguém, agradecendo a ele ou ela por fazer parte de sua vida, e enviá-la!

### MANTENHA FORTES LAÇOS SOCIAIS — NA MAIOR PARTE, OFF-LINE

Uma das minhas frases favoritas é de uma canção de Nat King Cole de 1948, "Nature Boy". Ele canta que o amor é a coisa mais importante que se pode aprender — amar os outros e ser amado. Certa vez li que quem trabalha com os moribundos, em instituições de auxílio a idosos, costuma ouvir questionamentos semelhantes: "Eu sou amado? Eu soube amar?". São pessoas que chegaram a um momento de suas vidas em que as fontes ordinárias de estresse desapareceram, e tudo o que resta é refletir a respeito de seu legado amoroso. Afinal de contas, o amor é tudo. O tempo todo vejo coisas que me lembram do poder da compaixão e do amor — dos laços sociais que mantemos, sejam eles do tipo que dura muito tempo, sejam breves, mas mesmo assim de grande impacto. Gostaria de compartilhar uma história real que ilustra o que quero dizer.

Trinta anos atrás, quando finalmente terminei meu estágio de medicina, recebi uma oferta de emprego em um grupo renomado de neurologistas na cidade de Naples, na Flórida. Logo depois de começar a trabalhar, fui apresentado a Mike McDonnell, um advogado cujo escritório ficava no andar de cima. Mike era uma figura conhecida no sul da Flórida, e em pouco tempo nos tornamos amigos íntimos. Começamos a frequentar as mesmas noitadas, em que tocávamos violão e cantávamos com amigos. Mike se tornou uma parte tão importante de nossas vidas que eu e aquela que viria a ser minha esposa lhe pedimos para tocar em nossa cerimônia de casamento, e ele e a esposa, Nina, chegaram a viajar conosco em nossa lua de mel. Mike virou padrinho de nossa filha Reisha.

Mike me procurava para todo e qualquer assunto médico, e eu, por minha vez, confiava nele por conta de seus conhecimentos jurídicos. No início de fevereiro de 2016, fui pego desprevenido por uma mensagem de texto que recebi de sua esposa. Dizia apenas "Precisamos de você, Mike está morrendo". Fui correndo até o hospital regional e encontrei meu amigo sob respiração artificial, com a mulher e três dos cinco filhos ao pé do leito. Nessa hora eu soube que precisava assumir o papel de neurologista, e fiz um exame imediato. Depois de analisar suas ressonâncias cerebrais, compreendi que Mike havia sofrido um derrame maciço e que seu cérebro, basicamente, cessara de funcionar.

Expliquei a gravidade da situação à família e aos amigos de Mike. Cuidamos de tudo para transferi-lo para a UTI. Lá, sua situação permaneceu relativamente estável, enquanto ele era mantido vivo com o auxílio de equipamentos. Felizmente, isso permitiu que todos os filhos chegassem ao hospital para presenciar os últimos momentos de vida de Mike.

Às 23h14, Mike nos deixou.

Pensei bastante em Mike durante todo o dia e a noite seguintes. Por uma coincidência do destino, um dos melhores amigos de Mike, e nosso também, estava tocando piano em um restaurante próximo. Durante sua apresentação, ele comentou a perda de nosso amigo íntimo na véspera. Depois do jantar, naquela noite, passamos algum tempo conversando com amigos sobre Mike e seu falecimento. Quando chegamos em casa, passei terrivelmente mal, com náusea e calafrios. Só consegui pegar no sono lá pelas duas da manhã, e quando acordei, no dia seguinte, sabia que havia alguma coisa errada.

Estavam fazendo planos para uma homenagem a Mike no dia seguinte, e juntamos nossas fotos para montar uma retrospectiva. No fim das contas, não só tínhamos um monte de fotografias, mas também um DVD de uma apresentação do nosso grupo musical para uma arrecadação de fundos, muitos anos antes. Depois de assistir ao vídeo com minha mulher e minha filha, senti necessidade de me deitar no sofá. Não sabia direito o que estava acontecendo comigo, mas minha cabeça estava um pouco confusa e meu coração estava acelerado. Comecei, então, a ficar com a vista escura. Chamei minha mulher e contei como estava me sentindo, e ela ligou para a emergência. Antes que a ambulância chegasse, uma equipe de bombeiros já estava em minha sala. Um rapaz me perguntou como estava me sentindo, e expliquei que estava com taquicardia. Em seguida, ele perguntou se eu andava sob estresse, ou se tinha passado por algum acontecimento estressante. Nessa hora, caí no choro e relatei a perda do meu amigo. O bombeiro achou que meus sintomas estavam relacionados à ansiedade, e me pediu que respirasse fundo e tentasse relaxar. Minha cabeça de médico, mesmo aceitando o fato de que eu certamente estava num estado de ansiedade, me dizia apesar disso que havia alguma outra coisa acontecendo, em especial quando tomei meu próprio pulso e constatei que não apenas ele estava acelerado, mas também irregular.

Quando a ambulância chegou, meu coração estava claramente batendo de modo irregular, e o batimento chegava até 170. Fui levado para um hospital da região, onde recebi medicação intravenosa para desacelerar meu coração, mas por duas vezes ela falhou. Nessa hora, fui transferido para a UTI. A dose do remédio para desacelerar meus batimentos cardíacos foi sendo aumentada, mas eles continuavam perigosamente rápidos. Por fim, Bob, o enfermeiro da UTI, me explicou que eu havia alcançado a dose máxima do remédio, e que seria preciso adicionar uma segunda medicação. Eu sabia que, se ambas falhassem, havia a possibilidade de eu ser submetido a um procedimento de cardioversão, que é uma maneira gentil de dizer que dariam choques elétricos em meu coração para que ele voltasse ao ritmo normal.

Quando veio a noite, comecei a conversar com Bob. Ele explicou que havia trabalhado como enfermeiro na unidade de trauma de uma emergência de hospital, e relatou algumas de suas experiências por lá. Enquanto eu escutava suas histórias, fiquei muito tocado pela compaixão que ele demonstrava por mim e por seu desejo de que eu melhorasse. Ele foi ajustando cuidadosamente minhas medicações enquanto continuava a me falar de alguns dos momentos mais significativos de sua vida.

Enquanto prosseguia, fechei meus olhos e senti uma súbita onda de intensa gratidão, não apenas por minha amizade com Mike, mas também por meu recém-descoberto elo com Bob, que estava cuidando de mim e compartilhando comigo a história de sua vida. Só posso descrever um sentimento assim como amor. E foi nesse momento, em que meu corpo era invadido por essa emoção, que meu ritmo cardíaco repentinamente voltou ao normal.

Como você pode imaginar, não é fácil dormir numa unidade de terapia intensiva. Eu acordei e voltei a dormir várias vezes durante a noite, e toda vez que acordava dava uma olhada no monitor cardíaco atrás da cama, para me certificar de que meus batimentos cardíacos continuavam normais. Um pouco depois das quatro da manhã, acordei de novo, mas dessa vez meu pulso não aparecia na tela. Apenas uma linha horizontal. Achei que estivesse sonhando, mas estava acordado. Tateando, descobri que um dos captadores do meu monitor cardíaco tinha saído do lugar. Na mesma hora o reconectei, o que restabeleceu de imediato meu gráfico cardíaco normal no aparelho.

Na manhã seguinte, na hora em que o cardiologista chegou, eu já havia feito ioga fora da cama. Meu coração e todos os meus sinais vitais foram considerados normais, e eu recebi alta sem nenhuma prescrição, a não ser a recomendação de tomar aspirina.

Tantas vezes ao longo dos anos me fizeram a seguinte pergunta: "O que foi que o levou à medicina integrativa?". Eu sempre disse que nunca ocorreu uma epifania. Mas posso afirmar que essa experiência no hospital — primeiro com Mike, e depois com Bob — foi um evento crucial e transformador em minha vida. Saí do hospital como outro homem. Embora durante vários anos eu tenha escrito e dado palestras sobre os efeitos prejudiciais do estresse, certamente esses acontecimentos me transformaram em alguém que acredita ainda mais nisso. Mas, muito mais importante que isso, eles me fizeram chegar a uma plena compreensão do significado do amor. Ainda que sintamos amor por nossa família e nossos amigos, sentir amor e gratidão pelos outros — inclusive pessoas estranhas — foi algo inesperado, pelo menos para mim, mas que hoje é muito bem-vindo em minha vida. E esse foi o presente final de Mike para mim. Meu pai foi um médico muito dedicado, que por toda a vida ressaltou a todos à volta dele a importância fundamental da compaixão para com os outros.

Quando você é amado e sabe amar, todas as células do seu corpo conseguem operar na máxima capacidade. Se o amor é o ingrediente individual mais importante para a saúde e o bem-estar, então não conheço maneira melhor de se manter na trilha da cura contínua do que amar o máximo que puder e desfrutar de seus benefícios. E isso se faz cultivando laços sociais sólidos. Esteja aberto à entrada em sua vida de recém-chegados inesperados, como Bob, e alimente os laços que você já criou há muito tempo. Nunca se sabe quando será preciso recorrer a uma dessas pessoas, ao enfrentar problemas sérios ou passar por uma tragédia na vida pessoal.

Não resta dúvida de que os relacionamentos sociais alteram nossa fisiologia e nossa sensação de bem-estar. Você ficaria surpreso de descobrir o quanto nosso estado de saúde depende do estado de nossos relacionamentos, desde aqueles que temos com os outros, até aquele que temos com nós mesmos. Afinal de contas, somos criaturas extremamente sociais. Pesquisas recentes mostraram até mesmo que os laços que mantemos com os outros podem aumentar a longevidade. Em 2015, uma equipe de pesquisadores da Universidade da Carolina do Norte em Chapel Hill tentou compreender como as relações sociais afetam a saúde. Eles estavam particularmente interessados em saber como essas relações são introjetadas a ponto de influenciar o bem-estar psicológico, à medida que se envelhece. Entre as perguntas que eles queriam responder, estavam: Quando esses efeitos surgem na vida? O que eles acarretam? Eles mudam à medida que envelhecemos? Quanto tempo duram?

Sintetizando dados de quatro grandes estudos com a população americana, abrangendo desde adolescentes de doze anos até idosos de 85 — ao todo, mais de 14 600 pessoas —, os pesquisadores avaliaram diversos parâmetros. Em termos de laços sociais, eles levaram em conta a integração, o apoio e o desgaste sociais. Para analisar o lado biológico da experiência, levaram em conta quatro medições de saúde habituais: o índice de massa corporal (a proporção entre altura e peso), a circunferência da cintura, a pressão arterial e a proteína C-reativa, para avaliar processos inflamatórios sistêmicos. Esses marcadores biológicos estão associados ao risco de diversas doenças, entre elas problemas cardíacos, derrames, demência e câncer. Em alguns aspectos, os resultados não foram surpreendentes, mas em outros foram espantosos. Já se sabia, com base em estudos anteriores, que indivíduos mais idosos que formaram uma rede social mais ampla têm tendência a viver mais tempo que aqueles que não a formaram. Mas foi a primeira vez que um estudo mostrou que os laços sociais reduziam os riscos à saúde para *todos* — dos mais jovens aos mais velhos. Entre os achados mais surpreendentes: o isolamento social na adolescência contribui para processos inflamatórios nocivos tanto quanto a inatividade física, e a existência de uma rede social sólida pode proteger da obesidade; nos mais idosos, o isolamento social pode ser um fator mais importante que o diabetes no desenvolvimento e no gerenciamento da hipertensão arterial; e em pessoas de meia-idade, a qualidade dos laços sociais é mais importante que a quantidade.

Há muita coisa que podemos extrair desse estudo abrangente e inovador, qualquer que seja o estágio da vida em que nos encontremos. As relações que mantemos são importantes para a nossa saúde, e a qualidade fica à frente da quantidade. Como é seu relacionamento com as pessoas? Você tem um grupo de amigos confiáveis? Seu casamento é enriquecedor ou fonte de sofrimento e estresse? Notícias ruins, ou um assediador no seu grupo de amigos, colegas ou conhecidos afeta você de forma que diminua gravemente sua qualidade de vida? Você gosta de *si mesmo*?

Cultivar relacionamentos saudáveis começa pelo estabelecimento de uma relação saudável consigo mesmo, antes de tudo. Isso, por sua vez, permitirá que você estenda esse amor interno aos outros e a tudo que o cerca. E quanto mais contente você estiver com seus relacionamentos, mais fácil será tomar ótimas decisões em tudo que fizer.

Embora nunca tenham existido tantos aparelhos e aplicativos para se conectar com as pessoas, também nunca existiram tantas pessoas solitárias, remoendo o sentimento de desconexão. É como se, quanto mais conexões artificiais estabelecêssemos por meio das redes sociais, menos tempo passássemos pessoalmente uns com os outros. Para isso, tente nutrir seus relacionamentos de maneira íntima, autêntica. Planeje mais tempo com pessoas que o inspirem, motivem e desestressem. E não dependa das redes sociais. As plataformas das redes sociais podem ter seus méritos, mas não deixe que elas substituam as interações de verdade, cara a cara. Saia de casa e faça algo com outras pessoas. Experimentem juntos novos passatempos. Algumas ideias:

- defina um dia de sair (por exemplo, cinema e restaurante) com seu companheiro ou melhor amigo, pelo menos uma vez por semana, ou duas vezes por mês. Isso não significa necessariamente sair de casa. Preparem juntos a refeição em casa e assistam a um filme no sofá;

- uma vez por semana, marque um jantar com amigos íntimos. Faça cada convidado levar um prato e combine o que cada um vai trazer;

- crie um grupo de caminhada ou de trekking com amigos, que se encontre uma vez por semana, de manhã;

- pegue o telefone no fim de semana e ligue para pelo menos um bom amigo que viva longe. Peça notícias;

- estabeleça um ritual diário com a pessoa mais próxima de você — o companheiro, melhor amigo, talvez uma criança que já tenha idade para participar dessa atividade. O ritual pode ser qualquer um dentre várias opções, desde simplesmente conversar sobre o dia e o que passou pela sua cabeça até compartilhar um trecho de um livro de citações ou provérbios. Todas as manhãs, eu e minha mulher dividimos uma frase ou uma passagem de um livro. Para nós, serve como um lembrete daquilo que é importante e significativo na vida. Também reforça nosso vínculo. Descobrimos que essa nossa leitura matinal nos acompanha por todo o dia. Constantemente eu volto a consultar essa frase durante o dia;

- defina alguns hábitos inegociáveis em sua vida, como sair do trabalho no máximo às cinco e meia, para poder estar em casa a tempo de jantar com os filhos. Desfrute dos fins de semana em família deixando de lado todos os aparelhos eletrônicos e focando nessas relações interpessoais. Reserve pelo menos um dia "aparelho zero" na semana;

Reforçar essas relações pessoais na vida real pode ser mais poderoso que qualquer outra estratégia de apoio à saúde e ao bem-estar.

### RESERVE UM TEMPO PARA DESACELERAR

Você já teve que lutar contra sensações de dor, mal-estar, raiva, frustração, exaustão, sobrecarga, desejo de dar uma parada? Você tira com frequência períodos para desacelerar? Parece um lugar-comum dizer "relaxe" porque isso vai "reduzir o estresse", mas isso é ainda mais importante hoje, quando parece que damos tanto valor a estar ocupado. As novas tecnologias propiciam oportunidades para estarmos interminavelmente ocupados e entretidos, mas, ao mesmo tempo, desatentos e desgastados. Estão começando a surgir, por exemplo, algumas pesquisas neurocientíficas mostrando que, por dependermos tanto de aparelhos eletrônicos, podemos estar comprometendo nossa capacidade de refletir. Usamos o celular mais do que imaginamos: em 2015, um artigo na revista *Plos One* mostrou que as pessoas subestimam enormemente o próprio uso de smartphones. Você pode achar que usa o celular, em média, 37 vezes por dia, que foi o relatado pelos participantes do estudo, mas a estimativa mais correta é de por volta 85 vezes! E o tempo total que você passa usando o telefone todos os dias está um pouco acima de cinco horas.

Mais de um quarto de nossos dias, atualmente, é passado imerso na sobrecarga de informações. Parte dessas informações tem valor, mas parte é equivalente à junk food para o cérebro. Esse consumo digital maciço pode estar nos impedindo de aprender e recordar informações ou de ser criativos. Alguns de nós nem desfrutamos mais de férias remuneradas. Mas é essencial planejarmos um tempo para desacelerar, que permita a nosso corpo recuperar-se do estresse, renovar-se e reunir mais força e energia. Adquira o hábito de, nesses momentos, conversar consigo mesmo, de maneira profunda e sem coisas que o distraiam. Faça-o de modo que esse diálogo interno o ajude a continuar otimista, de bom humor e alerta.

Cientistas da Universidade da Califórnia em San Francisco relataram que, quando camundongos vivenciam uma experiência nova, como encontrar uma nova área em um labirinto, seu cérebro apresenta novos padrões de atividade. Essa experiência nova, porém, não chega a consolidar-se na memória dos camundongos quando eles não fazem uma pausa em sua exploração. Os pesquisadores acreditam que essa conclusão também se aplique à forma como nós, seres humanos, aprendemos. Pausas permitem que o cérebro dê uma parada e solidifique as experiências que vivem, transformando-as em memórias permanentes, de longo prazo. Quando o cérebro é estimulado de forma incessante, esse processo pode ser prejudicado.

O cuidado consigo mesmo começa com a descoberta de si mesmo. É importante pararmos com frequência, para organizar os pensamentos e rever nossos objetivos. Isso deve ser feito todos os dias, semanas, meses e anos. Algumas ideias:

- diariamente, estabeleça uma hora na qual você vai desligar seu celular e não responder a chamadas de emergência, e-mails ou mensagens de texto, para praticar um pouco de respiração profunda. Isso acalmará a mente e o corpo, ajudando-o a avaliar como está se sentindo e o que passa pela cabeça. Eis a forma de fazer isso: sente-se de maneira confortável no chão ou em uma cadeira. Feche os olhos e faça seu corpo sentir-se relaxado, liberando toda a tensão do pescoço, dos braços, das pernas e das costas. Puxe o ar pelo nariz o máximo que conseguir, sentindo o diafragma e o abdome subindo enquanto a barriga se expande. Quando achar que já encheu os pulmões, puxe um pouquinho mais de ar. Expire lentamente, expelindo dos pulmões todo o ar que puder. Continue respirando fundo pelo menos cinco vezes. Em seguida, abra os olhos e pergunte a si mesmo se o corpo se sente bem e energizado, de maneira geral. Para certas pessoas, a hora ideal para a respiração profunda é logo de manhã, ao sair da cama — antes de consultar qualquer aparelho digital. Ou programe o alarme do celular para as três horas, todas as tardes. Torne isso parte de sua rotina diária. Outra ideia é terminar sua sessão de respiração profunda com uma frase motivadora. Veja alguns exemplos no quadro abaixo

- toda semana ou todo mês, faça perguntas mais amplas a respeito de si mesmo, como se você está se sentindo contente, como se sente fisicamente e como andam seus relacionamentos. Tem alguém com quem você gostaria de passar mais tempo? Alguém que seria melhor excluir da sua vida? O que tem sido grande fonte de estresse e ansiedade na sua vida? Por onde começar para resolver isso?

- uma vez por ano, estabeleça novas metas e lide com novos problemas. Leve em conta as metas maiores, como algo que você queira realizar e que exija um planejamento de longo prazo. O que você gostaria de fazer no próximo ano, ou nos próximos dez anos? Achar um emprego novo? Aperfeiçoar um talento? Experimentar um novo hobby? Abrir um negócio? Escalar o Kilimanjaro? Viajar para a Europa? Fazer mais trabalho voluntário? Fazer aulas de arte? Fazer um retiro de fim de semana? Escrever suas memórias?

Como foi dito mais anteriormente, registrar em um diário pensamentos, objetivos, sentimentos, ansiedades e acontecimentos que mais o afetam pode ser útil. Isso permite revisá-los depois, pode ajudar a minorar essas preocupações e lhe possibilita prestar contas a si mesmo (para uma lista de diários que podem ser criados, veja a p. 173).

---

Ler frases curtas, mas significativas, é uma excelente forma de terminar uma sessão de respiração profunda. Eis trinta sugestões para dar o pontapé inicial.

1. "Se você não mudar de direção, pode acabar chegando ao seu destino" — Lao Tzu

2. "Se não for agora, quando?" — Rabino Hillel

3. "As melhores e mais belas coisas do mundo não podem ser vistas nem tocadas; têm que ser sentidas com o coração" — Helen Keller

4. "Precisamos abrir mão da vida que planejamos, para aceitar aquela que nos espera" — Joseph Campbell

5. "Nossa maior fraqueza consiste em desistir. A maneira mais garantida de alcançar o sucesso é tentar só mais uma vez" — Thomas A. Edison

6. "Não ouça seus medos, mas suas esperanças e seus sonhos. Não pense em suas frustrações, mas em seu potencial não realizado. Não se preocupe com aquilo que tentou e não conseguiu, mas com aquilo que você ainda pode fazer" — Papa João XXIII

7. "Se quiser que alguém seja feliz, pratique a compaixão. Se você quiser ser feliz, pratique a compaixão" — Dalai Lama

8. "A perseverança não é uma corrida de longa distância; são várias corridas curtas, uma depois da outra" — Walter Elliot

9. "A paciência e a perseverança têm um efeito mágico diante do qual as dificuldades desaparecem e os obstáculos se desfazem" — John Quincy Adams

10. "Ao expressarmos gratidão, não devemos jamais esquecer que o maior reconhecimento não se expressa articulando palavras, e sim vivendo por elas" — John F. Kennedy

11. "O verdadeiro sucesso é a superação do medo do fracasso" — Paul Sweeney

12. "A paz não é a ausência de conflito; é a capacidade de lidar com o conflito por meios pacíficos" — Ronald Reagan

13. "Quando aceitamos nossos limites, nós os superamos" — Albert Einstein

14. "Deus, concedei-me a serenidade de aceitar as coisas que não posso mudar, a coragem de mudar aquelas que eu posso, e a sabedoria de entender a diferença" — Oração da Serenidade

15. "A única segurança verdadeira não reside em ter ou possuir, nem em pedir ou esperar, nem mesmo em ter esperança. A segurança numa relação não reside nem em olhar para trás, como ela era, nem para a frente, como ela pode ser, mas em viver o presente e aceitá-lo como ele é, agora" — Anne Morrow Lindbergh

16. "Nunca desista, e tenha confiança naquilo que faz. Pode haver momentos difíceis, mas as dificuldades que você enfrentar vão torná-lo mais determinado a atingir seus objetivos e vencer contra tudo e contra todos" — Marta Vieira da Silva

17. "O amigo nas horas ruins é aquele a que sempre darei mais valor. Confio mais naqueles que me ajudaram a aliviar a tristeza das horas sombrias que naqueles sempre prontos a desfrutar comigo do brilho da minha prosperidade" — Ulysses S. Grant

18. "A fé é o pássaro que percebe a luz quando a madrugada ainda está negra" — Rabindranath Tagore

19. "Os dois grandes dias na vida de uma pessoa são: o dia em que nascemos e o dia em que descobrimos por quê" — William Barclay

20. "A educação nunca termina. Você não lê um livro, passa numa prova e terminou sua educação. A vida inteira, do momento em que você nasce ao momento em que morre, é um processo de aprendizado" — Jiddu Krishnamurti

21. "Sua missão não deve ser buscar o amor, mas simplesmente buscar e encontrar todas as barreiras que você ergueu dentro de si contra ele" — Jalal Al-Din Rumi

22. "Quem dentre vós estiver sem pecado, seja o primeiro a atirar uma pedra" — Jesus Cristo

23. "Você, o seu ser, tanto quanto qualquer pessoa em todo o universo, merece o seu amor e sua afeição" — Buda

24. "Nós temos a impressão de que aquilo que estamos fazendo não é mais que uma gota d'água no oceano. Mas o oceano seria menor sem essa gota" — Madre Teresa

25. "Temos que aceitar o futuro, lembrando que logo ele se tornará o passado; e temos que respeitar o passado, lembrando que um dia ele foi tudo que era humanamente possível" — George Santayana

26. "Apesar de tudo, acredito que no fundo do coração as pessoas são boas" — Anne Frank

27. "A única coisa pior que ser cega é poder ver, mas não enxergar" — Helen Keller

28. "No fim, o que conta não são os anos que você viveu; é o que você viveu nos seus anos" — Abraham Lincoln

29. "Não importa o quão lentamente você avança, conquanto que não pare" — Confúcio

30. "Aceite os desafios, para poder sentir a satisfação da vitória" — George S. Patton

## SAIA AO ENCONTRO DA NATUREZA SEMPRE QUE PUDER

Nossos ancestrais trabalhavam e viviam a maior parte do tempo ao ar livre, mas hoje em dia somos poucos os que fazemos isso. Vivemos e trabalhamos entre quatro paredes, geralmente presos a aparelhos eletrônicos, cadeiras, sofás, reuniões e tarefas. Existe um motivo biológico que explica por que caminhadas ou trilhas, por exemplo, ou qualquer coisa que façamos ao ar livre seja tão revigorante. Estar ao ar livre, cercados de plantas e outros seres vivos, aumenta a sensação de bem-estar, por meio de uma série de reações bioquímicas, que incluem um efeito de fato calmante sobre nossa mente e nosso sistema nervoso.

Saia para a natureza o máximo possível durante o dia, esteja você vivendo numa cidade grande ou numa área rural. Procure um parque para dar uma caminhada diária depois do almoço. No trabalho, sente-se perto de uma janela com vista; em casa, ponha uma cadeira na frente da janela com a melhor vista. Preste atenção no movimento das árvores ao vento, nos passarinhos e outras criaturas em volta. Programe-se para fazer exercícios fora de casa quando o tempo estiver agradável. Respire o ar e a atmosfera perto de corpos d'água naturais ou de regiões montanhosas. Desfrute das primeiras luzes do amanhecer, e do pôr do sol à noite. Nas noites de céu limpo, observe as estrelas. E não se esqueça de trazer para dentro de casa o mundo exterior. Decore a sala e o escritório com plantas naturais (veja algumas ideias na próxima seção). Elas vão manter o ar mais limpo e aproximá-lo da mãe natureza. E, como você lerá a seguir, vão ajudá-lo a desintoxicar o entorno físico.

## DESINTOXICAR O AMBIENTE AO SEU REDOR

Permita-me dizer o óbvio. Vivemos cercados de substâncias químicas. Os cientistas que medem a chamada carga corporal, ou os níveis de substâncias tóxicas nos tecidos do corpo humano, afirmam que praticamente todos os habitantes dos Estados Unidos, qualquer que seja a idade ou o local de residência, carrega em si níveis mensuráveis de substâncias químicas sintéticas, muitas das quais lipossolúveis, ou seja, armazenáveis por tempo indeterminado no tecido adiposo. Gostaria que houvesse mais prioridade no controle dessas substâncias químicas que em seu monitoramento. Infelizmente, leva anos — às vezes até décadas — até que os estudos reúnam evidências suficientes que justifiquem a edição de novos padrões e regulações pelo governo, ou mesmo a retirada do mercado de produtos perigosos. Em 2014, uma meta-análise publicada no *Journal of Hazardous Materials* reviu 143 mil artigos submetidos a revisão acadêmica na tentativa de rastrear os padrões de ocorrência e declínio de substâncias químicas tóxicas. O estudo expôs a triste verdade: em média, leva catorze anos até que sejam tomadas as medidas apropriadas. Precisamos resolver nós mesmos essa questão.

A boa notícia é que a dieta da mente para a vida vai ajudá-lo a fazer exatamente isso. Não espere até que algo seja rotulado como "perigoso" para eliminá-lo de sua vida; na dúvida, tire-o de perto de você.

Eu já argumentei aqui contra o glifosato, o principal ingrediente do Roundup, da Monsanto. Eis algumas ideias adicionais para ajudar num estilo de vida mais limpo:

- evite usar panelas e outros utensílios de cozinha não aderentes. Produtos revestidos com Teflon contêm ácido perfluorooctanoico (PFOA), que a Agência de Proteção Ambiental dos Estados Unidos considerou um provável carcinógeno. Os melhores são os jogos de cozinha em ferro fundido, cerâmica, aço inoxidável não revestido ou vidro;

- reduza ao máximo o uso do micro-ondas. Nunca ponha plástico — inclusive filme protetor de plástico — em um micro-ondas. Não coloque alimentos quentes no plástico, que pode liberar substâncias químicas nocivas, absorvidas pelo alimento;

- evite garrafas plásticas de água, ou pelo menos evite (nos produtos fabricados nos Estados Unidos) plásticos com a indicação "PC", de policarbonato, ou os rótulos de reciclagem com os números 3, 6 ou 7 no triângulo pequeno. Compre garrafas reutilizáveis feitas de vidro ou aço inoxidável, aprovados para alimentação;

- no que diz respeito a artigos de banho, desodorantes, sabonetes, cosméticos e produtos de beleza em geral, mude de marca a cada nova compra. Lembre-se, a pele é um importante ponto de entrada do corpo, e o que você passa nela pode ir parar dentro, causando dano. Nos produtos americanos, busque o selo orgânico genuíno do Departamento de Agricultura dos Estados Unidos (usda) e opte por produtos que sejam alternativas mais seguras. Demonstrou-se que substâncias químicas prejudicam o sistema endócrino, perturbam o metabolismo normal, podendo até provocar ganho de peso. Os mais insidiosos são:

- cloridrato de alumínio (em desodorantes)
- dietilftalato (em perfumes, loções e outros produtos de higiene pessoal)
- formaldeído e formol (em produtos para as unhas)
- "fragrâncias" e "aromas" (em perfumes, loções e outros produtos de higiene pessoal)
- parabenos (metil, propil, isopropil, butil e isobutilparabeno) (em cosméticos, loções e outros produtos de higiente pessoal)
- peg, polietilenoglicol, ou ceteareto (em produtos para a pele)
- lauril sulfato de sódio (lss), lauriléter sulfato de sódio (sles) e lauril sulfato de amônio (lsa) (em diversos produtos: xampus, sabonetes líquidos e esfoliantes para o corpo, sabonetes líquidos para as mãos, detergentes em pó, tinturas de cabelo e alvejantes, cremes dentais, bases de maquiagem e óleos e sais de banho)
- trietanolamina (tea) (em produtos para a pele)
- tolueno e dibutilftalato (dbp) (em esmaltes)
- triclosan e triclocarban (em sabonetes antibacterianos para as mãos e em algumas pastas de dentes)
- prefira produtos de limpeza domésticos, detergentes, desinfetantes, alvejantes, tira-manchas e assim por diante que não possuam substâncias químicas sintéticas (procure as marcas que usem ingredientes naturais e atóxicos. Ou produza os seus próprios: produtos de limpeza simples, baratos e eficientes podem ser feitos a partir de bórax, bicarbonato de sódio, água e vinagre (veja o quadro na p. 165);

- o ar de ambientes fechados é sabidamente mais contaminado que o ar livre, em razão de todas as partículas que se encontram nos móveis, aparelhos eletrônicos e objetos domésticos. Ventile bem sua casa e, se possível, instale filtros de ar HEPA (da sigla em inglês para "retenção de partículas de alta eficiência"). Troque os filtros do ar-condicionado e do aquecedor a cada três ou seis meses. Limpe uma vez por ano os dutos. Evite desodorizantes e aromatizadores de ambiente elétricos. Reduza resíduos e poeira tóxicos nas superfícies usando um aspirador com filtro HEPA. Ventile sua casa naturalmente abrindo as janelas;

- peça que as visitas tirem os sapatos ao entrar;

- plantas — como clorofito, babosa, crisântemo, gérbera, samambaia, hera e imbé — desintoxicam naturalmente o ambiente. Tenha o maior número possível em casa;

- ao comprar roupas, tecidos, capas para móveis ou colchões, dê preferência a artigos que sejam feitos de tecidos naturais, sem revestimentos ignífugos, antimanchas ou impermeabilizantes;

- passe esfregão no piso e um pano no parapeito das janelas uma vez por semana;

- peça numa loja de jardinagem, ou a prestadores de serviços, recomendações de produtos sem pesticidas ou herbicidas, que você possa usar no controle de pragas no seu jardim.

---

### TRÊS PRODUTOS DE LIMPEZA CASEIROS

**Limpador e desodorizante para todos os usos:**
- ½ xícara de bicarbonato de sódio
- 2 litros de água quente

Misture os ingredientes e armazene num borrifador.

**Limpador de vidros e janelas:**

- 4 xícaras de água
- 1 xícara de vinagre branco
- ½ xícara de álcool 70%
- 2 a 4 gotas de óleo essencial (opcional, para perfumar)

Misture os ingredientes e armazene num borrifador.

**Desinfetante**

- 2 colheres de chá de bórax
- ¼ de xícara de vinagre branco
- 3 xícaras de água quente

Misture os ingredientes e armazene num borrifador.

---

Embora possa parecer inviável a tarefa de eliminar de sua casa produtos duvidosos, substituindo-os por alternativas, isso não precisa ser feito num dia só nem virar fonte de estresse. Troque um produto e um cômodo de cada vez. O objetivo é fazer o melhor que puder com base naquilo que você consegue fazer e está disposto a modificar. Como parte de sua listinha diária, durante os catorze dias do meu plano de cardápio, pedirei que você realize uma coisa que o ajude a desintoxicar seu entorno físico.

Mas, antes de chegarmos lá, há um passo a mais que o ajudará a unir todas essas ideias: planejar-se adequadamente.

# 7. Passo 3 — O planejamento adaptado a você

O corpo ama e anseia estabilidade e previsibilidade. Tanto é que, de maneiras sutis, ele se insurge quando você o obriga a sair da sincronia com seu ritmo natural. É por isso, em parte, que a sensação pode ser tão ruim e desconfortável quando você viaja atravessando vários fusos horários e abandona sua rotina. Sendo inteligente, seu corpo fará o possível para devolvê-lo aos eixos o mais rápido possível. Uma das maneiras mais simples de reduzir o estresse desnecessário do corpo, e manter um estado homeostático, de equilíbrio, é conservar uma rotina diária constante, o ano todo, o máximo possível, inclusive nos feriados e fins de semana. Isso exige que você saiba planejar com boa antecedência os seus dias.

As obrigações do trabalho, as demandas sociais e os acontecimentos inesperados nos obrigam a quebrar essas regras ocasionalmente, mas tente regular pelo menos os três aspectos de sua vida que terão o maior impacto sobre sua saúde: a hora de comer, a hora de se exercitar e a hora de dormir. Se você fizer isso, perceberá como se sentirá diferente. Isso também pode ajudá-lo a ater-se a uma rotina e a se preparar melhor para imprevistos que possam desviá-lo de seu novo estilo de vida com a dieta da mente para a vida.

É com esse objetivo que eu gostaria de lhe dar algumas orientações.

## A HORA DE COMER

As calorias não sabem que horas são, mas o corpo sabe, e seu acúmulo de calorias vai variar conforme uma série de fatores, inclusive — você já deve ter adivinhado — a hora do dia.

Cada um de nós possui um sistema interno de relógios biológicos que ajudam o corpo a gerenciar e controlar seu ritmo circadiano — a sensação de dia e noite que o corpo tem. Esse ritmo é definido pelos padrões de atividades repetitivas relacionados ao dia solar de 24 horas, e inclui o ciclo de sono e vigília, o aumento e a diminuição da quantidade de hormônios, e alterações na temperatura do corpo. É bem recente a descoberta de que, quando esses relógios não estão "acertados" — quando não estão funcionando direito — o resultado pode ser transtornos alimentares e problemas de peso. Por exemplo, está bem documentado que as pessoas obesas com frequência sofrem uma ruptura em seus ritmos circadianos, o que os leva a comer em horários irregulares, sobretudo tarde da noite. Pessoas obesas também costumam sofrer de apneia do sono, que perturba ainda mais o ritmo do sono. E, como você já sabe, a privação do sono pode ter um impacto no equilíbrio dos hormônios do apetite leptina e grelina, aumentando esses problemas.

No capítulo 4, apresentei alguns parâmetros para jejuns intermitentes, sugerindo que você pule o café da manhã uma ou duas vezes por semana e jejue por 72 horas quatro vezes por ano. Como dica adicional, recomendo que você *coma uma parte maior do seu total diário de calorias antes das três da tarde* e evite ingerir muita comida à noite. Na verdade, *evite comer o que quer que seja quatro horas antes de dormir* (você pode beber água e chá sem cafeína, mas tente não beber nada na última meia hora antes de ir para a cama. Do contrário, você pode ter que se levantar no meio da noite para ir ao banheiro).

A importância de almoçar antes das três da tarde, por exemplo, foi ressaltada recentemente por pesquisadores do hospital Brigham and Women (Universidade Harvard), da Universidade Tufts e da Universidade de Múrcia, na Espanha, que realizaram o estudo na cidade litorânea de Múrcia. O almoço é a principal refeição do dia para os espanhóis. Para surpresa dos pesquisadores, seguindo todos o mesmo padrão, como a quantidade de calorias ingerida diariamente, os níveis de atividade e a quantidade de sono, aqueles que almoçavam mais tarde tinham mais problemas para perder peso. Todos os participantes — ao todo, 420 indivíduos — no estudo eram obesos ou tinham sobrepeso. E todos eles foram submetidos ao mesmo programa de perda de peso durante cinco meses. Mas não almoçavam no mesmo horário, e não tiveram a mesma perda de peso. Metade deles almoçava antes das três da tarde, e a outra metade almoçava depois das três. Ao cabo de vinte semanas, os que comiam cedo perderam uma média de 9,9 kg, enquanto os que comiam tarde perderam apenas 7,7 kg, e num ritmo menor.

Intuitivamente, sabemos que comer demais perto do fim do dia não é uma boa ideia. É a hora em que estamos mais suscetíveis ao cansaço. Até o cérebro está cansado de tomar decisões. Por isso, cedemos a uma comilança impensada na hora do jantar, com múltiplas porções de pratos e sobremesas pouco saudáveis. Esse é o caso, sobretudo, quando tivemos um dia cheio, pulamos totalmente o almoço, e beliscamos lanchinhos e outros alimentos pobres em nutrientes. E como ficamos muito tempo sem comer, torna-se muito fácil regalar-se no jantar, porque o corpo vai querer compensar essas calorias perdidas. É um ataque biológico e metabólico. Eu recomendo o seguinte para evitar essa situação e maximizar as necessidades energéticas do corpo:

- durante o fim de semana, planeje suas refeições e a programação alimentar da semana, com base naquilo que seu calendário prevê em termos de trabalho e responsabilidades pessoais. Use um diário para fazer esse planejamento (veja a p. 173). Escolha um ou dois dias em que você pulará o café da manhã. Nesses dias, certifique-se de fazer um almoço rico em nutrientes entre as 11h30 e as 13h30;

- monte sua própria lista de compras, com base nas refeições que você planejou preparar. Não esqueça de incluir os lanches. Cuide dessas compras antes que a semana comece. Não convém acordar na segunda de manhã e sair correndo atrás da comida para o café da manhã ou a marmita do almoço;

- identifique quais os lanches e refeições que você pode levar numa marmita quando tiver que sair de casa;

Quanto mais planejados forem seus hábitos alimentares, desde *a hora* de comer até *o que* comer, mais controle natural você terá para respeitar esse planejamento e colher seus benefícios para a saúde. O mesmo vale para o que diz respeito aos exercícios.


## A HORA DE SE EXERCITAR

O corpo costuma estar mais forte no final da tarde e no início da noite, em razão de um pico na temperatura corporal e em certos hormônios, como a testosterona, mas isso não significa que seja a hora de praticar atividade física. Você deve programar seus exercícios para a hora que lhe convier. É muito mais importante fazer o exercício do que se preocupar com a hora "certa" do dia para seu corpo estar ativo. Há quem goste de uma corrida bem cedo pela manhã, enquanto outros preferem encerrar o dia com exercícios.

Tenha em mente, porém, que passar uma hora malhando pesado não apaga os efeitos de ficar sentado o resto do dia. Um número cada vez maior de pesquisas tem revelado ser inteiramente possível praticar muita atividade física e, mesmo assim, ter um risco aumentado de adoecer ou morrer — da mesma forma que o fumo prejudica qualquer hábito de vida mais saudável que você adote. Muitos de nós mal damos um passo para ir de casa para o carro e do carro para o escritório, e de volta ao sofá da sala para ver TV. Todos nós temos a obrigação de incluir mais movimento em nosso cotidiano, qualquer que seja a nossa profissão. Seja criativo, transformando tarefas que podiam ser feitas sem muito esforço em coisas que exijam movimentação física: use a escada; estacione longe do prédio onde você vai entrar; use um fone de ouvido sem fio para poder se levantar da mesa e caminhar enquanto fala ao telefone; dê uma caminhada de vinte minutos em sua hora de almoço. Crie mais oportunidades de ser ativo durante o dia.

Algumas dicas adicionais:

- ao mapear suas refeições para a semana seguinte, planeje também seu horário de exercício. Além disso, planeje o tipo de exercício que você fará, usando um diário para esse planejamento (veja a p. 173). Lembre-se, o mínimo é de vinte minutos de exercício aeróbico, seis dias por semana, com exercícios com pesos três ou quatro vezes por semana. Inclua tempo extra para se alongar também. Decida quais os dias em que você fará exercícios vigorosos e quais os dias em que eles serão menos intensos (veja a seguir um exemplo de planejamento). No sétimo dia, de "descanso" (que não precisa ser o domingo), planeje fazer algo mais leve, como sair para uma caminhada de lazer com um amigo ou fazer uma aula de ioga com meditação. O dia de descanso não significa ficar totalmente parado, em cima do traseiro o dia inteiro;

- caso você sofra de transtorno do sono ou tenha dificuldade em adormecer à noite, tente suar um pouco a camisa ao ar livre nas primeiras horas da manhã. A exposição à luz do dia (por exemplo, durante uma pedalada matinal, uma corridinha ou indo de carro para a aula na academia), logo depois de acordar, funciona como uma "reiniciada" do ritmo circadiano. Também se demonstrou que os exercícios matinais reduzem a pressão arterial ao longo do dia e podem causar uma queda adicional de 25% à noite, o que também tem uma correlação direta com um sono melhor.

Eis um exemplo de planejamento de exercícios para alguém que já possui um nível mínimo de condicionamento físico e espera adquirir mais força e melhor forma física com atividades de maior intensidade e períodos mais longos de atividade moderada ao longo da semana. Note que o domingo não precisa ser o dia "off", de descanso — neste exemplo, é a quarta-feira. Planeje as sessões mais longas para os dias em que você tiver mais tempo, que, para muitos, é durante o fim de semana.

**Segunda:** caminhada intensa ao meio-dia (vinte a trinta minutos); treinamento com pesos e alongamento na academia depois do trabalho (vinte minutos)

**Terça:** cinquenta minutos de spinning de manhã, depois dez minutos de alongamento

**Quarta:** dia superocupado — trinta minutos de caminhada intensa em qualquer hora do dia e quinze minutos de exercício com pesos e alongamento leve enquanto o jantar está cozinhando

**Quinta:** elíptico (trinta minutos) de manhã, mais dez minutos de alongamento

**Sexta:** aula de ioga às 18h

**Sábado:** Grupo de Caminhada dos Guerreiros Poderosos do Fim de Semana às 9h30 (uma hora e meia)

**Domingo:** elíptico (quarenta minutos), mais treinamento com pesos e alongamento (vinte minutos)

Quanto mais específico você for em seu planejamento formal de exercícios durante a semana, maior a probabilidade de cumpri-lo.

## A HORA DE DORMIR

Lembre-se, o corpo — e, mais especificamente, o cérebro — se revitaliza durante o sono. Embora antes pensássemos que haveria um número mágico de horas de que o corpo necessitava para dormir, novas descobertas científicas derrubaram esse mito. Cada um tem necessidades de sono diferentes. De quanto *você* precisa para operar da forma ideal? Descubra:

- determine a hora ideal para acordar, considerando suas obrigações matinais;

- ponha o alarme da manhã para tocar todos os dias nesse horário;

- vá para a cama oito a nove horas antes desse horário definido até que você comece a acordar *antes* do alarme. O número de horas que você tiver dormido nessa noite será seu número ideal.

Alguns lembretes adicionais:

- use as estratégias que expus no capítulo 6 para se preparar para o sono e tirar o maior proveito possível dele;

- seja rigoroso em relação a deitar e acordar no mesmo horário todos os dias, 365 dias por ano. Não altere seus hábitos de sono nos fins de semana, nos feriados ou nas férias.

Tenha como objetivo estar adormecido antes das onze da noite. As horas entre as onze da noite e as duas da manhã são cruciais para a saúde. É nelas que os poderes rejuvenescedores do corpo estão no auge.

## UM DIA EM NOSSAS VIDAS

Mencionei diversas vezes neste livro o uso de diários. Desconheço maneira melhor de planejar e monitorar sua vida cotidiana que não seja manter alguns diários, para diferentes objetivos. Isso automaticamente o obriga a prestar contas de seus objetivos e intenções. Eis um resumo dos três principais diários que eu recomendo:

- **Diário alimentar**: nele, você toma nota não apenas do que come, mas também do que *planeja* comer — suas refeições e lanches ao longo da semana. Nos fins de semana, olhe para a próxima semana e mapeie seu cardápio diário; em seguida, ponha no papel exatamente o que você comeu em cada dia e o quanto se aproximou de ficar à altura de seu planejamento. Anote as comidas e os ingredientes de que você gostou ou não gostou, listando suas refeições e receitas favoritas. Acrescente detalhes, como os alimentos que o fizeram sentir-se excepcionalmente bem, e quais podem ser problemáticos para sua fisiologia específica. Se você alterar alguma receita conforme seu gosto, registre isso;

- **Diário de exercícios**: nele, você coloca seu planejamento de exercícios e registra aquilo que de fato realizou a cada dia. Anote seus minutos de exercício aeróbico, de treinamento de força e de alongamento. Relacione os grupos musculares que você trabalhou e o tipo de exercício aeróbico que realizou. Caso sinta dor ou incômodo, ponha no papel. Analise se você consegue encontrar padrões nos exercícios que escolheu e como seu corpo se sente, pois isso pode ajudá-lo a moldar o regime preciso de exercícios para você. Ao longo de uma semana, certifique-se de misturar as rotinas, malhando pesado em alguns dias e leve em outros;

- **Diário geral**: nele, você documenta seus pensamentos, sentimentos, ideias, desejos, objetivos e notas de agradecimento. Não hesite em registrar suas preocupações e ansiedades, pois colocá-las no papel pode ter o efeito de reduzir seu impacto fisiológico sobre você.

Não importa que tipo de caderno você usará como diário. Pode comprar cadernos espiral baratos para os diários alimentar e de exercícios e esbanjar num modelo com capa de couro para o diário geral. Mantenha um diário na mesinha de cabeceira para escrever ao acordar e ao dormir, e adote cadernos pequenos e práticos para levar a toda parte e tomar notas rápidas ao longo do dia. Faça aquilo que funcionar melhor para você e que o mantenha na linha.

A seguir, uma lista de itens diários e depois uma amostra de agenda.

### SUA LISTA DE ITENS DIÁRIOS

☐ Acorde e saia da cama no mesmo horário, todos os dias;

☐ Tome seus suplementos, inclusive os prebióticos e os probióticos. Veja na p. 118 uma lista para lembrar quais suplementos você deve tomar, quando e em que doses;

☐ A menos que você esteja pulando o café da manhã, o que eu recomendo fazer pelo menos uma vez por semana, certifique-se de incluir um pouco de proteína pela manhã. Lembre-se de que os ovos são uma maneira perfeita de começar o dia;

☐ Faça exercícios cardiovasculares pelo menos por vinte minutos, alongando-se antes e depois. Dia sim, dia não, faça exercícios com musculação. Na p. 170 você encontra informações sobre o momento certo para se exercitar;

☐ Faça uma pequena coisa que ajude a limpar seu entorno físico (veja a p. 162);

☐ Almoce no máximo até as três da tarde;

☐ Tome água o dia inteiro;

☐ Faça pausas de dez minutos, sem nada para distraí-lo, de manhã e à tarde, para uma autoanálise, talvez fazer um pouco de respiração profunda (veja a p. 157), tomar notas em um diário ou ler uma frase inspiradora ou um trecho de um livro. Se você quiser, experimente a meditação;

☐ Programe o jantar para no máximo quatro horas antes de dormir;

☐ Tente ir para a cama e apagar as luzes antes das onze da noite.

## AMOSTRA DE AGENDA DIÁRIA

| | |
|---|---|
| 6h30 | Acorde! |
| 6h30-6h45 | Exercício matinal de respiração profunda; anotações no diário |
| 7h-7h45 | Exercícios (por exemplo, ergométrica, pesos e alongamento) |
| 7h45-8h15 | Banho e higiene pessoal |
| 8h15 | Preparo do café da manhã e da marmita |

| | |
|---|---|
| 8h45 | Sair para trabalhar |
| 12h30 | Almoço e caminhada de 20 minutos |
| 16h-16h15 | Lanche e pausa de alguns minutos para reflexão pessoal |
| 17h30 | Saída do trabalho |
| 18h30 | Ceia com os filhos |
| 19h30-20h00 | Pausa pessoal |
| 21h30 | Hora de desligar os aparelhos eletrônicos e preparar-se para dormir |
| 22h30 | Luzes apagadas! |

Embora existam inúmeros aplicativos para ajudá-lo a planejar o dia e enviar lembretes via mensagem para o seu telefone, não há mal nenhum em usar a boa e velha agenda de papel. Faça o que der mais certo para você. Seja detalhado, se quiser, mas tenha em mente que na vida tudo deve girar em torno dos padrões de alimentação, exercício e sono. Seja rigoroso, e até egoísta, em relação a essas rotinas, e seu corpo colherá enormes benefícios para a saúde. Odeio usar lugares-comuns, mas este é verdade: tudo tem sua hora certa.

# 8. Problemas mais comuns

Todos os minutos, todos os dias, temos que tomar decisões. Como costumo dizer, a vida é uma série infindável de decisões. Direita ou esquerda? Sim ou não? Carne ou frango? O objetivo principal deste livro é ajudá-lo a tomar decisões mais acertadas, que no fim das contas vão ajudá-lo a viver a vida em sua plenitude. Embora você vá se deparar com decisões difíceis, sei que você é capaz. Você sabe o valor de se manter saudável e com a mente aguçada. Você sabe que consequências podem ter doenças e males crônicos. A saúde precisa ser a coisa mais importante de sua vida. Afinal, o que você faria sem ela?

Christopher E. postou a seguinte história no meu site:

*No começo eu não tinha problemas de saúde, mas eu me deixei levar por uma combinação de estresse no trabalho, estresse físico e má alimentação. Eu não sou idoso, e sempre consegui dar um jeito de fazer tudo o que eu queria. Então, por que não trabalhar oitenta horas por semana, tentar escalar uma montanha e fazer o caminho de Compostela, tudo num intervalo de seis meses, ao mesmo tempo que dormia quatro horas por noite e me entupia de café? Para meu espanto, algumas semanas depois de escalar a montanha, comecei a me sentir hipercansado todos os dias; em seguida, fui surpreendido por uma queda de cabelo. Falo sério, tufos de cabelo começaram a cair! Como sou oficial do Exército, meu cabelo é curto, mas um dia um de meus sargentos disse: "Senhor, o que há de errado com seu couro cabeludo?". Fui olhar e era verdade, tinha uma parte careca.*

*Com o passar dos meses, a coisa foi piorando, e o dermatologista disse que era alopecia, que poderia ser tratada com injeções de esteroides. Sem elas, disse o doutor, eu podia melhorar ou piorar, mas ele acrescentou que a melhor coisa que eu poderia fazer seria limitar o estresse. O.k., sei. No mesmo mês, eu fui transferido para outro quartel, e minha mulher anunciou que estava grávida. Os buracos só foram aumentando, e, como além de ser chefe no Exército por acaso também sou profissional de saúde, ver minha cabeça esburacada não me ajudou nem um pouco a me apresentar como líder ou tranquilizar meus pacientes.*

*Uns oito meses se passaram depois da mudança, quando folheei um exemplar de* A dieta da mente. *Curioso com a afirmação de um neurologista de que certos suplementos nutricionais (argh) seriam neuroprotetores e restauradores, junto com a ideia de que o microbioma intestinal poderia ter impacto não apenas sobre o cérebro, mas sobre todos os sistemas do corpo, li o livro rapidamente.*

*Sentindo-me péssimo, com a aparência péssima, fui em frente e dei uma chance à dieta cetogênica. Comecei a tomar seis dos sete suplementos sugeridos no livro (exceto o resveratrol). O bebê nasceu um mês depois (setembro de 2015), piorando meu nível de estresse e meu sono, mas como num passe de mágica os buracos começaram a desaparecer. Em janeiro já não havia mais nenhum, e eu não me sentia mais como se estivesse carregando um piano toda vez que saía da cama. Também perdi nove quilos.*

*Esse êxito me inspirou e me deu força. Agora, estou cuidando do sono e do estresse. Há pouco tempo comecei a fazer meditações diárias (não estou bem certo de que funciona, mas tenho esperança), a escrever listas de agradecimentos e estou tentando dormir sete horas todas as noites. Antes, eu pensava seriamente que esse tipo de coisa fosse piada (na verdade, eu achava que fosse um lixo), mas, depois de meu estudo de caso pessoal, estou começando a mudar.*

Indubitavelmente haverá problemas ao longo do caminho. E haverá momentos em que você terá que enfrentar esses problemas caso a caso. A vida é assim. A seguir, algumas dicas de solução para os momentos que ameaçam desviá-lo dos trilhos. Não é, de modo algum, uma lista exaustiva, mas vai ajudá-lo a lidar com aqueles momentos inevitáveis em que você tem que tomar decisões difíceis.

## "COMO SEGUIR À RISCA O PLANO SE EU COMER FORA DE CASA?"

Recomendo que você evite comer fora durante as duas primeiras semanas do programa, de modo que se concentre em obedecer ao protocolo alimentar usando meu plano de refeições de catorze dias. Isso vai prepará-lo para o dia em que se aventurar fora da sua cozinha e tiver que tomar as decisões certas em relação ao que pedir numa cozinha alheia.

A maioria de nós come fora várias vezes por semana, principalmente quando estamos no trabalho. É praticamente impossível planejar e preparar toda e qualquer refeição que fazemos. Por isso, é preciso aprender a navegar por outros cardápios. Tente ver se você consegue pedir algo no menu de seus restaurantes favoritos. Não se acanhe de pedir trocas (por exemplo, uma porção a mais de legumes no vapor, em vez de batata; azeite de oliva extravirgem, em vez de vinagrete industrializado). Se for difícil demais, talvez seja o caso de experimentar novos restaurantes que atendam a suas necessidades. Não é difícil dar um jeito em qualquer cardápio, desde que você tome decisões sensatas. Procure fontes saudáveis de vegetais orgânicos, livres de transgênicos. Acrescente, em seguida, um pouco de gordura — um fio de azeite de oliva ou metade de um abacate — e um pouco de proteína, e tudo bem. Fique atento a pratos complexos, que contêm múltiplos ingredientes. Se estiver na dúvida, pergunte ao garçom ou ao cozinheiro a respeito dos pratos.

Em vez de almoçar fora em dias de trabalho, pense na possibilidade de levar uma marmita. É bom ter alimentos pré-preparados — como frango assado ou grelhado, ovos cozidos, salmão em posta, ou tiras de contrafilé grelhado ou rosbife — na geladeira, prontos para levar. Encha um recipiente com salada verde e legumes crus picados, e antes de comer junte com a proteína e o molho de sua preferência. Eu saio de casa com abacates e latas de salmão-vermelho. Comida enlatada pode ser uma excelente fonte de nutrição boa e prática de levar, desde que você tome cuidado com os produtos que compra.

Tenha sempre à mão, além disso, um lanche, principalmente no começo desse novo estilo de vida, quando você cortar os carboidratos.

Há inúmeros lanches e ideias práticas listados na parte III. Muitos deles são fáceis de transportar e não estragam.

E quando você estiver diante de uma tentação (o pacote de biscoitos no trabalho ou o bolo de aniversário de um amigo), lembre que, de alguma forma, você terá que pagar pelo seu capricho. Esteja disposto a encarar as consequências, caso não consiga dizer não. Mas tenha em mente que o estilo de vida da dieta da mente é, em minha humilde opinião, a forma mais gratificante e realizadora de viver que existe. Aproveite.

## "OH, NÃO! EU DESOBEDECI AO PROTOCOLO. E AGORA?"

A história de Maari C. simboliza bem o que pode acontecer quando você recai em sua antiga forma de comer, ou reintroduz o trigo repentinamente, depois de tê-lo eliminado da dieta. Embora Maari tenha saído intencionalmente do protocolo por alguns dias, os efeitos são tão pesados que vale a pena aprender com a experiência dela:

*Muitos anos atrás, comecei a sofrer ataques de pânico e ansiedade, e em pouco tempo comecei a pesquisar alternativas holísticas aos medicamentos farmacêuticos que os médicos queriam me impor. Depois de três meses tendo esses ataques, minha saúde se recuperou em um mês.*

*Avancemos sete anos no tempo, e, depois da minha segunda gravidez, começou a aparecer urticária no meu corpo inteiro, e além disso minha tireoide tornou-se subativa (uma grande surpresa, já que eu sempre tive tireoide hiperativa). Eu fui obrigada a tomar Synthroid.*

*Alguns meses atrás, as manchas vermelhas no corpo voltaram a aparecer. Além disso, eu me senti exausta e deprimida. Depois de bater cabeça pesquisando em livros, adotei uma dieta sem trigo. Como resultado, estou me sentido ótima. Duas semanas depois de cortar o trigo, minha pele estava livre de manchas que tive durante sete anos! Minha energia decolou como um foguete. Parei de sentir fome e mal-estar (impressionante, considerando que eu só estava ingerindo 1200 calorias por dia durante essa "limpeza"). Tomar meu suco verde no almoço me deixava empolgada como quem ganha na loteria!*

*A outra coisa que me espantou é que eu parei de sentir tonturas. Fazia duas semanas que eu estava "zero trigo", brincando no balanço com minha filha, e pela primeira vez eu não senti tontura nem náusea enquanto balançava. É sensacional!*
*Tem me espantado a forma como meu cérebro tem se sentido desde então. Tudo ficou mais claro, e eu me sinto mais desenvolta. Mas eu experimentei voltar ao trigo, durante dois dias, para ver como isso me afetava e, meia hora depois de comer uma fatia de pão, senti a cabeça um pouco esquisita. Mais tarde, comi um pouco de pizza e me senti péssima à noite. No dia seguinte, tive herpes labial e conjuntivite, coisas que eu não tinha desde a faculdade.*

Como ocorre com tanta coisa na vida, descobrir e adotar um novo hábito é como andar na corda bamba. Mesmo depois de alterar seus hábitos alimentares e físicos e de mudar a forma como você compra, prepara e pede comida, sempre haverá momentos em que os antigos hábitos reaparecem (e é claro que eu não dou meu aval a experiências intencionais com esses antigos hábitos, como fez Maari; isso vai tirá-lo dos trilhos, física e emocionalmente). Eu espero que você não volte nunca mais a comer um pedaço crocante de pizza ou tomar uma cerveja; espero, isso sim, que você permaneça consciente das necessidades reais de seu corpo e viva conforme esses princípios o máximo que puder.

Tente ater-se à regra do 90-10: siga estas orientações 90% do tempo, deixando uma margem de manobra de 10%. Sempre há uma desculpa para não se cuidar tanto. Temos que ir a festas e casamentos. Temos que lidar com coisas que nos deixam altamente estressados e com pouca energia, tempo e capacidade mental para tomar decisões corretas em relação à comida, aos exercícios e ao sono. Aperte "reiniciar" sempre que você tiver a sensação de ter se desviado demais do caminho. Isso pode ser feito jejuando por um dia e comprometendo-se de novo com o protocolo. Tire a sexta ou a segunda-feira de folga para aproveitar um fim de semana de três dias, que lhe permita sair da cidade ou até ficar em casa, e concentrar-se em si mesmo. Tente, quem sabe, um retiro de ioga, ou visite um amigo que não vê há muito tempo. O objetivo é dar uma mexida nas coisas, livrar-se desse desejo que prejudica a saúde e renovar sua resolução de chegar lá.

## "TENHO TIDO FORTES DORES DE CABEÇA E OUTROS EFEITOS COLATERAIS DA DIETA"

Assim que você inicia este protocolo alimentar, seu corpo engata a marcha rápida, desintoxicando-se e livrando-se dos quilinhos em excesso. A dor de cabeça pode ser uma reação comum a uma alteração repentina de dieta, principalmente quando você vinha comendo mal. Mas ela é, na verdade, um sinal de que a dieta está dando certo, e vai desaparecer em poucos dias. Se você sentir a necessidade de tomar um analgésico sem prescrição, experimente a aspirina. Ao contrário de outros medicamentos AINES, que podem perturbar seu microbioma e confundir suas emoções, a aspirina alivia a dor e pode ter certo efeito anti-inflamatório. Como observei no capítulo 4, no começo você pode ter crises de abstinência e sentir variações de humor e irritabilidade, por ter cortado repentinamente os carboidratos. Lembre-se, o glúten e o açúcar podem agir de forma muito parecida com as drogas, fazendo quem os deixa passar por um período de crise de abstinência. Isso é normal, enquanto seu corpo se ajusta e passa pela transição para abandonar os alimentos embalados, processados (ou, por algum outro motivo, de baixa qualidade) que você vinha ingerindo. Seu humor vai se adaptar aos poucos, mas como lidar com o desejo? Como você vai conseguir superá-lo?

Fique certo de que os desejos não vão durar muito tempo. Muitos leitores de A dieta da mente me contaram que, assim que cortaram os carboidratos e mergulharam no meu protocolo, nunca mais sentiram o mesmo desejo que sentiam nos tempos em que os carboidratos eram um esteio de sua dieta. Como me escreveu um admirador: "É como dar comida da mesa para o cachorro — mesmo que você coma só uns pedacinhos do que é ruim, seu corpo vai continuar implorando mais".

Mas caso você sinta que uma força gravitacional o atrai para uma cesta de pães, um cookie de chocolate ou um pratão fumegante de macarrão, tente se distrair com alguma outra atividade. Troque de marcha. Dê uma saída para caminhar por vinte minutos. Se não estiver perto da hora de dormir, faça um pouco de exercício de verdade (por exemplo, baixe um vídeo com exercícios que você possa fazer em casa). Tire quinze minutos para fazer anotações no diário ou realize alguns exercícios de respiração profunda. Ouça músicas que lhe deixem de bom humor. Cuide de uma tarefa que você queira fazer há tempos, como arrumar a escrivaninha ou o closet. Ou, simplesmente, encontre alguma outra coisa para comer. Tenha à mão um lanche que sacie esses desejos: um punhado de castanhas, ou metade de um abacate com um pouco de azeite de oliva e vinagre balsâmico. Tente deixar sempre na geladeira uma refeição preparada e pronta para o consumo, para que, caso bata uma superfome e você esteja pouco animado, não apele para o delivery. Lembre-se de que os carboidratos e as comidas doces servem apenas para enchê-lo — enchê-lo de processos inflamatórios e sofrimento, no longo prazo. Diga a si mesmo que é melhor encher-se de alimentos de boa qualidade, que façam bem ao corpo e à mente. Lembre a si mesmo que você merece.

## "SOCORRO, EU VOU DORMIR COM FOME"

Caso você esteja tendo dificuldade em respeitar aquele período de quatro horas, depois do jantar, durante o qual não comerá nada, eis o que você pode fazer. Certifique-se de ingerir gordura o suficiente no jantar para ficar saciado. Ponha mais azeite de oliva na salada ou coma no jantar uma porção pequena (meia xícara) de algum grão nutritivo e sem glúten, como a quinoa, com um fio de azeite de oliva.

Em vez de correr para a geladeira ao sentir fome na hora de dormir, distraia-se. Experimente tomar um pouco de chá de camomila, ou algum outro chá morno de ervas, enquanto lê um bom livro ou uma matéria de revista. Ligue para um amigo (veja na p. 197 como encontrar um parceiro para sua jornada). Dê uma caminhada noturna pelo bairro. Faça anotações em um de seus diários. O objetivo é distrair-se e não pensar em comida. Caso você se pegue deitado na cama e incapaz de dormir, concentre-se na sua respiração e mantenha seus pensamentos fixos nos benefícios à saúde que estão ocorrendo neste exato instante.

## "SOU VEGANO. O QUE DEVO FAZER?"

Uma dieta vegana pode ser maravilhosamente saudável, desde que você obtenha fontes corretas de vitaminas D e B$_{12}$, e o DHA ômega-3, assim como minerais como zinco, cobre e magnésio. O DHA é uma alternativa como suplemento derivado de algas marinhas, uma fonte vegetariana. Embora às vezes se tema que os vegetarianos não ingiram proteína o suficiente, eles podem obter grande quantidade nos vegetais, legumes e grãos desprovidos de glúten. Aquilo que me preocupa mais é que os veganos não ingerem gordura o suficiente, por causa da exclusão de todos os produtos de origem animal, inclusive derivados de leite e ovos. Por isso, azeite de oliva e óleo de coco ajudam a equilibrar essa escolha alimentar.

## ATENÇÃO, GRÁVIDAS E MAMÃES RECENTES

É possível criar um bebê mais saudável usando as estratégias apresentadas neste livro. Quando grávidas e mães recentes me pedem conselho, dou quatro dicas importantes:

1. Tome vitaminas e probióticos no pré-natal;

2. Tome, como suplemento, 900 a 1000 mg de DHA, um dos mais importantes ácidos graxos para o desenvolvimento do cérebro;

3. Reduza o consumo de peixe a uma ou duas vezes por semana. É comum recomendarem a futuras mamães que turbinem o consumo de peixe, por serem ricos em ácidos graxos. Mas hoje em dia é difícil dizer de onde vem o peixe que comemos, e ele pode conter níveis elevados de mercúrio, bifenilos policlorados (PCBS) e outras toxinas;

4. Amamente, se puder, pois não há leite em pó industrializado que possa igualar os nutrientes encontrados no leite materno. O leite humano contém, por exemplo, substâncias que protegem o bebê de doenças e infecções e estimulam crescimento e desenvolvimento

adequados. O leite em pó carece dessas substâncias, porque não há como sintetizá-las. A amamentação também tem outros benefícios, como o elo que propicia através do contato físico.

**Uma observação sobre cesarianas:** cesarianas salvam vidas mesmo, e são uma necessidade médica em certas circunstâncias. Mas apenas uma pequena parte dos partos necessita de uma cirurgia. São verdadeiramente fantásticas as vantagens de nascer através de uma vagina repleta de bactérias, que batizam fisicamente o bebê com micróbios que o ajudam a viver, em vez de um abdome estéril. Bebês que nascem de cesariana terão durante a vida um risco maior de ter alergias, TDAH, autismo, obesidade, diabetes tipo 1 e demência na idade adulta.

Se, por algum motivo, for preciso passar por uma cesariana, converse com seu médico sobre a possibilidade de empregar a chamada "técnica da gaze". A dra. Maria Gloria Dominguez-Bello, da Universidade de Nova York, apresentou um estudo indicando que usar gaze para coletar bactérias do canal vaginal da mãe e em seguida esfregar a gaze na boca e no nariz do bebê, ajuda-o a desenvolver uma população bacteriana saudável. Não é tão eficaz quanto o parto vaginal, mas é melhor que uma cesariana estéril.

A doutora Dominguez-Bello também recomenda que se tomem probióticos e se amamente no peito. Escreve ela: "A sinergia dos componentes probióticos e prebióticos do leite humano propicia ao bebê amamentado no peito um microbioma intestinal estável e relativamente uniforme, quando comparado ao dos bebês que tomam leite em pó".

## "ME MANDARAM TOMAR ANTIBIÓTICOS. TUDO BEM?"

Em algum momento da vida, a maioria de nós terá que tomar uma série de antibióticos para tratar de uma infecção. Tome antibióticos apenas se eles forem absolutamente necessários e recomendados por seu médico. Tenha em mente que os antibióticos não tratam doenças virais. Resfriados, gripes e muitas inflamações de garganta que se pegam são causados por vírus, contra os quais os antibióticos são inteiramente inúteis.

Quando um antibiótico for necessário, em vez de tomar um de "amplo espectro", que matará muitas espécies diferentes de bactérias, peça ao seu médico um de "pequeno espectro", que mira unicamente o organismo que está provocando a doença. E, quando o pediatra quiser prescrever um antibiótico, assuma a defesa do seu filho. Questione o médico e certifique-se de que o antibiótico seja verdadeiramente necessário. Os antibióticos representam um quarto de todos os medicamentos que as crianças tomam. Apesar disso, demonstrou-se que até um terço dessas receitas não são indispensáveis.

É importante seguir com rigor a prescrição de seu médico (ou seja, não pare de tomar o medicamento mesmo que esteja se sentindo melhor, pois isso pode estimular novas cepas bacterianas, com o potencial de piorar a situação). Continue a tomar seus probióticos, mas faça isso no "intervalo", isto é, na metade do tempo entre duas doses de antibióticos. Por exemplo, se a orientação é para tomar os antibióticos duas vezes por dia, tome-os uma vez pela manhã e outra à noite, e tome seu probiótico na hora do almoço. Certifique-se de incluir um pouco de *L. brevis* nesses probióticos, pois ele auxilia particularmente na manutenção de um microbioma saudável enquanto se tomam antibióticos.


## "ESTOU ME SENTINDO BEM MELHOR. POSSO PARAR DE TOMAR MEUS REMÉDIOS?"

Há muita gente que me escreve para expressar a felicidade de se sentir tão bem depois de começar a seguir meu protocolo. E muitos são levados a repensar os medicamentos que tomam, e a se perguntar se realmente continuam precisando deles. Esse é o caso, em especial, quando se trata de drogas psiquiátricas para tratar a ansiedade e a depressão. Veja, por exemplo, a experiência vivida por Linda T.:

*Tenho 52 anos e atualmente tomo Cymbalta, 30 mg, contra a depressão. Tenho sofrido de depressão há muito tempo, junto com uma forte ansiedade. Depois de apenas um mês cortando o glúten e reduzindo minha ingestão de carboidratos e açúcar, sou uma pessoa totalmente diferente. Francamente, é como a água e o vinho. Minha ansiedade sumiu; sinto-me tranquila. Não tenho depressão. Em vez disso, sinto-me bem e contente. Antes eu achava que ia tomar antidepressivos pelo resto da vida, mas agora acho que há esperança de que um dia eu não precise mais deles.*

É importante que você fale com seu médico antes de suspender qualquer medicação receitada. É verdade que é possível se livrar de certas drogas, mas isso tem que ser feito sob a supervisão do seu especialista. Assim como Linda, não perca a esperança de um dia dizer adeus a suas medicações, mas use o bom senso para abandonar quaisquer medicações que lhe foram receitadas por algum motivo.

## UMA OBSERVAÇÃO FINAL SOBRE AS CRIANÇAS

Histórias de crianças que recuperam a saúde e o futuro são das mais encorajadoras. Aqui, a história de Jen W.:

*Meu filho de onze anos sofria demais. Não exagero se disser que em certos dias ele nem queria acordar. Foi diagnosticado que ele tinha depressão, ansiedade, TOC, náuseas diárias, eczema grave, dores nas articulações, psicose episódica e ganho de peso sem explicação. Além disso, ele era obeso: trinta quilos a mais que o irmão, que é um ano e um mês mais novo. As dietas não funcionavam, os antidepressivos não faziam efeito, tampouco os inúmeros terapeutas que procuramos. Nada parecia ajudar, mas eu continuava à procura.*

*O melhor dia na vida da nossa família foi dois anos atrás, quando um médico novo nos mandou eliminar da dieta dele açúcar, glúten, laticínios e alimentos e legumes processados, e só comer orgânicos. No segundo dia, todos os sintomas desapareceram, e desapareceram mesmo!!!!!! Foi surreal. Não paro de contar às pessoas e aos médicos a história de sucesso de meu filho! Fico tão grata pelo seu novo livro, e por saber que existe um movimento e um plano de verdade para mudar a vida das pessoas.*

O tempo todo sou questionado se crianças podem seguir o protocolo deste livro. Claro que sim. Na verdade, os benefícios para as crianças podem ser maiores e para a vida toda, já que elas ainda estão em fase de desenvolvimento. Perdi a conta de quantos pais me escrevem para falar da reviravolta que testemunharam na vida dos filhos. Algumas dessas crianças enfrentam graves transtornos relacionados ao cérebro, da epilepsia ao TDAH, passando pelo autismo.

Embora a medicina convencional relute em reconhecer intervenções nutricionais como uma verdadeira terapia médica, eu converso o tempo todo com pais que relatam os efeitos positivos da mudança na dieta dos filhos. Eu incentivo todo pai de crianças que apresentem problemas gastrointestinais e/ou comportamentais a experimentar as estratégias apresentadas neste livro. O prato da criança tem que ser parecido com o seu — repleto de vegetais coloridos e fibrosos, um pouco de frutas e proteínas, e gorduras saudáveis.

> O protocolo deste livro será útil para a maioria esmagadora das pessoas. Confio que pelo menos 80% de vocês terão alívio para o sofrimento, e todos estarão investindo numa saúde melhor no futuro. Porém, alguns de vocês podem necessitar de intervenções adicionais. Caso, três meses depois de iniciado o programa, você não constate os resultados que esperava, é provavelmente a hora de buscar a ajuda de um profissional formado em medicina funcional ou integrativa. Pode ser que existam desequilíbrios mais profundos a serem tratados, que estão afetando sua saúde e que exijam o apoio de um médico até a cura completa. Não tenha vergonha de buscar ajuda, caso necessite.

Não é preciso fazer muito para reforçar a tendência instintiva do corpo a buscar a saúde e o bem-estar ideais. Você é uma máquina incrivelmente autorregulável. Por isso, dedique um pouco de tempo para contemplar — e talvez maravilhar-se com — essa realidade impressionante. Então, abra-se às possibilidades diante de você.

PARTE III

# Hora de comer!

*Sou mulher, tenho 38 anos e sofro de epilepsia. Tenho convulsões motoras focais, que se parecem com a distonia. Sofro convulsões noturnas, e às vezes durante o dia, que começam com cãibras no braço e na perna direita e duram de um a dez segundos. Durante a maior parte da minha vida, encarei isso como uma sentença de morte. No entanto, depois que aderi a uma dieta sem glúten praticamente não tive mais convulsões, e faz anos que deixei de tomar remédios. Quando sofro convulsões, tomo um relaxante muscular. Além disso, embora nos últimos anos tenha ficado praticamente livre das convulsões, continuei a dormir muito mal... sempre me sentindo desperta e inquieta. Mas minha dieta nova e meu novo regime de suplementos foram um sucesso absoluto. Nunca dormi tão bem! Durmo direto a noite toda, e de manhã me sinto muito descansada.*

Depoimento anônimo de Wicklow, Irlanda

# 9. Últimos lembretes e ideias de pratos

Parabéns. Você está no caminho certo para um eu melhor e mais saudável. Este novo capítulo de sua vida me deixa empolgado — é um capítulo repleto de uma vibração que antes, talvez, você não julgasse possível. Em cada refeição, cada minuto de atividade física, cada noite de sono reparador, cada respiração funda para afastar o estresse, e cada minuto focado em si mesmo, seu corpo sofrerá uma grande transformação, e assim prosseguirá. Todas as estratégias que você aprendeu e que virá a dominar terão efeitos biológicos monumentais, no longo prazo.

Prevejo que, dentro de uma semana, você começará a sentir o retorno deste protocolo. Você sofrerá menos sintomas de condições crônicas que porventura tenha hoje; menos confusão mental, sono melhor e mais energia. Embora você não vá necessariamente sentir, seu corpo também estará mais protegido contra doenças futuras. Você se sentirá mais forte e resistente. Com o passar do tempo, suas roupas vão começar a ficar folgadas, à medida que o peso indesejado desaparecer, e os exames de laboratório vão apresentar enormes melhorias em diversas áreas da sua bioquímica. Na busca de inspiração adicional, leia a história de Gabrielle H.:

*Comecei 2015 adotando um estilo de vida sem glúten e pobre em carboidratos. Desde os seis anos de idade eu sofria de ansiedade, que foi acrescida de estresse quando cheguei aos trinta. Muitos outros sintomas surgiriam depois, entre eles síndrome do cólon irritável, em 2005, fortes dores nas articulações e nos músculos, falta de sono, dificuldade de concentração, depressão e, por fim, uma estafa em 2009. A medicina convencional mal fazia efeito em mim. Fiquei o ano passado inteiro dando murro em ponta de faca, tentando tirar da minha dieta esta ou aquela comida, e sofrendo de refluxo gástrico o tempo todo. Eu caía no sono e acordava com o braço dormente; em pânico, tentava recuperar a circulação.*

*Este regime salvou minha vida. Em cinco dias, eu voltei a dormir. Em mais uma semana, me livrei do estado de espírito depressivo. Hoje não sofro mais de dor nas articulações ou nos músculos, nem de refluxo gástrico. É como se meu intestino tivesse sido restaurado. Não como carboidrato algum, e minha dieta é rica em gorduras por causa do azeite de oliva extravirgem, da manteiga e similares. Sinto-me cheia de energia, como se meu cérebro tivesse voltado a funcionar. Hoje estou com 63 anos, e fazendo planos de ficar ainda melhor. Na semana passada, comecei a ingerir alimentos fermentados, como kimchi, repolho roxo e couve-flor. Dentro de uma semana, mais ou menos, sei que vou constatar ainda mais melhora em minha saúde como um todo.*

Neste capítulo, vou colocá-lo ainda mais firmemente no caminho certo, fazendo alguns lembretes finais, propondo uma lista de compras e de ideias de lanches. No capítulo seguinte, você encontrará meu plano de refeições de catorze dias, seguido pelas receitas do capítulo 11.

## LEMBRETES FINAIS

### BEBA ÁGUA O DIA INTEIRO

Todos os dias, tome, uma quantidade de água purificada equivalente a cerca de 3% de seu peso, no mínimo. Por exemplo: caso você pese 70 quilos, beba pelo menos 2,1 litros de água por dia. Ande para todo lado com uma garrafinha de água feita de aço inoxidável. Além disso, você pode tomar chá ou café e uma taça de vinho no jantar. Tome cuidado, porém, com a cafeína no final do dia ou com aquela tacinha a mais de vinho, que podem interferir no seu sono.

Evite sucos. Tenho notado que os *juice bars* [bares de sucos] viraram uma febre hoje em dia, mas quando você espreme frutas e vegetais integrais, reduz substancialmente — se não elimina totalmente — as fibras, o que resulta numa bebida açucarada capaz de rivalizar com os refrigerantes comuns. Não se deixe enganar pelos *juice bars* que apregoam que os sucos vão "limpar" e "desintoxicar" o seu corpo. O mesmo se aplica aos smoothies repletos de açúcar, à água de coco e à "água de melancia" 100% pura para uma "hidratação limpa e natural". Mesmo sem açúcares adicionados, um copo de suco de melancia contém doze gramas de açúcar e zero fibra. Caso você queira purificar-se com alguma bebida, vá de água filtrada.

## NÃO ECONOMIZE NO AZEITE DE OLIVA

Você está autorizado a usar o azeite de oliva (extravirgem e orgânico) generosamente, embora eu acredite que não vai querer derramar uma xícara de óleo no prato numa única refeição. Note que, em muitas receitas, você pode substituir o azeite de oliva pelo óleo de coco.

### ACOSTUME-SE

Aqueles que acham que "de tudo um pouco" faz sentido precisam repensar: uma dieta com "de tudo um pouco" pode levar a uma saúde metabólica ruim. O problema não é a parte do "pouco"; é a parte do "tudo" — comer todo tipo de alimento disponível, em vez de ater-se a um pequeno número fixo de escolhas saudáveis.

No Estudo Multiétnico de Aterosclerose de 2015, pesquisadores avaliaram dados de 6814 participantes americanos — brancos, negros, latinos e sino-americanos. Foi analisada a diversidade da dieta e avaliado o quanto a qualidade dessa dieta afetava a saúde metabólica. Revelou-se que, quanto mais diversificada a dieta (isto é, quanto mais se come uma ampla variedade de alimentos), maior a probabilidade de comer mal e sofrer as consequências metabólicas. Ao descrever os resultados, o chefe dos pesquisadores, o dr. Dariush Mozaffarian, douto-rado em saúde pública, afirmou: "Os americanos que têm a dieta mais saudável são aqueles que, na verdade, ingerem uma variedade pequena de alimentos saudáveis [...]. Os resultados indicam que, na dieta mo-derna, comer 'de tudo um pouco' é, na verdade, pior que comer um número reduzido de alimentos saudáveis".

Pela minha experiência, as pessoas mais saudáveis que conheço comem a mesma coisa na maior parte da semana. São pessoas que têm os mesmos bons e velhos café da manhã, almoço e jantar e não se des-viam desse padrão. Em geral, fazem compras com a mesma lista toda semana. Assim que você chegar a um modelo de ideias de café da ma-nhã, almoço e jantar pondo em prática minhas orientações, você mes-mo vai querer manter esse novo padrão.

### NÃO TRAPACEIE

Ninguém gosta de ser trapaceiro, mas, no mundo de hoje, trapacear na questão da dieta é quase universal. Somos bombardeados por opções e anúncios sedutores, para qualquer lado que olhemos. Nem mesmo a Food and Drug Administration americana é capaz de manter um con-ceito atualizado do que é comida "saudável". Em 2016, o órgão anunciou o projeto de atualizar suas políticas, recomendações e definições, mas é algo que vai demorar anos até ser executado. Acredite se quiser, duran-te muito tempo a FDA considerou "saudáveis" cereais com fortificantes carregados de açúcar, enquanto definiu abacate, salmão e castanhas como "ruins para a saúde"! É totalmente ridículo só de pensar.

Nosso instinto de sobrevivência pode ser incapaz de reconhecer a diferença entre um pedaço de pizza e um pedaço de fritada. Nós nos acostumamos a achar que um croissant não vai nos fazer mal, ou que dividir com os filhos uma travessa de macarrão orgânico com queijo não tem problema. Isso exige afiar um conjunto específico de instintos de sobrevivência, tais como uma consciência excepcional de que, en-quanto seu cérebro lhe diz uma coisa ("Coma isso!"), seu corpo, na verdade, necessita de outra ("Não coma isso!"). Faça planos defensivos para lidar com as tentações e os obstáculos ao êxito. Por exemplo, quando um amigo convidá-lo para almoçar em um restaurante, onde você sabe que no cardápio não há muito que você possa comer, sugira educadamente outro local onde você saiba que é possível obedecer aos princípios da dieta da mente para a vida. Não desanime nem baixe a guarda. Quanto mais rápido passar por essas lombadas no caminho, mais saudável você ficará.

Caso, depois de seguir meu protocolo por algumas semanas, você tenha a impressão de que não está obtendo os resultados esperados ou desejados, pergunte a si mesmo: *Estou obedecendo aos princípios do programa? Deixei algo se infiltrar em minha dieta, por conta de lanchinhos ou refeições impensadas? Cedi sem querer às pressões dos amigos que me ofereceram coisas que eu não devia comer?* É por isso que é importante acompanhar sua dieta, registrando todos os dias aquilo que você come, em especial no começo. Também é crucial adquirir o hábito de ler meticulosamente os rótulos. Na verdade, o melhor seria não ter que ler rótulo nenhum, apenas comendo coisas que não precisem de rótulo!

## PROCURE UM COLEGA

A maioria esmagadora das pessoas que contratam personal trainers o fazem porque é como comprar um parceiro de cobrança. De certa forma você fica forçado a comparecer e se exercitar com o personal, porque você está pagando para que ele esteja lá. Pelo mesmo motivo, é bom ter pelo menos uma outra pessoa com você nessa nova trajetória. Escolha alguém — amigo ou parente — que queira seguir com você a dieta da mente para a vida. Atuem juntos para atingir suas metas. Planejem as refeições, as compras, o preparo, e façam exercícios em conjunto. Bolem novas ideias de receitas e refeições. Compartilhem as frustrações, assim como os êxitos, ao longo do caminho. Afinal de contas, a vida é um esporte de equipe.

## TRANSFORME OS VEGETAIS NO PRATO PRINCIPAL

Pare de pensar em termos de pirâmide alimentar. Pense em termos de como comemos de verdade: com um prato. Três quartos do seu prato devem ser inteiramente ocupados por vegetais integrais, coloridos, fibrosos e ricos em nutrientes, cultivados acima do solo. Isso será sua entrada principal. Tenho certeza de que você está acostumado a encarar a proteína como o prato principal. A partir de agora, ela será um acompanhamento de uns cem gramas. Tente não consumir mais que 225 gramas de proteína, ao todo, por dia. As gorduras serão obtidas a partir daquelas naturalmente encontradas nas proteínas; de ingredientes como manteiga, óleo de coco e azeite de oliva, usados no preparo das refeições; e de castanhas e sementes (veja ideias de lanches na p. 199).

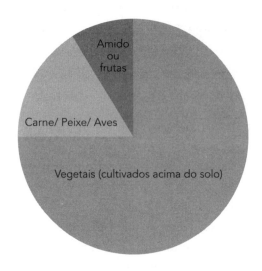

A LISTA BÁSICA DE COMPRAS:

Abacate

Alho

Amêndoas

Azeite de oliva

Azeitonas

Brócolis

Carne de boi criado no pasto

Cebola

Chocolate amargo

Coco ralado

Cogumelos

Folhas mistas

Folhas verde-escuras, como espinafre e couve

Frango criado solto

Frutas da estação in natura

Frutas vermelhas

Iogurte grego (com 2% de leite integral ou de coco)

Leite de amêndoas

Leite de coco

Limão

Macadâmia

Molho picante ou *pico de gallo* fresco

Muçarela

Nozes

Óleo de abacate

Óleo de coco

Ovo orgânico

Pasta de amêndoas

Peru criado solto

Pimenta-do-reino

Pimentão

Queijo de cabra

Queijo feta

Sal marinho

Salmão selvagem

Tomate-holandês

Vinagre balsâmico

## LANCHES

Um controle melhor da glicemia evita que você sinta fome em excesso entre as refeições. Você não vai sucumbir apenas uma hora depois de comer uma rosquinha no café da manhã, porque as rosquinhas estão fora da programação. Por exemplo, dois ovos com setenta calorias cada são o bastante para sustentá-lo a manhã inteira. Por isso, mesmo que você não tenha a impressão de que precisa lanchar, esteja ciente de que nesta dieta você pode, sempre que desejar. Recomendo ter à mão algumas das opções de lanches menos perecíveis, como uma "reserva de emergência" para ter na rua ou no trabalho. No carro, na bolsa ou no escritório, tenha sempre um punhado de castanhas e um pouco de aperitivo de carne-seca, em caso de necessidade. Assim, quando for a hora do almoço, você não correrá o risco de atrasar sua agenda e ceder à tentação do fast-food ou do food truck mais próximos. Eis algumas ideias saudáveis de lanches:

- um punhado de castanhas cruas, azeitonas e/ ou sementes (nada de amendoim)

- quadradinhos de chocolate amargo (pelo menos 70% de cacau)

- vegetais crus picados (por exemplo, pimentão, brócolis, pepino, rabanete) para molhar em guacamole, tapenade, homus, tahine, babaganuche, queijo de cabra derretido ou pasta de castanhas

- fatias de peru assado frio, rosbife ou frango, para molhar na mostarda ou na **Maionese da dieta da mente** (p. 225). Observação: tome cuidado com alimentos tradicionais das rotisserias, sobretudo os embalados. Eles podem estar contaminados com glúten, dependendo da forma como foram processados. Peça sempre no balcão carnes frescas e não processadas, que possam ser fatiadas na hora

- meio abacate temperado com azeite de oliva, limão, sal e pimenta

- dois ovos cozidos

- salada caprese: um tomate em fatias, coberto com muçarela fresca em fatias, azeite de oliva, uma pitada de manjericão, sal e pimenta

- **Torre de tomate e manjericão com molho de kefir, bacon e endro fresco** (p. 228)

- camarão frio, descascado, com limão e endro

- salmão defumado (opção: experimente mergulhar o salmão defumado na maionese da dieta da mente, ou salpicar queijo de cabra por cima)

- um pedaço ou porção de uma fruta in natura, de baixo açúcar (por exemplo, toranja, laranja, maçã, frutas vermelhas, melão, pera, uva, kiwi, ameixa, pêssego, nectarina)

- carne-seca de boi criado no pasto, peru ou salmão

- vegetais lactofermentados (experimente o **Chucrute misto de legumes** da p. 239)

- barras de proteína (veja minha receita on-line em <www.drperlmutter.com>)

Lembre-se, este tipo de dieta se autorregula: você não vai ser derrubado pela glicemia acarretada pelo excesso de carboidratos, que estimula desejos e fome irreprimíveis. Muito pelo contrário, você vai ficar saciado depressa, e durante várias horas, pela gordura e pela proteína em suas refeições. Portanto, diga adeus à sensação de confusão, lerdeza, fome e cansaço o dia inteiro. E diga oi a uma pessoa totalmente nova e animada. Aqui começam catorze dias de deleite.

# 10. O plano de refeições de catorze dias

Bem-vindo ao plano de refeições, uma amostra de cardápio de catorze dias que servirá como modelo para o planejamento de suas refeições. No capítulo 11, você encontrará as receitas. Embora eu tenha acrescentado informações nutricionais a elas, para sua informação, minha expectativa não é de que você fique contando calorias e gramas de gordura, ou que fique obcecado com sua ingestão total diária. Confio que você saberá a diferença entre um prato de comida exagerado e uma porção razoável. A lista de vegetais cultivados acima do solo — brócolis, aspargos, couve, couve-galega, espinafre, folhas de dente-de-leão, repolho, couve-de-bruxelas, cogumelos, alface, alho-poró, rabanete, broto de feijão e couve-flor — é quase infinita. Limite as proteínas ao tamanho de um baralho, ou da palma da sua mão.

Pode ser de grande utilidade criar um diário alimentar em seu esforço para progredir. Tome nota de receitas de que você gosta e de alimentos de que você não gosta, ou que possam estar causando problemas a você (por exemplo, caso sinta sintomas como incômodo estomacal sempre que ingere sementes de gergelim; ou caso você não suporte queijo feta). Sempre dá para encontrar substitutos. Você não precisa seguir este plano de receitas ao pé da letra. Se você gostar do que comeu no café da manhã no dia 1, por exemplo, não se acanhe de repetir no dia 2. Não hesite em trocar qualquer prato sugerido por outro.

A maioria dos pratos exige que você planeje (e prepare) com certa antecedência. Sugiro que você dê uma boa olhada nos próximos catorze dias e decida quais as refeições que gostaria de preparar. As receitas que exigem tempo de fermentação, como as **Folhas ao perfume asiático** (p. 241) e o **Chucrute misto de legumes** (p. 239), têm que ser preparadas com dias de antecedência. Propositalmente, eu as incluí apenas na segunda semana do plano de refeições. Por isso, tente começar a prepará-las logo nos primeiros dias.

A maior parte das receitas serve mais de uma pessoa. Portanto, leve isso em conta no planejamento; você pode preparar os pratos para a família inteira ou aproveitar no dia seguinte o que sobrar. Na verdade, em diversas situações você simplesmente usará o que sobrou da noite anterior no almoço, o que é rápido e prático. Sinta-se à vontade para aumentar as quantidades nas receitas, para que rendam mais, alimentem mais pessoas ou sobrem mais.

Na véspera do início do plano, mapeie suas escolhas, vá à feira e gaste o tempo que for preciso na cozinha. Uma ideia é definir o domingo como o dia de preparação, no qual você passará uma ou duas horas se aprontando para a semana vindoura. Recomendo que todo domingo você prepare uma dúzia de ovos cozidos, para aproveitar em suas refeições e lanches durante a semana.

Observe que também é possível e prático criar refeições mais simples, com base nas orientações apresentadas aqui (por exemplo, assar ou cozinhar no vapor uma grande quantidade de vegetais frescos, acrescentar alguns gramas de proteínas de alta qualidade e incluir uma salada verde mista com muito azeite de oliva). Para aqueles que precisam de mais calorias ou que sentem necessidade de mais carboidratos, pode-se experimentar acrescentar um pouco mais de óleo de coco ou azeite de oliva. Caso ainda assim a necessidade de carboidratos continue, dê preferência a grãos sem glúten, como a quinoa e o arroz selvagem, e restrinja bastante as porções (meia xícara). Ou experimente minha **Fritada de tupinambo** (p. 231), que é um excelente substituto para os carboidratos (por exemplo, pão, macarrão, batata) que você não vai mais comer.

Ao preparar uma salada de folhas mistas, não deixe de adicionar muitos vegetais, crus ou cozidos (veja a seguir). Uma opção, por exemplo, é não comer aspargos e brócolis crus, e sim cozidos, acrescentando-os à salada de folhas verdes, junto com pepino, jícama, rabanete e similares. Não sugiro um tipo único de molho para todas as situações. Uma alternativa segura é azeite de oliva com vinagre balsâmico. Evite molhos processados e industrializados. Eles podem estar repletos de açúcar, gorduras nocivas, substâncias adicionadas e ingredientes artificiais. Leia os rótulos.

> Não é preciso jogar fora seus utensílios de cozinha, tábuas etc. apenas porque no passado eles foram usados com produtos que contêm glúten. Use aquilo que você já tem. Pense na possibilidade de investir em um equipamento bacana para a cozinha no futuro, o que tornará ainda mais agradável a arte de cozinhar.

Procure conhecer os hortifrútis e as feiras de produtos locais; é ali que poderão lhe dizer o que acabou de chegar e de onde vem a sua comida. Prefira, sempre que possível, o que for orgânico, criado no pasto e selvagem. Tente escolher produtos sazonais no seu hemisfério, e esteja disposto a provar comidas que você nunca experimentou antes. Feche os olhos e inspire até três vezes antes de comer, e expresse sua gratidão pela comida que vai alimentá-lo de dentro para fora.

A lição mais importante a aprender, ao adotar essa nova forma de comer (e viver!), é começar a escutar o próprio corpo. Ele sabe do que necessita. Quando nos livramos da cruz dos alimentos processados, causadores de processos inflamatórios, começamos a entrar no rumo do nosso eu ideal.

## 14 DIAS DE DELEITE

As receitas em negrito estão incluídas no capítulo 11. As receitas marcadas com um asterisco (*) podem ser encontradas em meu site, <www.drperlmutter.com>.

DIA 1

Café da manhã: dois ovos poché com molho picante ou *pico de gallo* + meio abacate com azeite de oliva e uma pitada de sal marinho

Almoço: **Salada de legumes em camadas** (p. 223) misturada com 85 gramas de frango grelhado cortado em cubos

Jantar: **Misto de folhas com nozes torradas** (p. 226) + 85 gramas de peixe assado ou grelhado

Sobremesa: 2 quadradinhos de chocolate amargo mergulhados em 1 colher de pasta de amêndoas

DIA 2

Café da manhã: pule!

Almoço: **Sopa de cebola** (p. 219) + 2 coxas de frango assadas + acompanhamento de folhas mistas

Jantar: **Filé de porco à toscana** (p. 250) + folhas de couve-galega salteadas + ½ xícara de quinoa (opcional)

Sobremesa: **Manjar de coco** (p. 252)

DIA 3

Café da manhã: **Fritada de brócolis, cogumelos e alho-poró** (p. 211) + 1 xícara de leite de amêndoas

Almoço: sobras do filé de porco misturadas em salada verde, com pelo menos três vegetais crus (por exemplo, brócolis, rabanete, vagem) + meio abacate + um fio de azeite de oliva

Jantar: filé grelhado + vegetais assados + sopa de cebola da véspera

Sobremesa: ½ xícara de frutas vermelhas frescas, cobertas com leite de coco

DIA 4

Café da manhã: sobras da fritada + 1 xícara de leite de amêndoas (opcional)

Almoço: salada mista de folhas com pelo menos três vegetais (crus ou cozidos), com peixe ou frango grelhado

Jantar: **Pernil assado de cordeiro criado no pasto** (p. 248) + legumes no vapor à vontade + ½ xícara de arroz selvagem (opcional)

Sobremesa: **Ricota com frutas vermelhas e amêndoas torradas** (p. 254)


DIA 5

Café da manhã: **Smoothie de morango turbinado** (p. 214)

Almoço: sobras do cordeiro misturadas com salada de folhas, com pelo menos três vegetais crus (por exemplo, brócolis, rabanete, vagem) + meio abacate + um fio de azeite de oliva

Jantar: **Salmão selvagem no vapor com alho-poró e acelga salteados** (p. 244) + ½ xícara de arroz ou quinoa (opcional)

Sobremesa: pule!


DIA 6

Café da manhã: iogurte grego com nozes cruas e frutas vermelhas frescas

Almoço: salada mista verde com dois ovos cozidos, pelo menos três vegetais crus (por exemplo, salsão, cebolinha, castanha-d'água), meio abacate, nozes esmagadas e queijo cheddar em lascas ou cubinhos + 1 pedaço de fruta in natura

Jantar: peixe, frango ou bife grelhado + abobrinha grelhada + **couve no vapor** (p. 230)

Sobremesa: **Musse fácil de chocolate** (p. 253)

DIA 7

Café da manhã: **Ovos e folhas ao forno** (p. 212)
Almoço: misto de folhas e vegetais salteado na manteiga e no alho + frango ou peixe grelhado
Jantar: **Sopa de almôndegas de cordeiro** (p. 221)
Sobremesa: 2 ou 3 quadradinhos de chocolate amargo

DIA 8

Café da manhã: 2 ovos fritos com abacate e tomate-holandês em cubos, um fio de azeite de oliva mais folhas e outros legumes salteados à vontade
Almoço: sobras da sopa de almôndegas de cordeiro
Jantar: **Mexido de brócolis, cogumelos e feta** (p. 238) + **Salmão selvagem assado com ervas** (p. 242)
Sobremesa: uma fruta in natura

DIA 9

Café da manhã: 3 ovos mexidos com pelo menos 3 vegetais (por exemplo, espinafre, cogumelos, cebola) e queijo de cabra + 1 xícara de leite de amêndoas (opcional)
Almoço: **Salada de jícama** (p. 227) + acompanhamento de peru assado
Jantar: **Curry thai de legumes** (p. 235) + 100 gramas de frango ou bife
Sobremesa: **Manjar de coco** (p. 252)

DIA 10

Café da manhã: leite de coco ou iogurte comum coberto com castanhas e sementes + 2 ovos quentes ou cozidos

Almoço: **Salada de legumes em camadas** (p. 223) misturada com 85 gramas de frango grelhado cortado em cubos

Jantar: **Coxa de frango assada com molho de salsinha** (p. 251) + legumes no vapor à vontade + ½ xícara de quinoa (opcional)

Sobremesa: pule!

DIA 11

Café da manhã: ovos beneditinos com panqueca de abobrinha* ou **"Mingau" de café da manhã** (p. 215)

Almoço: sobras das coxas de frango assado + folhas mistas e salada de legumes

Jantar: peixe de sua preferência, grelhado ou assado + aspargos e couve-de-bruxelas assados + **Fritada de tupinambo** (p. 231)

Sobremesa: 30 gramas de queijo

DIA 12

Café da manhã: pule!

Almoço: salada mista de folhas com pelo menos 3 legumes crus ou cozidos, com peixe ou frango grelhado + **Tupinambo gratinado** (p. 233)

Jantar: peixe ou frango grelhado + **Chucrute misto de legumes** (p. 239)

Sobremesa: **Musse fácil de chocolate** (p. 253)

DIA 13

Café da manhã: iogurte de leite de coco com castanhas e sementes + 2 ovos quentes ou cozidos

Almoço: sobras do chucrute de legumes misturadas com salada verde ou acompanhadas por peixe ou frango grelhado

Jantar: **Hambúrguer de boi criado no pasto** (p. 247) + salada mista de folhas ou **Filé de bodião com azeitonas pretas, alcachofra e salada de couve-de-bruxelas laminada** (p. 245)

Sobremesa: pule!

### DIA 14

Café da manhã: **Smoothie de morango turbinado** (p. 214) ou aveia sem aveia* + 2 ovos preparados a gosto

Almoço: **Sopa cremosa de couve-flor** (p. 220) + salada mista de folhas misturada com frango desfiado

Jantar: **Creme de ervilha e queijo de cabra** (p. 217) + salada mista de folhas + 85 gramas de carne ou peixe

Sobremesa: fruta in natura

Parabéns! Você completou duas semanas na dieta da mente para a vida, ingerindo comidas ricas em nutrientes, que alimentam o corpo e a alma. Espero que você também tenha incorporado ao seu novo estilo de vida outros itens da sua lista (p. 174). Caso, depois dessas duas semanas, você não saiba o que comer, simplesmente repita o plano de refeições de catorze dias até se acostumar a cozinhar e comer dessa forma e se sentir confiante o suficiente para começar a fazer experiências na cozinha. Agora, vamos às receitas.

# 11. As receitas

Prepare-se para fazer algumas refeições deliciosas utilizando as receitas deste capítulo. Ao comprar ingredientes, lembre-se de dar preferência, sempre que possível, ao que for orgânico, criado no pasto, livre de transgênicos, sem glúten e selvagem. Procure azeite de oliva extravirgem e óleo de coco. Confira os rótulos de todos os itens empacotados, para garantir que não contenham nada suspeito (veja a p. 96). A maior parte dos ingredientes de que você necessitará se encontram amplamente disponíveis, inclusive em supermercados. Algumas das receitas exigem mais tempo de preparo que outras; por isso, programe-se e sinta-se à vontade para trocar uma por outra, caso esteja meio sem tempo. No fim das contas, o importante é divertir-se com estas receitas e curtir o papel de seu próprio *personal chef.*

# OVOS E OUTROS PRATOS DO CAFÉ DA MANHÃ

## FRITADA DE BRÓCOLIS, COGUMELOS E ALHO-PORÓ

Serve 4 pessoas

Dá para fazer fritadas com praticamente qualquer combinação de legumes e/ou carne, e até mesmo sobras. Algumas combinações saborosas podem ser: abóbora com hortelã; tomate com manjericão; aspargos com salmão; folhas picadas com cebola; abobrinha italiana e queijo feta; filé de porco picado e queijo gruyère... a lista é infindável. Fritadas são perfeitas para o café da manhã, o *brunch*, o almoço ou o jantar, e podem ser consumidas quentinhas saindo do forno ou em temperatura ambiente.

1 colher de sopa de manteiga sem sal, de preferência de vaca criada no pasto
1 colher de sopa de azeite de oliva extravirgem
1 xícara de alho-poró em cubinhos (só o talo)
6 cogumelos grandes, sem o caule, limpos e em fatias finas
1 colher de chá de alho picado
1 ½ xícara de brócolis picado bem pequeno
Sal marinho e pimenta-do-reino moída na hora
5 ovos
¼ de xícara de queijo parmesão ralado
2 claras de ovo

Preaqueça o forno a 180°C.

Unte bastante uma fôrma de bolo de 20 cm de profundidade, ou uma frigideira que vá ao forno. Separe.

Junte a manteiga e o azeite numa frigideira grande, em fogo médio. Junte o alho-poró e refogue, mexendo de vez em quando, durante uns 4 minutos ou até que comece a murchar. Junte os cogumelos e o alho e deixe cozinhar, mexendo de vez em quando, por cerca de 12 minutos ou até que os cogumelos sequem e comecem a dourar. Acrescente o brócolis e deixe cozinhar, mexendo de vez em quando, por mais 3 ou 4 minutos, até que ele comece a ficar mole. Tempere com um pouco de sal e pimenta.

Enquanto os legumes cozinham, ponha os ovos inteiros numa tigela de tamanho médio, batendo até clarear. Junte 2 colheres de sopa de queijo e tempere com sal e pimenta.

Ponha as claras numa tigela média e, usando um misturador elétrico portátil, bata até ficarem firmes, sem deixar murchar. Junte os ovos inteiros com as claras batidas, até que fiquem visíveis apenas pequenos pedaços de clara.

Deite a mistura de brócolis nos ovos, mexendo até misturar. Derrame na panela que havia sido preparada, alisando cuidadosamente a parte de cima com uma espátula. Polvilhe 2 colheres de sopa de queijo e leve ao forno.

Asse por cerca de 20 minutos ou até que o meio endureça e o topo esteja bem dourado e com as bordas quase crocantes.

Tire do forno e deixe descansar por alguns minutos antes de cortar as fatias e servir.

*Análise nutricional por porção*: 278 calorias, 15 g de gordura, 18 g de proteína, 20 g de carboidratos, 6 g de açúcar, 6 g de fibra, 286 mg de sódio.

### OVOS E FOLHAS AO FORNO

Serve 6 pessoas

É um prato espetacular para o *brunch* de domingo. É uma receita fácil de aumentar; para duplicar, basta assar em duas travessas. Certifique-se de tirar as travessas do forno antes que os ovos estejam totalmente cozidos, pois as gemas têm que estar moles na hora de servir, para se misturarem às folhas.

1 colher de sopa de azeite de oliva extravirgem
1 colher de sopa de manteiga sem sal, de preferência de vaca criada no pasto

½ xícara de alho-poró em cubinhos (só o talo)

1 colher de sopa de alho picado

Sal marinho e pimenta-do-reino moída na hora

2 maços de acelga, sem a ponta dura do talo e cortada em pedaços grandes

¼ de xícara de tomate seco picado

1 colher de sopa de manjericão fresco picado

⅓ de xícara de chantili, de preferência de vaca criada no pasto

12 ovos

½ xícara de queijo fontina ralado

Preaqueça o forno a 200°C.

Unte bastante uma fôrma de 22 × 33 × 5 cm com manteiga. Separe.

Aqueça o óleo e a manteiga em uma frigideira grande, em fogo médio. Junte o alho-poró e o alho, tempere com sal e pimenta, e deixe cozinhar, mexendo de vez em quando, por uns 8 minutos ou até que o alho-poró fique bem mole.

Comece a adicionar a acelga, aos punhados, deixando amolecer e murchar antes de jogar mais um pouco. Uma vez juntada toda a acelga, adicione os tomates e o manjericão. Tempere com sal e pimenta e deixe cozinhar mais, virando, durante uns 10 minutos ou até ficar bem mole.

Junte o creme e continue a cozinhar por uns 6 minutos ou até o creme evaporar quase todo. Prove e, se necessário, tempere com um pouco mais de sal e pimenta.

Com uma colher, passe a mistura de acelga para a fôrma preparada, espalhando-a de maneira uniforme. Usando o dorso de uma colher de sopa, faça 12 pequenas fendas na acelga. Dentro de cada uma delas, quebre um ovo. Quando todos os ovos estiverem aninhados na acelga, tempere um por um com sal e pimenta e salpique o queijo por cima, cobrindo tanto os ovos quanto a acelga.

Leve ao forno e asse por uns 15 minutos ou até que as claras não estejam tão firmes e as gemas ainda estejam bem moles.

Tire do forno e deixe descansar por 5 minutos, para que as claras fiquem duras, antes de servir.

*Análise nutricional por porção*: 297 calorias, 21 g de gordura, 17 g de proteína, 10 g de carboidratos, 3 g de açúcar, 3 g de fibra, 585 mg de sódio.

## SMOOTHIE DE MORANGO TURBINADO

Serve 1 pessoa

A maioria dos shakes e smoothies tradicionais estão repletos de açúcar, mas este atende a meu padrão de exigência e é uma excelente receita para ter à mão naquelas manhãs em que você está sem tempo de bolar um café da manhã normal. Também dá para levar esse smoothie ao trabalho, mantendo-o saciado por algumas horas.

¼ de xícara de leite de coco sem açúcar
¼ de xícara de água (ou mais, conforme a consistência desejada)
¼ de xícara de morango congelado
¼ de abacate maduro, descascado e sem caroço
1 colher de sopa de amêndoas ou sementes de girassol cruas sem sal
1 colher de sopa de *hemp seeds*
1 colher de sopa de pasta de semente de girassol ou pasta de amêndoas
1 colher de chá de gengibre picado na hora
½ colher de chá de canela em pó

Junte todos os ingredientes numa jarra. Misture até atingir a consistência do *smoothie*, limpando as bordas quando necessário. Sirva na hora.

*Análise nutricional por porção*: 380 calorias, 32 g de gordura, 10 g de proteína, 17 g de carboidratos, 7 g de açúcar, 7 g de fibra, 23 mg de sódio.

## "MINGAU" DE CAFÉ DA MANHÃ

Serve 1 pessoa

Depois de provar uma tigela desta delícia, você nunca mais vai querer voltar para seu prato de aveia convencional. Acompanhe este prato com uma xícara de café ou de kombuchá, ou tome um pouco de kefir, leite de amêndoas ou leite de coco. É um café da manhã que vai mantê-lo saciado a manhã inteira.

½ xícara de água quente (ou mais, conforme a consistência desejada)
1 ½ colher de sopa de sementes de chia
1 ½ colher de sopa de *hemp seeds*
1-2 colheres de sopa de lecitina de girassol (opcional)
1 colher de sopa de óleo de coco
1 colher de sopa de pasta de amêndoas
1 colher de chá de farinha de linhaça (opcional)
1 colher de chá de canela em pó
5 gotas de estévia, ou a gosto
Sal marinho
½ xícara de framboesa, amora silvestre ou mirtilo

Junte todos os ingredientes, exceto as frutas vermelhas, em uma tigela. Mexa bem. Cubra com as frutinhas e sirva.

*Análise nutricional por porção*: 460 calorias, 37 g de gordura, 12 g de proteína, 26 g de carboidratos, 9 g de açúcar, 11 g de fibra, 330 mg de sódio.

# APERITIVOS

## TARTAR DE SALMÃO SELVAGEM COM LÂMINAS DE ALCACHOFRA

Serve 4 pessoas

Esta salada de alcachofra, leve mas maravilhosa, é o complemento ideal para um salmão cru e untuoso. Caso não consiga encontrar alcachofra baby, mais macia, a salada pode ser feita com aspargos crus ou funcho finamente fatiado. Comer tanto a alcachofra quanto o salmão crus traz muitos benefícios à saúde.

200 g de filé de salmão selvagem, sem pele e sem espinhas
⅓ de xícara de vinagre branco
3 alcachofras baby
¼ de xícara de azeite de oliva extravirgem, um pouco mais se necessário
2 colheres de chá de suco de limão feito na hora
2 colheres de sopa de cebolinha, estragão ou salsinha de folhas lisas
Sal marinho e pimenta-do-reino moída na hora
Limão fatiado para enfeitar (opcional)

Usando uma faca bem afiada, corte o salmão em fatias de 0,5 centímetro de espessura. Divida as fatias em quatro partes iguais, colocando-as em quatro pratos resfriados, numa camada única.

Cubra cada prato com um filme plástico. Pegando um prato de cada vez e usando o fundo de uma frigideira pequena (ou qualquer superfície plana), pressione levemente o salmão, achatando-o até que cubra o prato todo. Não pressione forte demais para não deixar o salmão pastoso. Sem tirar o filme plástico, leve os pratos à geladeira.

Encha uma tigela grande com água fria. Adicione o vinagre branco e separe.

Pegando uma alcachofra de cada vez, retire as folhas externas, mais duras, de cada uma. Em seguida, com uma tesoura de cozinha, corte as extremidades pontudas de cada alcachofra e tire cerca de 0,5 centímetro da parte de cima. Se as alcachofras tiverem talo, também os corte totalmente.

Usando um picador de legumes ou uma faca bem afiada, corte as alcachofras em fatias finas como papel. Imediatamente, jogue essas fatias na água fria e acidulada, para impedir que elas se oxidem.

Depois que todas as alcachofras estiverem fatiadas, tire-as da água e seque-as bem. Coloque as fatias bem secas em uma tigela de tamanho médio e junte 2 colheres de sopa de azeite, junto com o suco de limão. Adicione as ervas, tempere com sal e pimenta e sacuda um pouco para recobri-las.

Tire o peixe da geladeira e desembale. Jogue porções iguais das 2 colheres de sopa restantes de azeite de oliva em cada prato. Tempere suavemente com sal e pimenta. Espalhe porções iguais das alcachofras em fatias em cada prato. Se quiser, enfeite com uma fatia de limão, e sirva imediatamente.

*Análise nutricional por porção*: 260 calorias, 17 g de gordura, 17 g de proteína, 13 g de carboidratos, 2 g de açúcar, 6 g de fibra, 260 mg de sódio.

## CREME DE ERVILHA E QUEIJO DE CABRA

Serve 4 pessoas

Este prato, extremamente elegante, pode ser servido como entrada em um jantar, ou até como um ótimo almoço, acompanhado de salada verde. Embora seja muito nutritivo, ganha uma inesperada leveza graças ao sabor acentuado das ervilhas e às ervas frescas.

Manteiga, para os potinhos
1 xícara de ervilhas congeladas
100 g de queijo de cabra leve e cremoso
4 ovos extragrandes, em temperatura ambiente
1 xícara de creme chantili, de preferência de vaca criada no pasto

2 colheres de sopa de queijo parmesão ralado
Sal marinho e pimenta-do-reino moída na hora
2 colheres de sopa de talo de cebolinha fatiado
2 colheres de sopa de endro fatiado na hora
4 raminhos de endro, para enfeitar (opcional)

Preaqueça o forno a 180°C.

Unte com bastante manteiga quatro potinhos de 150 gramas. Separe.

Ferva água numa chaleira pequena e mergulhe as ervilhas durante um minuto. Escorra bem e seque as ervilhas. Separe.

Ponha o queijo de cabra no recipiente de um processador com lâmina de metal. Junte os ovos, o creme e o parmesão. Tempere com sal e pimenta e processe até obter um purê consistente.

Jogue a mistura com queijo em uma tigela média. Junte a cebolinha e o endro fatiado e mexa até misturar bem.

Tempere as ervilhas com sal e pimenta e, com uma colher, distribua porções iguais no fundo de cada potinho untado. Em seguida, com a colher, distribua por igual a mistura com queijo por sobre as ervilhas.

Ponha os potinhos em uma assadeira. Encha-a com água quente o bastante para atingir a metade dos potinhos e, cuidando para não derramar, leve a assadeira ao forno.

Asse por 25 minutos ou até que o creme endureça no meio e fique levemente dourado nas bordas.

Tire do forno e ponha os potinhos em um descanso para esfriar, por 10 minutos.

Enfeite cada potinho com um raminho de endro, se desejar, e sirva ainda bem quente.

*Análise nutricional por porção*: 390 calorias, 34 g de gordura, 14 g de proteína, 8 g de carboidratos, 1 g de açúcar, 2 g de fibra, 370 mg de sódio.

# SOPAS

## SOPA DE CEBOLA

Serve 6 pessoas

É tão nutritiva e deliciosa quanto a sopa de cebola francesa clássica, mesmo que falte a ela o tradicional complemento das torradinhas. Embora possa ser feita com cebola roxa ou cebola doce, combinar as duas cria um colorido vivo e um sabor ligeiramente adocicado.

½ xícara (1 barra) de manteiga sem sal, de preferência de vaca criada no pasto
4 xícaras (cerca de 500 g) de cebola roxa em fatias finas
4 xícaras (cerca de 500 g) de cebola doce em fatias finas
2 folhas de louro
1 anis-estrelado
½ xícara de brandy
8 xícaras de caldo de carne de baixo teor de sódio
Sal marinho e pimenta-do-reino moída na hora
1 ½ xícara de queijo gruyère ralado

Ponha a manteiga em uma panela grande, em fogo de médio a baixo. Adicione a cebola, o louro e o anis e deixe cozinhar, mexendo com frequência, por uns 20 minutos ou até a cebola começar a caramelizar e dourar bastante.

Junte o brandy, aumente o fogo e deixe ferver. Ferva por 3 a 4 minutos, até o álcool evaporar. Junte o caldo de carne e tempere com sal e pimenta. Deixe ferver, depois abaixe o fogo e deixe fervilhando por 30 minutos ou até que a cebola esteja quase derretida, e a sopa tenha adquirido gosto. Tire e descarte o louro e o anis.

Prove e, se necessário, corrija o tempero. Com uma concha, passe para tigelas de sopa fundas e, logo em seguida, cubra cada tigela com porções iguais de queijo, para que o calor comece a derretê-lo.

Sirva na sequência.

*Análise nutricional por porção*: 360 calorias, 24 g de gordura, 14 g de proteína, 15 g de carboidratos, 9 g de açúcar, 2 g de fibra, 370 mg de sódio.

## SOPA CREMOSA DE COUVE-FLOR

Serve 4 pessoas

Apesar do nome de "cremosa", esta sopa não tem um grama de creme sequer. É um *velouté* inteiramente de legumes, que fica perfeito na tigela. O acréscimo de *brown butter* (uma manteiga derretida de cor amarronzada) enriquece extraordinariamente o que, do contrário, seria apenas uma sopa bastante simples.

Esta sopa deve ser preparada com dois dias de antecedência, e guardada na geladeira em um recipiente hermético. Esquente-a e faça a *brown butter* logo antes de servir.

> 1 cabeça de couve-flor, sem talo e cortada em pedacinhos, incluindo o miolo macio
> ½ xícara de alho-poró picado, apenas o talo
> Sal marinho
> ½ xícara (1 barra) de manteiga sem sal, de preferência de vaca criada no pasto
> Pimenta-branca moída na hora

Reserve ½ xícara de pedaços de couve-flor e ponha o restante em uma panela de tamanho médio. Junte o alho-poró, além de 4 xícaras de água fria. Tempere com bastante sal e pimenta no fogo de médio a alto. Deixe ferver, cubra e deixe fervilhando por 12 minutos ou até a couve-flor ficar bem macia.

Enquanto cozinha a couve-flor, esquente a manteiga numa frigideira pequena, no fogo de médio a baixo. Junte os pedaços de couve-flor que estavam separados e salteie, mexendo constantemente, durante uns 7 minutos ou até a manteiga adquirir uma cor marrom dourada, com aroma saboroso, e a couve-flor ficar levemente dourada e ligeiramente cozida. Tire do fogo e mantenha aquecido.

Retire do fogo a mistura com couve-flor e alho-poró e, usando uma colher com furinhos, transfira os legumes para uma jarra ou para o recipiente de um processador com lâmina de metal. Junte 1 xícara da água usada para cozinhar e reserve o restante da água.

Com o processador ligado, comece a fazer um purê de couve-flor, adicionando lentamente a água quente até que a mistura adquira uma consistência de sopa. Tempere com sal e pimenta-branca.

Com a concha, ponha porções iguais de sopa em quatro pratos de sopa grandes e rasos. Com a colher, coloque bastante couve-flor salteada no centro de cada prato, cobrindo-a com porções iguais da manteiga derretida.

Sirva imediatamente.

*Análise nutricional por porção*: 240 calorias, 23 g de gordura, 3 g de proteína, 8 g de carboidratos, 3 g de açúcar, 3 g de fibra, 314 mg de sódio.


## SOPA DE ALMÔNDEGAS DE CORDEIRO

Serve 8 pessoas

Este prato é uma cortesia de Seamus Mullen, chef e proprietário do restaurante Tertulia, em Nova York. É uma ótima receita para servir em jantares com amigos ou para um domingo à noite. Você pode usar o que sobrar no almoço durante a semana.

**Para as almôndegas:**
2 ovos grandes
1 xícara de amêndoas, embebidas em leite durante 30 minutos, depois drenadas e fatiadas bem fino
½ xícara de ervas frescas mistas picadas, como orégano, alecrim e/ou tomilho
1 colher de sopa de vinho tinto (opcional)
2 dentes de alho picados
2 colheres de sopa de sal kasher

1 colher de chá de pimenta-de-caiena
1 colher de chá de coentro moído
1 colher de chá de cominho moído
1 colher de chá de funcho moído
½ colher de chá de pimenta-do-reino moída na hora
1 kg de cordeiro moído

**Para a sopa:**
2 colheres de sopa de azeite de oliva extravirgem, mais um pouco
   para enfeitar
1 maço (4 a 6) de cenouras, picadas
4 cebolas *cipollini*, descascadas
1 xícara de cogumelos eryngui em cubinhos
1 bulbo de funcho, aparado e cortado em pedaços de 2 cm
2 dentes de alho fatiados
1 xícara de vinho branco
6 xícaras de caldo de galinha
2 folhas de louro
2 ramos de tomilho fresco
1 ramo de alecrim fresco
Sal marinho e pimenta-do-reino moída na hora
1 xícara de quinoa vermelha, enxaguada
1 pimenta jalapeño, sem talo, sem semente e fatiada o mais fino
   possível
2 xícaras de vagem de ervilha, cortadas na metade na diagonal
1 xícara de radicchio picado grosseiramente
Folhas de funcho, endro, coentro, manjericão e/ou hortelã picadas na hora, para decorar

Para fazer as almôndegas: bata os ovos em uma tigela grande. Junte todos os ingredientes das almôndegas, exceto o cordeiro, e mexa
bastante. Junte o cordeiro e, em seguida, com as mãos, faça uma só
mistura. Pegue um pedaço dessa mistura e role suavemente na palma
das mãos, formando bolas de 4 centímetros. Continue a fazer as bolas
até terminar de usar toda a mistura de carne.

Para fazer a sopa: numa panela grande, esquente o azeite em fogo alto e doure as almôndegas rapidamente e por igual. Transfira para um prato coberto com toalhas de papel. Junte a cenoura, a cebola, os cogumelos e o funcho na panela, e salteie por 3 minutos. Em seguida, junte o alho e cozinhe durante 1 minuto. Deglaceie com o vinho branco e deixe o álcool evaporar, por uns 3 minutos. Junte o caldo de galinha, as folhas de louro, o tomilho e o alecrim, e deixe ferver. Reduza o fogo e deixe fervilhando. Em seguida, tempere com sal e pimenta.

Junte a quinoa e deixe fervilhar por 15 minutos, até ficar macio. Em seguida, adicione as almôndegas e deixe fervilhar suavemente por 2 minutos. Verifique se a temperatura interna das almôndegas está em torno dos 50°C: ao tocar o lábio inferior, ela deve estar quente, mas não em excesso. Assim que elas atingirem 50°C por dentro, junte o jalapeño, as vagens de ervilha e o radicchio. Deixe fervilhar por mais 3 minutos ou até que os legumes estejam ligeiramente macios, mas ainda corados.

Sirva imediatamente, decorando cada tigela com um saudável fio de azeite de oliva e espalhando uma generosa quantidade de ervas picadas.

*Análise nutricional por porção*: 650 calorias, 35 g de gordura, 40 g de proteína, 45 g de carboidratos, 8 g de açúcar, 13 g de fibra, 680 mg de sódio.


## SALADAS

### SALADA DE LEGUMES EM CAMADAS

Serve 6 pessoas

Esta é uma salada incrível a ser feita quando se está esperando visitas, já que pode ser preparada com antecedência e terminada na última hora. A cebola roxa dá um pouco de colorido, mas caso não esteja disponível, a cebola comum também serve. No entanto, não troque a couve-lombarda ou a couve napa por repolho comum ou roxo, pois estes últimos são um pouco duros demais.

3 cebolas roxas, descascadas e sem as pontas

6 xícaras (cerca de 700 g) de couve-lombarda ou couve napa em fatias finas

1 jícama grande, descascada, sem as pontas e ralada

4 xícaras de rabanete em fatias finas, de qualquer tipo, mas de preferência vermelho

½ xícara de iogurte integral, orgânico, de cultura viva

½ xícara de maionese da dieta da mente (receita a seguir)

2 colheres de sopa de anchovas de fonte sustentável, picadas, conservadas em azeite de oliva (veja detalhes na próxima receita)

2 colheres de chá de ervas frescas mistas, como hortelã, manjericão, salsinha e/ou tomilho

Sal marinho e pimenta-do-reino moída na hora (opcional)

Usando um fatiador de legumes ou uma faca bem afiada, corte as cebolas na transversal em fatias bem finas. Coloque as fatias em uma tigela bem grande com água fria e deixe embeber por 10 minutos. Jogue a água fora e seque as cebolas.

Coloque uma fina camada de couve-lombarda no fundo de uma saladeira grande. Cubra-a com uma camada fina de cebolas, e por sobre esta outra de jícama. Por fim, cubra com os rabanetes. Continue a colocar camadas finas, terminando com o rabanete, até ter usado todos os legumes.

Combine o iogurte, a maionese, as anchovas e as ervas em uma tigela pequena, e mexa até ficarem bem misturados. Derrame esse molho sobre a salada, espalhando por cima e por igual. Cubra com filme plástico e deixe na geladeira por pelo menos 6 e no máximo 24 horas.

Na hora de servir, ponha no prato a salada. Prove e tempere a gosto com sal e pimenta.

*Análise nutricional por porção*: 232 calorias, 16 g de gordura, 5 g de proteína, 17 g de carboidratos, 7 g de açúcar, 6 g de fibra, 390 mg de sódio.

MAIONESE DA DIETA DA MENTE

Rende 2 xícaras aproximadamente

O segredo desta maionese é o óleo. Em vez da maionese tradicional, que costuma ser feita com óleo de canola, esta demanda óleo de abacate, o que gera uma experiência muito mais deliciosa e nutritiva. Use esta maionese como você usaria a tradicional — para espalhar, para mergulhar e como molho. Certifique-se de que seu óleo de abacate é orgânico.

3 gemas de ovo grandes, em temperatura ambiente
½ colher de chá de sal marinho
¼ de colher de chá de mostarda em pó
1 colher de sopa de vinagre de champanhe ou suco de limão feito na hora
1 ½ a 2 xícaras de óleo de abacate
1 colher de sopa de água quente

Encha uma jarra de misturador com água fervente e separe por alguns minutos. Basta aquecer a jarra para ajudar os ovos a engrossarem. Jogue fora a água e seque rapidamente a jarra. Coloque-a no misturador. Junte as gemas de ovo e processe, a velocidade média, até ficar bem grosso. Junte o sal e a mostarda em pó e dê uma misturada rápida. Adicione o vinagre e ligue o processador, até misturar.

Com o motor em movimento, comece a juntar o óleo, o mais lentamente que puder; quanto mais lento for, melhor a emulsão. Quando o óleo chegar à metade, seu molho deve ter a consistência do chantili tradicional. Nessa hora você pode começar a derramar o óleo mais rapidamente, já que não haverá mais risco de coagular. Caso a mistura lhe pareça ter engrossado demais — o que se busca é uma mistura cremosa e macia — ponha um fiozinho a mais de vinagre. Continue a adicionar o óleo até que ele tenha sido inteiramente absorvido pelos ovos. Em seguida, adicione uma pequena quantidade de água quente (não mais que 1 colher de sopa) para dar consistência à mistura. Transfira a maionese para um recipiente limpo. Tampe-o e ponha na geladeira, onde ele pode durar até cinco dias.

*Análise nutricional por porção (1 colher de sopa)*: 105 calorias, 11 g de gordura, 0 g de proteína, 0 g de carboidratos, 0 g de açúcar, 0 g de fibra, 34 mg de sódio.

## MISTO DE FOLHAS COM NOZES TORRADAS

Serve 4 pessoas

Esta combinação de molho de cebola caramelizada, nozes crocantes e folhas levemente amargas cria uma salada aromática e que satisfaz. Ela também funciona bem como prato principal, no almoço, ou como acompanhamento para um peixe ou uma ave grelhada.

1 cebola roxa grande, descascada e cortada no sentido do comprimento em 8 pedaços
½ xícara e 1 colher de sopa de óleo de nozes
1 colher de sopa de vinagre balsâmico
¼ de xícara de caldo de galinha natural ou enlatado com baixo teor de sódio
3 colheres de sopa de vinagre branco balsâmico
Sal marinho e pimenta-do-reino moída na hora
7 xícaras de folhas mistas amargas, como endívia, radicchio, dente-de-leão, mostarda e/ou couve
1 xícara de nozes tostadas e picadas
1 chalota rosa pequena, descascada, cortada na metade no sentido do comprimento, em fatias finas

Preaqueça o forno a 200°C.
Coloque os pedaços de cebola, com o lado do corte para baixo, em uma assadeira não aderente. Junte 1 colher de sopa de óleo com o vinagre balsâmico e deite a mistura sobre as cebolas. Leve ao forno e

asse, virando de vez em quando, durante cerca de 30 minutos ou até as cebolas ficarem bem douradas e caramelizadas.

Tire do forno e separe para esfriar um pouco. O ideal é que as cebolas ainda estejam bem quentes na hora de fazer o molho.

Enquanto ainda estiver quente, ponha as cebolas temperadas em um processador com lâmina de metal. Junte a ½ xícara restante de óleo, o caldo e o vinagre branco balsâmico. Processe até formar um purê grosso e consistente. Tempere com sal e pimenta (o molho pode ser feito com antecedência, mas nesse caso será preciso esquentá-lo um pouco antes de colocar na salada).

Ponha as folhas em uma saladeira grande. Derrame o molho por cima, na quantidade suficiente para cobrir as folhas, fazendo-as murchar. Não é preciso necessariamente usar todo o molho. Sacuda bem.

Junte as nozes torradas e a chalota e sacuda de novo para misturar. Prove e, se necessário, tempere com um pouco mais de sal e pimenta.

Sirva na hora.

*Análise nutricional por porção (se todo o molho for usado)*: 600 calorias, 53 g de gordura, 14 g de proteína, 30 g de carboidratos, 5 g de açúcar, 17 g de fibra, 140 mg de sódio.

## SALADA DE JÍCAMA

Serve 4 pessoas

O molho picante combina perfeitamente com o gosto acentuado e ligeiramente adocicado da jícama. Quando combinada com o amargor do radicchio, transforma-se numa salada de texturas complexas e sabores fortes.

¼ de xícara de tomate seco picado bem fino
1 colher de sopa de coentro picado na hora
1 colher de sopa de cebolinha picada na hora
3 colheres de sopa de vinagre de champanhe

2 colheres de chá de suco de lima feito na hora
1 colher de chá de suco de limão feito na hora
2 colheres de chá de azeite de oliva extravirgem
Pimenta-do-reino moída na hora
3 xícaras de jícama cortada à Juliene
1 xícara de radicchio ralado
Queijo parmesão ou ricota, para ralar

Junte os tomates, o coentro e a cebolinha em um recipiente pequeno, não reagente. Acrescente o vinagre, junto com os sucos de limão e lima e o azeite de oliva. Tempere com bastante pimenta-do-reino e mexa até misturar bem. Cubra e deixe na geladeira durante 1 a 4 horas.

Coloque a jícama em uma tigela grande de água gelada e deixe na geladeira por 1 hora.

Na hora de servir, escorra a jícama cuidadosamente e seque. Coloque-a em uma tigela de tamanho médio e cubra com o molho de tomate. Sacuda para misturar bem.

Coloque uma camada de radicchio no meio de cada um dos quatro pratos de salada. Faça um montinho com porções iguais de salada de jícama no centro de cada prato. Rale o queijo sobre cada prato, e sirva na hora.

*Análise nutricional por porção*: 180 calorias, 9 g de gordura, 10 g de proteína, 12 g de carboidratos, 3 g de açúcar, 5 g de fibra, 350 mg de sódio.

## TORRE DE TOMATE E MANJERICÃO COM MOLHO DE KEFIR, BACON E ENDRO FRESCO

Serve 1 pessoa

Esta receita é do meu grande amigo Fabrizio Aielli, chef do restaurante Sea Salt, da minha cidade, Naples, na Flórida. Desfrute dela como aperitivo, como um lanche refrescante no fim de semana ou como acompanhamento de uma refeição. Sempre que encontrar tomates no ponto exato, faça esta receita.

1 tomate-holandês, fatiado em 3 partes, sem a parte de cima e a de baixo
2 folhas de louro frescas
2 colheres de sopa de molho de kefir (receita a seguir)
2 fatias de bacon, levadas ao fogo até ficarem crocantes, em fatias bem finas
1 colher de sopa de azeite de oliva extravirgem
Sal marinho

Empilhe as fatias de tomate em um prato, colocando uma folha de manjericão entre cada uma delas. Deite o molho, ponha por cima o bacon e dê o acabamento com azeite de oliva e sal.

*Análise nutricional por porção*: 273 calorias, 24 g de gordura, 9 g de proteína, 9 g de carboidratos, 6 g de açúcar, 2 g de fibra, 480 mg de sódio.

MOLHO DE KEFIR

Rende um pouco mais de 2 xícaras

O kefir tem um sabor ácido e refrescante. Sua textura é semelhante à do iogurte de beber; por isso, rende um ótimo molho.

2 xícaras de kefir
2 colheres de sopa de vinagre de vinho tinto
1 ramo de endro picado na hora
2 colheres de sopa de azeite de oliva extravirgem
Sal marinho e pimenta-do-reino moída na hora

Em uma tigela de tamanho médio, misture o kefir, o vinagre e o endro. Junte o azeite de oliva, um pouco de cada vez, até ficar totalmente misturado. Tempere com sal e pimenta. Armazene em um recipiente hermético na geladeira, onde dura até uma semana.

*Análise nutricional por porção (2 colheres de sopa):* 34 calorias, 3 g de gordura, 1 g de proteína, 1 g de carboidratos, 1 g de açúcar, 0 g de fibra, 50 mg de sódio.

## VEGETAIS

### COUVE NO VAPOR

Serve 4 pessoas

Ignorada durante anos, exceto na cozinha portuguesa, a couve vem tendo seu lugar ao sol. É rica em fibras, repleta de antioxidantes e vitaminas e um excelente desintoxicante. Demonstrou-se que ela ajuda a reduzir o risco de diversos tipos de câncer. Considero esta uma receita particularmente gostosa a acrescentar a seu repertório gastronômico.

2 maços de couve
3 colheres de sopa de azeite de oliva extravirgem
1 cebola Vidalia ou de Maui, descascada, sem as pontas e cortada
em lascas
1 colher de sopa (cerca de 5 dentes grandes) de purê de alho assado (ver nota)
Sal marinho
Pimenta em flocos
2 colheres de sopa de vinagre de vinho tinto

Corte a parte dura do talo da couve. Empilhe as folhas e corte-as, em sentido transversal, em pedaços grandes. Lave muito bem em água fria, cuidando para que toda a poeira seja enxaguada. Escorra bem, mas sem tirar toda a água, pois ela será necessária para cozinhar no vapor.

Aqueça o óleo em uma frigideira grande, em fogo médio. Ponha uma camada de couve, junto com as lascas de cebola, e deixe murchar; em seguida, continue a acrescentar a couve e remexa para misturar até terminar toda a couve. Jogue o purê de alho e tempere com sal e flocos de pimenta. Cubra e deixe cozinhar por uns 10 minutos ou até que fique bem mole.

Tire do fogo e destampe. Deite o vinagre e sacuda para misturar. Sirva na hora.

NOTA: para fazer o purê de alho assado: preaqueça o forno a 180°C. Caso esteja assando cabeças inteiras, deite a cabeça de lado e, com uma faca afiada, corte cerca de 1 cm da ponta. Cubra a(s) cabeça(s) inteira(s) ou os dentes de alho com um pouco de azeite de oliva extravirgem. Envolva em papel-manteiga bem apertado e ponha no forno, em uma assadeira. Asse até ficar mole e cheiroso; as cabeças inteiras devem levar 25 minutos, e os dentes individuais, uns 12 minutos. Tire do forno, desembale e deixe esfriar um pouco. Com a ponta dos dedos, aperte para tirar a pele. Os dentes podem nem sempre sair inteiros, mas não importa, já que em geral o alho assado é usado amassado ou como purê. Use imediatamente, ou tampe e deixe por até uma semana na geladeira.

*Análise nutricional por porção*: 210 calorias, 12 g de gordura, 6 g de proteína, 24 g de carboidratos, 9 g de açúcar, 6 g de fibra, 140 mg de sódio.

FRITADA DE TUPINAMBO

Serve 4 pessoas

O tupinambo, também conhecido como alcachofra-de-jerusalém, não tem nada a ver com a alcachofra nem com Jerusalém, embora de fato tenha um perfil de paladar bastante similar ao da alcachofra. Geralmente comido cru, na salada, quando é cozido costuma ser usado no lugar da batata, tal como nesta receita, que é semelhante à do *latkes*, um prato tradicional da cozinha judaica.

1 kg de tupinambo, esfregado e secado

1 chalota, descascada e picada

4 colheres de sopa de manteiga sem sal derretida, de preferência de vaca criada no pasto, use mais conforme a necessidade

Sal marinho e pimenta-do-reino moída na hora

Usando um ralador de legumes, corte os tupinambos à Julienne (outra opção é usar um processador com uma lâmina raladora, mas isso produz lascas mais úmidas, e o ideal é que elas sejam menores e mais secas). Coloque as tiras em uma tigela de tamanho médio e remexa-as junto com a chalota.

Coloque a mistura sobre uma toalha de cozinha limpa. Segure os lados da toalha e feche-a, torcendo bem apertado. Continue a pressionar até que saia todo o excesso de líquido dos vegetais.

Adicione 2 colheres de sopa da manteiga a uma frigideira antiaderente, posta em fogo baixo. Junte a mistura de tupinambo drenada, espremendo-a com a espátula de modo que forme um bolo denso. Tempere com sal e pimenta. Cozinhe em fogo baixo por uns 12 minutos ou até que o fundo fique crocante e dourado. Ajuste o fogo, se necessário, de modo que o bolo não escureça demais, antes que os tupinambos fiquem cozidos. Junte manteiga, se necessário, para não deixar o bolo grudar.

Se você curte viver perigosamente, use duas espátulas para tirar o bolo da frigideira e virá-lo. Se não curte, deslize o bolo para um prato, coloque um segundo prato por cima e vire o prato de cabeça para baixo, de modo que vire o bolo inteiro, com a face dourada para cima, e deslize-o de volta para a frigideira.

Ponha de novo em fogo baixo e aperte com a espátula. Deite as 2 colheres de sopa de manteiga restantes, nas bordas da frigideira, e continue a cozinhar por mais 7 minutos, ou até ficar bem dourado e crocante no fundo e os tupinambos estejam cozidos.

Coloque duas camadas de toalhas de papel em uma superfície plana e limpa. Com cuidado, tire o bolo e coloque-o sobre as toalhas de papel, deixando-o descansar por um minuto, mais ou menos, para que o excesso de manteiga escorra.

Passe para uma travessa, corte em 4 fatias e sirva.

*Análise nutricional por porção*: 200 calorias, 8 g de gordura, 3 g de proteína, 29 g de carboidratos, 16 g de açúcar, 3 g de fibra, 150 mg de sódio.

## TUPINAMBO GRATINADO

Serve 4 pessoas

Neste gratinado, o sabor adocicado do tupinambo é muito bem enriquecido pelo iogurte e pelo queijo. Caso você não encontre tupinambo, pode substituí-lo por coração de alcachofra. Seja como for, é um prato excelente para a ceia, servido com uma bela salada.

2 colheres de sopa de manteiga sem sal, de preferência de vaca criada no pasto
1 colher de sopa de azeite de oliva extravirgem
2 chalotas grandes, descascadas e cortadas em sentido transversal e fatias finas
1 colher de chá de alho picado
½ kg de tupinambo, descascado e cortado em fatias finas
1 colher de chá de folhas de tomilho frescas
1 colher de chá de folhas de estragão picadas na hora
Sal marinho e pimenta-do-reino moída na hora
⅓ a ½ xícara de caldo de legumes natural ou comercial com baixo teor de sódio
¼ de xícara de iogurte orgânico, integral, de cultura viva
50 gramas de queijo cheddar, ralado

Preaqueça a grelha.
Junte a manteiga e o óleo em uma frigideira grande, em fogo médio. Quando estiver aquecido, junte as chalotas e o alho e deixe refogar, mexendo de vez em quando, por cerca de 6 minutos ou até amolecer e começar a dourar.
Misture os tupinambos, o tomilho e o estragão. Tempere com sal e pimenta e junte um terço de xícara do caldo de legumes. Cubra, bai-

xe o fogo e deixe fervilhar, mexendo de vez em quando, por cerca de 15 minutos ou até os tupinambos ficarem bem macios, mas não pastosos. Se o líquido evaporar, ponha um pouco mais de caldo. Destampe e deixe cozinhar mais, mexendo com frequência, por cerca de 4 minutos ou até os tupinambos ficarem bem glaceados.

Tire do fogo os tupinambos. Acrescente o iogurte e mexa bem devagar, para distribuir por igual. Prove e, se necessário, tempere com um pouco mais de sal e pimenta. Salpique o queijo por cima e leve à grelha.

Deixe grelhar por uns 3 minutos, ou até o queijo derreter e ficar bem dourado. Tire da grelha e sirva na hora.

*Análise nutricional por porção*: 222 calorias, 14 g de gordura, 6 g de proteína, 19 g de carboidratos, 10 g de açúcar, 2 g de fibra, 266 mg de sódio.

## REPOLHO COM ESPECIARIAS À INDIANA

Serve 6 pessoas

Adicionar um pouco de especiarias a um repolho salteado o faz passar do banal ao sublime. Caso você não goste de pimenta, fique à vontade para não colocar chili. Pode ser necessário acrescentar um pouco de água ao repolho para que não doure rápido demais. Mas não ponha água demais, porque dourar um pouco deixa a mistura mais caramelizada e saborosa.

3 colheres de sopa de manteiga clarificada (*ghee*), de preferência de vaca criada no pasto
1 colher de chá de grão de mostarda
1 colher de sopa de alho picado
1 colher de chá de cúrcuma moída
¼ de colher de chá de cominho moído
700 g de repolho roxo ou verde, sem o miolo, sem as pontas e triturado
1 pimenta chili verde, sem semente, sem as pontas e picada
Sal marinho

Aqueça a manteiga clarificada em uma frigideira grande, em fogo médio. Adicione os grãos de mostarda, tampe e deixe cozinhar por alguns minutos, até os grãos começarem a estourar.

Tire do fogo, destampe e junte o alho, a cúrcuma e o cominho. Leve de volta ao fogo médio e deixe cozinhar, mexendo o tempo todo, por uns 2 minutos, para amaciar um pouco o alho. Adicione o repolho, a pimenta e o sal. Cozinhe, virando e remexendo, por mais ou menos 1 minuto, até o repolho ficar levemente recoberto pela manteiga temperada. Tampe e deixe cozinhar por uns 5 minutos ou até o repolho ficar ligeiramente crocante; se você preferir o repolho bem cozido, deixe por mais 20 minutos, até ele ficar muito mole e quase pastoso.

Tire do fogo e sirva.

*Análise nutricional por porção*: 102 calorias, 7 g de gordura, 2 g de proteína, 9 g de carboidratos, 4 g de açúcar, 3 g de fibra, 31 mg de sódio.

## CURRY THAI DE LEGUMES

Serve 4 pessoas

Embora seja possível comprar tanto pasta de curry verde quanto de vermelho, com todo o sabor característico da cozinha tailandesa, eu prefiro fazer meu próprio curry. Ele dura bastante e é ótimo para ter à mão num prato de última hora. Caso você queira fazer um curry totalmente vegetariano, pode trocar a pasta de camarão e o molho de peixe desta receita. Ou, se preferir, troque o molho de peixe e a pasta de camarão por cerca de ½ xícara de wakame desfiado, ou alguma outra alga marinha, para dar um gostinho marinho sem a necessidade de frutos do mar.

1 colher de sopa de óleo de coco
½ xícara de cebola picada
1 colher de chá de alho picado

1 colher de chá de gengibre picado na hora

3 colheres de sopa de pasta de curry vermelho (receita seguinte)

2 xícaras de caldo de legumes natural, ou comercial com baixo teor de sódio

400 ml de leite de coco não adoçado

1 berinjela pequena, sem as pontas e cortada em cubinhos

1 pimentão vermelho pequeno, sem as pontas, sem as sementes, em cubinhos

3 xícaras de brócolis pequenos

4 xícaras de espinafre baby, sem a parte dura do talo

Aqueça o óleo em uma frigideira grande, em fogo médio. Junte a cebola, o alho e o gengibre e deixe cozinhar, mexendo constantemente, por uns 4 minutos ou até ficar macio. Junte a pasta de curry com o caldo e o leite de coco, e deixe fervilhar. Misture a berinjela, o pimentão e o brócolis e deixe cozinhar, mexendo com frequência, por uns dez minutos ou até os vegetais ficarem um pouco macios. Adicione o espinafre e baixe o fogo. Tampe e deixe cozinhar por 5 minutos ou até os vegetais ficarem bem macios.

Sirva na hora.

*Análise nutricional por porção*: 290 calorias, 19 g de gordura, 7 g de proteína, 24 g de carboidratos, 8 g de açúcar, 8 g de fibra, 332 mg de sódio.

## PASTA DE CURRY VERMELHO

Rende cerca de 1 xícara

Depois que vir como é fácil preparar pasta de curry vermelho caseira com esta receita, você nunca mais vai comprar pasta de curry industrializada. Esta pasta de curry vermelho, de inspiração thai, é mais gostosa, nutritiva e saudável do que qualquer coisa que você possa encontrar nas lojas. Pode ser usada numa série de pratos, inclusive aqueles que incluem frutos do mar, carne de boi e de aves. Você também pode acrescentar uma pitada desta pasta em sopas, para dar um toque de sabor de dar água na boca.

10 pimentas chili vermelhas secas, sem as pontas e as sementes
1 xícara de água fervente
10 grãos de pimenta-do-reino
1 colher de chá de sementes de alcaravia, torradas
1 colher de chá de sementes de coentro, torradas
½ colher de chá de cúrcuma em pó
¼ de colher de chá de canela em pó
3 colheres de sopa de chalota picada
2 colheres de sopa de capim-limão picado, ou 1 colher de sopa de raspa de limão ralada
2 colheres de sopa de folhas de coentro frescas
1 colher de sopa de alho picado
1 colher de sopa de pasta de camarão
1 colher de sopa de molho de peixe
1 colher de chá de raspa de limão ralada

Coloque as pimentas em um recipiente com isolamento térmico. Junte a água fervente e separe por 15 minutos, para reidratar. Escorra bem e seque com um pano.

Junte as pimentas escorridas com a pimenta-do-reino, as sementes de alcaravia, as sementes de coentro, a cúrcuma e a canela, em um moedor de temperos ou no recipiente de um processador. Processe até ficar bem fino.

Transfira essa mistura de pimenta para o recipiente de um processador com lâmina de metal. Junte a chalota, o capim-limão, as folhas de coentro, o alho, a pasta de camarão, o molho de peixe e as raspas de limão, e processe até formar uma pasta grossa. Se necessário, adicione água gelada, uma colher de sopa de cada vez, para dar a consistência certa à mistura.

Passe essa mistura do recipiente do processador para outro, não reativo. Use na hora, ou tampe e deixe na geladeira, onde dura até um mês.

*Análise nutricional por porção*: 27 calorias, 0 g de gordura, 2 g de proteína, 4 g de carboidratos, 0 g de açúcar, 0 g de fibra, 210 mg de sódio.

## MEXIDO DE BRÓCOLIS, COGUMELOS E FETA

Serve 4 pessoas

Essa refeição de panela é rápida de juntar e fazer; nada mais fácil para pôr na mesa depois de um longo dia de trabalho. O brócolis pode ser substituído por uma cabeça de couve-flor, e o feta, por praticamente qualquer queijo duro ou semiduro que você preferir.

1 cabeça de brócolis
2 colheres de sopa de azeite de oliva extravirgem
1 colher de sopa de manteiga sem sal, de preferência de vaca criada no pasto
350 g de cogumelos, limpos, sem talo e fatiados
1 colher de chá de alho picado
Sal marinho e pimenta-do-reino moída na hora
250 g de queijo feta esmigalhado (mais ou menos 1 ½ xícara)
2 colheres de sopa de manjericão picado na hora

Corte o brócolis em buquês. Tire a casca exterior, mais dura, do caule e corte os caules, no sentido transversal, formando chips. Separe.
Preaqueça a grelha.
Aqueça o óleo e a manteiga em uma frigideira grande, em fogo médio. Adicione o alho e os cogumelos e cozinhe, mexendo de vez em quando, por uns 10 minutos ou até os cogumelos começarem a soltar líquido e a dourar nas bordas.
Junte os buquês e as hastes de brócolis e continue a cozinhar, mexendo constantemente, por uns 5 minutos ou até o brócolis ficar macio e crocante. Tempere com sal e pimenta.
Adicione o feta e o manjericão, mexendo para misturar. Tampe e cozinhe por uns 2 minutos, ou até o queijo começar a derreter.

Tire do fogo e coloque na grelha por alguns minutos, para dourar ligeiramente. Tire da grelha e sirva na hora.

*Análise nutricional por porção*: 300 calorias, 20 g de gordura, 15 g de proteína, 25 g de carboidratos, 5 g de açúcar, 6 g de fibra, 830 mg de sódio.

## CHUCRUTE MISTO DE LEGUMES

Rende 1,5 litro
Tempo necessário para o preparo: 1 semana

Juntar couve e chili ao tradicional repolho torna esta mistura especialmente rica em vitamina C, sendo o líquido tão nutritivo quanto os legumes. Até mesmo uma colher de sopa basta para turbinar sua ingestão diária dessa vitamina. Para que o gosto fique levemente azedo e o valor nutricional seja ainda maior, pode-se adicionar o suco e o sumo de 1 limão Meyer; e, para um sabor mais adocicado, o suco e o sumo de 1 laranja média. Use o chucrute como acompanhamento para carnes, peixes ou aves grelhadas; misture com um misto de folhas para fazer uma salada; ou coma puro na hora do lanche.

½ kg de repolho triturado
½ kg de jícama, descascada e triturada
1 ½ xícara de couve triturada
¾ de xícara de maçã verde
½ xícara de alho-poró triturado (apenas o talo)
1 colher de chá de alho picado
1 colher de chá de pimenta chili vermelha picada
1 ½ colher de chá de sal marinho refinado, de preferência sal rosa
    fino do Himalaia
¼ de xícara de *whey*, ou 1 pacote de cultura vegetal
Água destilada (a quantidade necessária)

Combine o repolho, a jícama, a couve, a maçã, o alho-poró, o alho e a pimenta em uma tigela grande, sacudindo para misturar. Adicione o sal e, com as mãos, comece a massagear o sal na mistura de vegetais, até que estes comecem a soltar um pouco de líquido.

Coloque porções iguais da mistura, com o líquido que ela liberou, em vidros esterilizados de 1 litro com tampas limpas e sem uso; ou em panelinhas de 1 litro com tampas herméticas. Usando a ponta dos dedos, outro vidro ou recipiente que caiba no vidro maior, ou um espremedor de batata, pressione a mistura para baixo, o mais forte que puder, até que o líquido suba e cubra os vegetais. Adicione duas colheres de chá de *whey* em cada vidro, deixando 3 a 5 dedos de espaço entre os vegetais e o bocal do vidro, dando-lhes, assim, espaço para crescer quando fermentarem. Caso o líquido e o *whey* não cubram inteiramente os vegetais, acrescente a quantidade suficiente de água destilada para que cubra completamente.

Coloque um pouco de água fria em um saquinho plástico de fechamento hermético. A quantidade de água deve ser apenas a suficiente para criar um peso que mantenha os vegetais sob o líquido. Feche o saquinho, tirando todo o ar de dentro dele, e coloque-o sobre os vegetais, empurrando de modo a se certificar de que ele servirá como peso. Tampe hermeticamente o recipiente.

Deixe descansar em um local escuro e arejado durante uma semana. Todos os dias, verifique o processo de fermentação e certifique-se de que os vegetais continuam cobertos pelo líquido. Caso o nível de líquido tenha baixado, tire o saquinho de água e reserve. Tire e descarte qualquer espuma ou bolor que se formar — não porque faça mal à saúde, pois não faz, mas apenas porque não é apetitoso. Adicione água destilada até cobrir. Empurre os vegetais para baixo, para dentro do líquido, coloque por cima o saquinho de água para pressioná-los, feche hermeticamente e volte a reservar como antes.

Depois de uma semana, o chucrute estará pronto para comer. Mas ele também pode ser posto na geladeira, onde dura até nove meses.

*Análise nutricional por porção (1/2 xícara)*: 30 calorias, 0 g de gordura, 2 g de proteína, 7 g de carboidratos, 2 g de açúcar, 1 g de fibra, 230 mg de sódio.

## FOLHAS AO PERFUME ASIÁTICO

Rende 1 litro
Tempo necessário para o preparo: 3 dias

Em toda a Ásia se comem folhas em conserva, em geral mostarda, pura ou como ingrediente de sopas, caldos ou pratos com arroz. Esta receita é das mais saborosas, graças à combinação de folhas apimentadas, chili ardido e gengibre e alho aromáticos. São, todos eles, ingredientes benéficos à saúde, e o processo de fermentação os torna ainda melhores para você.

250 g de folhas de dente-de-leão ou mostarda, ou couve
1 colher de sopa de gengibre fatiado na hora
1 colher de chá de alho fatiado
2 pimentas chili vermelhas ou verdes, cortadas longitudinalmente pela metade
2 xícaras de água destilada, mais o quanto for necessário
¼ de xícara de vinagre natural de cidra
2 colheres de sopa de açúcar de coco (ver Nota)
1 colher de sopa de sal marinho fino
3 anises-estrelados

Corte as folhas dos caules. Corte os caules em sentido transversal, formando pedaços de 5 centímetros de comprimento, e pique as folhas. Encha um copo medidor de vidro com os caules, e acrescente folhas picadas o bastante para encher o copo sem apertar muito. Passe a mistura de folhas para uma tigela. Adicione o gengibre e o alho, sacudindo para misturar bem. Em seguida, ponha a mistura de folhas em um recipiente limpo e esterilizado, como um vidro de 1 litro com uma tampa limpa e sem uso, ou uma panelinha de 1 litro com tampa hermética. Ao fazer isso, misture aleatoriamente as pimentas com as folhas.

Combine a água destilada, o vinagre, o açúcar e o sal em uma frigideira pequena, em fogo médio. Assim que começar a ferver, retire do fogo.

Adicione os anises-estrelados e deixe em salmoura, esfriando, por 3 minutos. Derrame a salmoura quente nas folhas, cuidando para cobri-las completamente. Deixe 3 a 5 dedos de espaço entre os vegetais e o bocal do vidro, dando-lhes, assim, espaço para crescer quando fermentarem. Caso o líquido não cubra inteiramente os vegetais, acrescente a quantidade suficiente de água destilada para que cubra completamente.

Coloque um pouco de água fria em um saquinho plástico de fechamento hermético. A quantidade de água deve ser apenas a suficiente para criar um peso que mantenha os vegetais sob o líquido. Feche o saquinho, tirando todo o ar de dentro dele, e coloque-o sobre os vegetais, empurrando para se certificar de que ele servirá como peso. Tampe hermeticamente o recipiente. Leve à geladeira e deixe fermentar por três dias antes de servir. As folhas podem ser guardadas na geladeira por até seis meses.

NOTA: O açúcar de coco pode ser encontrado em lojas de produtos naturais, mercados especializados, alguns supermercados e on-line.

*Análise nutricional por porção (1/2 xícara)*: 25 calorias, 0 g de gordura, 0 g de proteína, 0 g de carboidratos, 6 g de açúcar, 1 g de fibra, 600 mg de sódio.

## PEIXES

### SALMÃO SELVAGEM ASSADO COM ERVAS

Serve 4 pessoas

Mais simples, impossível, mas também mais elegante, impossível. Este salmão é um prato principal maravilhoso para um jantar com amigos, pois é rápido de preparar e fica tão convidativo que torna o cozinheiro a estrela da noite. Sempre compre seu salmão em um peixeiro conhecido, pois muitas vezes o salmão criado em viveiro é rotulado como "selvagem". Observe que numa investigação realizada recentemente pelo grupo ambiental Oceana, descobriu-se que 43% do salmão rotulado como "selvagem" nas lojas vinha, na verdade, de viveiros. Por isso, cuidado ao fazer suas compras.

1 colher de sopa de óleo de coco
1 colher de sopa de suco de limão feito na hora
¼ de xícara de ervas frescas picadas, como salsinha, estragão, endro e/ou cerefólio, mais um pouco para decorar
3 colheres de sopa de chalota picada
1 (700 g) filé de salmão de 3 cm de espessura, sem pele e sem espinha
Sal marinho e pimenta-do-reino moída na hora
Pedaços de limão para decorar

Preaqueça o forno a 230°C.

Coloque o óleo e o suco de limão e uma assadeira onde caiba o salmão. Leve a assadeira ao forno e aqueça por uns 4 minutos, ou até o óleo ficar bem quente.

O mais rápido que puder, tire a assadeira quente do forno e jogue as ervas e a chalota. Tempere o salmão com sal e pimenta e coloque tudo na assadeira. Com cuidado, vire algumas vezes o salmão para recobri-lo com as ervas e o líquido, deixando ao final o lado que tem a pele para baixo. Asse, regando duas ou três vezes, durante uns 10 minutos ou até que o peixe fique ligeiramente malpassado no meio.

Tire do forno e passe cuidadosamente para uma travessa, pegando o molho com uma colher e banhando o peixe. Decore com as outras ervas e os pedaços de limão.

Sirva na hora.

*Análise nutricional por porção*: 240 calorias, 10 g de gordura, 34 g de proteína, 2 g de carboidratos, 1 g de açúcar, 0 g de fibra, 230 mg de sódio.

## SALMÃO SELVAGEM NO VAPOR COM ALHO-PORÓ E ACELGA SALTEADOS

Serve 4 pessoas

A acelga salteada serve como uma base colorida para o salmão rosado, mas você pode usar praticamente qualquer folha da estação. Na primavera, as folhas de dente-de-leão darão um contraste ligeiramente amargo para o sabor suculento do peixe.

2 colheres de sopa de manteiga sem sal, derretida, de preferência de vaca criada no pasto
4 (150 g) filés de salmão selvagem sem pele e sem espinha
Sal marinho e pimenta-do-reino moída na hora
8 fatias finas de limão
2 colheres de sopa de azeite de oliva extravirgem, e um pouco mais para regar
2 xícaras de alho-poró em fatias finas (apenas o talo)
6 xícaras de acelga picada, sem a parte dura da ponta

Preaqueça o forno a 230°C.

Providencie uma grelha grande o bastante para pôr o salmão todo numa assadeira. Reserve.

Corte pedaços quadrados de 25 centímetros de papel-manteiga. Usando um pincel de pastelaria, passe uma leve camada de manteiga derretida sobre o papel. Reserve.

Tempere ligeiramente o salmão com sal e pimenta. Coloque um pedaço de limão sobre cada papel, e sobre ele uma peça do salmão temperado; por cima do salmão, coloque outra fatia de limão. Enrole o salmão no papel, bem apertado, fazendo uma dobra na parte de cima e torcendo as pontas. Coloque as peças de salmão embaladas na grelha preparada na assadeira.

Coloque no forno e deixe criar vapor no papel-manteiga por uns 8 minutos, ou até o peixe ficar ligeiramente malpassado em cima.

Enquanto o salmão vaporiza, aqueça o azeite de oliva em uma frigideira grande, em fogo médio para alto. Junte o alho-poró e salteie por uns 4 minutos, ou até ficar macio, sem chegar a dourar. Junte a acelga e, com uma pinça, vire e remexa, enquanto cozinha, por uns 4 minutos ou até o alho-poró e a acelga ficarem macios. Tempere com sal e pimenta e tire do fogo. Recubra com papel-manteiga para manter aquecido.

Tire o salmão do forno e abra com cuidado as embalagens de papel. Tenha muita atenção, pois o vapor estará extremamente quente.

Com uma colher, distribua por igual porções da mistura de acelga no centro de cada um dos quatro pratos. Coloque uma peça do salmão no vapor em cima de cada montinho de acelga. Regue com azeite de oliva e sirva na hora.

*Análise nutricional por porção*: 324 calorias, 19 g de gordura, 35 g de proteína, 3 g de carboidratos, 0 g de açúcar, 0 g de fibra, 330 mg de sódio.

## FILÉ DE BODIÃO COM AZEITONAS PRETAS, ALCACHOFRA E SALADA DE COUVE-DE-BRUXELAS LAMINADA

Serve 2 pessoas

O chef Fabrizio Aielli, do restaurante Sea Salt, nos traz este prato fino e saboroso que aproveita o pescado do dia. Você pode usar qualquer tipo de pargo em vez do bodião. Procure aquilo que estiver mais fresco em sua área. Sinta-se à vontade para duplicar as porções desta receita, para servir quatro pessoas.

2 (150 g) filés de bodião (ou qualquer tipo de pargo)
Sal marinho e pimenta-do-reino moída na hora
¼ de xícara de azeite de oliva extravirgem
2 dentes de alho picados
2 ramos de alecrim picado na hora
Suco de meio limão
2 alcachofras conservadas em óleo, cortadas em 4
12 azeitonas pretas, sem caroço
½ xícara de salada de couve-de-bruxelas laminada (receita a seguir)

Tempere o peixe com sal e açúcar. Aqueça uma frigideira grande em fogo de médio para alto. Acrescente o azeite de oliva, esperando até começar a soltar fumaça. Ponha os filés de bodião na panela, com a pele para baixo. Ponha em fogo médio e deixe cozinhar por 2 minutos. Usando uma espátula de peixe, vire os filés e acrescente o alho, o alecrim e o suco de limão. Deixe cozinhar por mais 2 minutos ou até alcançar o ponto desejado, e o peixe se desfaça facilmente com o garfo. Tire o peixe da frigideira e coloque-o em dois pratos.

Usando a mesma frigideira, junte as alcachofras e as azeitonas, e deixe cozinhar por 1 minuto. Espalhe em cima do peixe e cubra cada filé com a couve-de-bruxelas. Sirva na hora.

*Análise nutricional por porção*: 625 calorias, 44 g de gordura, 40 g de proteína, 23 g de carboidratos, 3 g de açúcar, 12 g de fibra, 670 mg de sódio.

## SALADA DE COUVE-DE-BRUXELAS LAMINADA

Serve 2 pessoas

Esta salada deliciosa vai bem com peixes. Dobre ou triplique a receita, caso precise servir mais gente. Você também pode armazenar os ingredientes separadamente na geladeira, em recipientes herméticos, e temperar logo antes de servir.

2 xícaras de couve-de-bruxelas
2 colheres de sopa de molho líquido de azeitonas (veja Nota)

Com um ralador, corte as couves-de-bruxelas em lâminas finas. Misture com o molho líquido de azeitonas. Sirva.

Nota: para fazer o molho de azeite de oliva líquido, basta misturar 1 gema grande de ovo e ½ xícara de azeite de oliva extravirgem, acrescentando o azeite aos poucos até misturar totalmente. Esprema um pouco de suco de limão e adicione sal marinho a gosto. Para ter a receita à mão durante vários dias, dobre ou triplique as porções. Armazene em um recipiente hermético, na geladeira, por até uma semana.

*Análise nutricional por porção*: 290 calorias, 29 g de gordura, 4 g de proteína, 8 g de carboidratos, 2 g de açúcar, 3 g de fibra, 170 mg de sódio.

## CARNES E AVES

### HAMBÚRGUER DE BOI CRIADO NO PASTO

Serve 4 pessoas

Em vez de usar simplesmente carne de boi comum, gosto de dar mais picância à minha carne moída. Certifique-se de não usar uma carne magra demais, pois é preciso que ela tenha uma boa quantidade de gordura para que o hambúrguer fique saboroso e suculento. Para dar um gostinho a mais, refogue um pouco de cebola na manteiga até que ela dê uma amolecida; em seguida, jogue por cima do hambúrguer grelhado.

700 g de carne moída de boi criado no pasto
1 pimenta serrano ou qualquer outro chili, sem pontas, sem semente e picada, ou a gosto
2 colheres de sopa de chalota picada
1 colher de chá de alho picado
Sal marinho e pimenta-do-reino moída na hora
Azeite de oliva extravirgem, para pincelar

Preaqueça e unte um grill ou preaqueça uma hamburgueira em fogo de médio a alto.

Combine o bife com a pimenta, a chalota e o alho, numa tigela de tamanho médio. Com as mãos, amasse tudo, misturando bem. Tempere com sal e pimenta.

Divida em quatro essa mistura, e depois forme os hambúrgueres em porções semelhantes, para que cozinhem por igual. Usando um pincel de pastelaria, recubra generosamente a parte de fora dos hambúrgueres com azeite.

Coloque os hambúrgueres no grill e grelhe por 4 minutos. Vire e grelhe por mais 4 minutos para ficar ao ponto para malpassado.

Tire da grelha e sirva na hora.

*Análise nutricional por porção*: 350 calorias, 24 g de gordura, 33 g de proteína, 1 g de carboidratos, 0 g de açúcar, 0 g de fibra, 400 mg de sódio.

## PERNIL ASSADO DE CORDEIRO CRIADO NO PASTO

Serve 6 pessoas

Acho que todo mundo tem um jeito favorito de assar um pernil de cordeiro. O meu é dos mais simples. Eu faço várias fendas na carne e preencho cada uma delas com um dente de alho. Não apenas isso aromatiza a carne à medida que ela assa, mas o alho também dá sabor ao caldo na panela, o que torna o molho ainda mais rico.

¼ de xícara de azeite de oliva extravirgem
Sumo e raspas de 1 limão
1 colher de sopa de alecrim picado na hora
2 colheres de chá de folhas de tomilho frescas
1 (2,5 kg) pernil de cordeiro criado no pasto
Cerca de 20 dentes de alho, sem casca e, se forem grandes, cortados ao meio
Sal marinho e pimenta-do-reino moída na hora
3 alhos-porós, bem picados (apenas o talo)
½ xícara de caldo de galinha natural, ou comercial com baixo teor de sódio
¼ xícara de vinho branco seco
4 colheres de sopa de manteiga sem sal, a temperatura ambiente, de preferência de vaca criada no pasto

Preaqueça o forno a 230°C. Coloque na grelha, numa assadeira grande o bastante para que caiba o cordeiro, e reserve.

Junte o azeite, o sumo e as raspas de limão, o alecrim e o tomilho em uma tigela pequena.

Usando uma faca pequena e afiada, faça 20 fendas pequenas em pontos aleatórios do cordeiro. Preencha cada fenda com um pedaço de alho. Com as mãos, recubra generosamente a parte de fora do cordeiro com a mistura oleosa, batendo para que penetre na carne. Tempere com sal e pimenta à vontade.

Ponha a carne temperada na assadeira e na grelha. Leve ao forno e deixe assar por 40 minutos. Reduza a temperatura do forno para 190°C e continue a assar por mais uma hora, ou até que um termômetro inserido na parte mais carnuda indique 60°C, para ao ponto para malpassado (ou 65°C, para ao ponto).

Transfira a assadeira com o cordeiro para uma tábua, cubra com papel-manteiga (formando uma cabana), ajustando-o às laterais da fôrma, e deixe descansar por 10 minutos antes de fatiar. Perceba que o cordeiro continua cozinhando enquanto descansa, porque a temperatura interna dentro da "cabana" é aumentada em 10°.

Passe a assadeira para o fogão, em fogo médio. Acrescente o alho-poró e deixe cozinhar, mexendo os pedacinhos dourados no fundo da assadeira, por uns 3 minutos. Deite o caldo e o vinho e deixe ferver. Ferva, mexendo constantemente, por uns 3 minutos ou até que o líquido se reduza parcialmente. Acrescente a manteiga e deixe cozinhar, mexendo, por uns 3 minutos ou até se formar um caldo consistente. Prove e, se necessário, tempere com sal e pimenta.

Usando uma faca de churrasco, corte o cordeiro em fatias finas e ponha numa travessa. Regue com um pouco do caldo por cima e sirva com o que sobrou do caldo num recipiente à parte.

*Análise nutricional por porção*: 540 calorias, 29 g de gordura, 58 g de proteína, 5 g de carboidratos, 0 g de açúcar, 0 g de fibra, 550 mg de sódio.

## FILÉ DE PORCO À TOSCANA

Serve 6 pessoas

Como ocorre com muitas receitas italianas, tradicionais ou adaptadas, é um prato muito simples de preparar, mas exige ingredientes excepcionais. Carne de porco criado no pasto, hoje em dia, tem origem em criações especiais, que puderam vagar livremente por bosques e pastos. O sabor fica mais rico que o do porco de cativeiro, mas a carne pode ser tão magra quanto. Dessas criações especiais, eu prefiro a raça Berkshire, por sua riqueza em gordura e por ficar muito suculenta no cozimento.

1 (1 kg) lombo de porco criado em pasto, desossado, de preferência
    com a tira de gordura
¼ de xícara de azeite de oliva extravirgem
10 bagas de zimbro trituradas
8 dentes de alho picados
1 colher de sopa de alecrim seco
1 colher de sopa de pimenta-do-reino em grão
Sal marinho
1 xícara de caldo de galinha natural ou comercial com baixo teor
    de sódio
1 ½ xícara de cebola em fatias finas
1 ½ xícara de funcho em fatias finas
Sumo de 1 laranja
1 colher de chá de alecrim fresco picado

Preaqueça o forno a 200°C.
Coloque uma assadeira onde caiba o porco em uma grelha e reserve.
Coloque o porco em uma tábua de cortar. Junte o azeite com as bagas, o alho, o alecrim seco e a pimenta-do-reino em uma tigela pequena. Depois de misturar bem, esfregue essa mistura no porco, apertando-a para que grude na carne e na gordura. Tempere com sal e leve para a assadeira na grelha, com a gordura para cima.

Coloque no forno e asse durante 45 minutos. Junte o caldo, a cebola, o funcho e o sumo de laranja e continue a assar por mais 40 minutos, ou até que um termômetro inserido na parte mais carnuda indique 65°C, ou ao ponto para malpassado.

Passe o porco para a tábua, recubra-a com uma folha de alumínio e deixe descansar por 10 minutos antes de cortar.

Usando uma faca afiada, corte o assado no sentido transversal, em fatias. Com uma colher, derrame o molho de cebolas numa travessa e coloque as fatias, uma cobrindo ligeiramente a outra, por cima das cebolas. Salpique com o alecrim fresco e sirva na hora.

*Análise nutricional por porção*: 270 calorias, 10 g de gordura, 37 g de proteína, 6 g de carboidratos, 1 g de açúcar, 1 g de fibra, 390 mg de sódio.

## COXA DE FRANGO ASSADA COM MOLHO DE SALSINHA

Serve 4 pessoas

Se você tiver ovos cozidos à mão, como eu sempre tenho, esta é uma ceia rápida e fácil de fazer para uma noite muito ocupada. A coxa de frango é fácil de fazer, suculenta e saborosa. Este é um molho clássico, mas, combinado com o frango assado, cria um prato totalmente novo e empolgante.

8 coxas de frango com pele e osso (cerca de 1 kg)
½ xícara mais duas colheres de sopa de azeite de oliva extravirgem
Sal marinho e pimenta-do-reino moída na hora
3 gemas de ovo cozido
1 ½ colher de sopa de vinagre de vinho branco
3 colheres de sopa de salsinha de folhas lisas fresca e picada
2 colheres de chá de chalota picada

Preaqueça o forno a 200°C.
Coloque as coxas de frango em uma assadeira ou numa travessa de assar. Regue com duas colheres de sopa de azeite de oliva e tempere

com sal e pimenta. Leve ao forno e asse, virando de vez em quando, por uns 25 minutos ou até dourar e ficar bem cozido.

Enquanto o frango estiver assando, prepare o molho.

Junte as gemas de ovo e o vinagre no recipiente de um processador com lâmina de metal, e processe até ficar consistente. Com o motor em movimento, adicione lentamente a ½ xícara de azeite restante, processando até formar a emulsão.

Passe essa mistura de ovo para uma tigela pequena. Jogue a salsinha e a chalota, tempere com sal e pimenta e mexa para misturar.

Tire as coxas de frango do forno e coloque numa travessa. Com a colher, jogue um pouco do molho por cima e sirva à parte o molho que sobrar.

*Análise nutricional por porção*: 600 calorias, 52 g de gordura, 35 g de proteína, 1 g de carboidratos, 0 g de açúcar, 0 g de fibra, 450 mg de sódio.

## SOBREMESAS

### MANJAR DE COCO

Serve 4 pessoas

As sementes de chia não apenas adicionam nutrientes e fibras a esta sobremesa, mas também ajudam a engrossá-la sem a necessidade de amido. Infelizmente, exigem tempo de hidratação. Por isso, este manjar precisa ser preparado algumas horas antes de ser servido.

1 xícara de leite de amêndoas
2 colheres de chá de estévia
1 xícara de leite de coco não adoçado
¼ de xícara de sementes de chia branca
¼ de colher de chá de noz-moscada
2 colheres de sopa de coco ralado queimado sem açúcar

Junte o leite de amêndoas e a estévia em uma tigela de tamanho médio, mexendo vigorosamente para misturar. Adicione o leite de coco, as sementes de chia e a noz-moscada, mexendo o bastante para ficar bem misturado.

Cubra com filme plástico e leve à geladeira. Deixe resfriar por pelo menos 4 horas, mexendo de hora em hora nas primeiras 4 horas para garantir que as sementes fiquem bem hidratadas. O manjar pode ficar na geladeira por até 24 horas antes de ser servido.

Na hora de servir, salpique um pouco de coco queimado ralado por cima.

*Análise nutricional por porção*: 170 calorias, 15 g de gordura, 3 g de proteína, 7 g de carboidratos, 1 g de açúcar, 4 g de fibra, 66 mg de sódio.


## MUSSE FÁCIL DE CHOCOLATE

Serve 6 pessoas

Esta musse muito fácil de fazer equivale a receitas mais complexas, em termos de aeração e sabor. Embora possa ficar por uns dois dias na geladeira, quanto mais descansar mais dura ficará. Será gostosa do mesmo jeito, mas ficará com uma textura um pouco diferente.

200 g de chocolate amargo (72% de cacau) ou meio amargo, em pedacinhos
2 xícaras de creme chantili gelado, de preferência de vaca criada no pasto
¼ de xícara de iogurte integral, orgânico, de cultura viva (opcional)
Raspas de chocolate, para decorar (opcional)

Coloque o chocolate em um recipiente térmico.

Escolha uma panela que acomode com sobras a tigela, como uma panela de banho-maria. Encha a panela até a metade com água, cuidando para que a água não vaze para dentro da tigela. Deixe no fogo de médio para alto e ponha a tigela dentro. Deixe a água começar a borbulhar, mexendo constantemente o chocolate. Quando a água estiver quase fervendo, o chocolate deverá estar derretido. O ideal seria que, medindo a temperatura com um termômetro de doces, o chocolate não ultrapasse os 50°C (quando o chocolate esquenta demais, derrete instantaneamente o creme. A uma temperatura de 50°C dá para fazer esse teste de temperatura com o dedo sem risco de se queimar. Vai estar um pouco mais que morno, sem chegar a estar quente). Tire a tigela da panela e, com uma colher de madeira, bata com força por uns 30 segundos, para aerar e distribuir por igual a temperatura.

Enquanto o chocolate estiver derretendo, bata o creme. Coloque o creme gelado em uma tigela resfriada e, usando um misturador elétrico portátil, bata por uns 4 minutos ou até formar uma ponta macia.

Mexendo constantemente, derrame lentamente o creme batido frio sobre o chocolate quente e derretido, batendo até ficar bem misturado. Essa mistura tem que ficar cremosa e quase aerada.

Em seguida, pode-se passar a musse para uma única tigela grande, ou, com uma colher, colocar porções iguais em seis potinhos individuais de sobremesa. Deixe na geladeira por pelo menos 30 minutos antes de servir.

Sirva puro ou enfeite com iogurte e um pouco de raspas de chocolate.

*Análise nutricional por porção*: 500 calorias, 46 g de gordura, 5 g de proteína, 20 g de carboidratos, 11 g de açúcar, 4 g de fibra, 35 mg de sódio.

## RICOTA COM FRUTAS VERMELHAS E AMÊNDOAS TORRADAS

Serve 4 pessoas

Outra sobremesa fácil e muito satisfatória. Em geral, eu faço minha própria ricota, para ter garantia de qualidade e sabor, mas dá para achar ricota de alta qualidade no mercado hoje em dia. O queijo é saboroso, enquanto as frutas vermelhas adicionam um toque adocicado, e as amêndoas, um gostoso acabamento crocante.

1 xícara de ricota integral, de preferência de animal criado no pasto (vaca, cabra ou ovelha)
1 xícara de framboesa, mirtilo ou amora
4 colheres de chá de amêndoas em lascas ou coco queimado sem açúcar ralado

Ponha ¼ de xícara de ricota em cada um de quatro potinhos de sobremesa. Salpique ¼ de xícara de frutas vermelhas por cima da ricota, em cada tigela. Com a colher, jogue porções iguais de amêndoas por cima. Sirva na hora.

*Análise nutricional por porção*: 135 calorias, 9 g de gordura, 8 g de proteína, 7 g de carboidratos, 0 g de açúcar, 2 g de fibra, 52 mg de sódio.

# Agradecimentos

É uma verdadeira bênção, e um enorme motivo de gratidão para mim, poder trabalhar com este que tem se mostrado o time dos sonhos absoluto na edição. É através da dedicação artística e criativa ao ofício de escrever que Kristin Loberg transforma, de forma tão habilidosa, o material bruto que eu entrego no material empoderador que muda o destino da saúde de tantas pessoas. Bonnie Solow, minha agente literária, é a responsável por toda uma equipe visionária. Sua orientação altamente capaz e dedicada permitiu que todos os nossos objetivos se concretizassem. E Tracy Behar, nossa editora na Little, Brown, com seus modos gentis, aliados a um tino literário e a uma experiência inigualáveis, tornou o processo de criação desta obra um acontecimento feliz para todos os envolvidos. E a toda a sua equipe: Michael Pietsch, Reagan Arthur, Nicole Dewey, Craig Young, Genevieve Nierman, Lisa Erickson, Kaitlyn Boudah, Zea Moscone, Ben Allen, Julianna Lee, Valerie Cimino, Giraud Lorber, Olivia Aylmer, Katy Isaacs e Dianne Schneider.

Agradeço a James Murphy — por sua incrível capacidade de enxergar o conjunto e contribuir para a realização de nossos objetivos comuns.

A Andrew Luer — por sua dedicação diária a nossos objetivos de curto e longo prazo, a sua capacidade de se adaptar às exigências sempre cambiantes sobre nós e a seus conselhos sensatos, pelos quais tenho o mais alto respeito.

À Digital Natives — por navegar de forma tão eficaz na paisagem em constante transformação das mídias sociais, mantendo nossa mensagem na linha de frente.

A Judith Choate — por fazer mágica na cozinha e por criar receitas tão deliciosas, à altura dos princípios da dieta da mente para a vida.

A Gigi Stewart — por ter contribuído com algumas de suas próprias e saborosas invenções na cozinha, seguindo minhas regras, e tornando cozinhar algo divertido.

A Fabrizio Aielli e Seamus Meullen — por me fornecerem receitas de alguns de meus pratos favoritos de seus respectivos restaurantes, o Sea Salt, em Naples, na Flórida, e o Tertulia, em Nova York.

A Jonathan Heindemause — por realizar a análise nutricional das receitas e por estar sempre disponível para lidar com todas as mudanças de última hora nos cardápios.

A Nicole Dunn — por ter caído na estrada como a mais nova integrante de nossa equipe, e pelo trabalho incrível realizado como relações-públicas.

E, por fim, a todos aqueles que me inspiraram, ajudaram e apoiaram em minha própria caminhada. Vocês sabem que é de vocês que estou falando. Obrigado.

# Bibliografia selecionada

A seguir, uma lista de artigos e trabalhos que foram úteis na elaboração deste livro, organizados por capítulos. Esta lista nem de longe é exaustiva, uma vez que cada uma das entradas poderia ser completada por dezenas, senão centenas de outras. Mas ela vai ajudá-lo a aprender mais e seguir as lições e os princípios da dieta da mente para a vida. Esta bibliografia também abre outras portas para pesquisa e investigação adicional. Para mais referências e recursos, por favor acesse <www.drperlmutter.com>.

## INTRODUÇÃO: SE VOCÊ CHEGOU A ESTE LIVRO, HÁ UM MOTIVO

ROACH, Michael; MCNALLY, Christie. *How Yoga Works*. Nova Jersey: Diamond Cutter Press, 2005.

## PARTE I. BEM-VINDO À DIETA DA MENTE PARA A VIDA

### 1. O QUE É A DIETA DA MENTE PARA A VIDA?

ALZHEIMER'S ASSOCIATION. "2016 Alzheimer's Disease Facts and Figures". Disponível em: <www.alz.org/facts/>. Acesso em: 6 jul. 2016.

CENTERS FOR DISEASE CONTROL AND PREVENTION, CHRONIC DISEASE PREVENTION AND HEALTH PROMOTION. "Statistics and Tracking". Disponível em: <www.cdc.gov/ chronicdisease/stats/>. Acesso em: 14 jun. 2016.

_____. "Leading Causes of Death". Disponível em: <www.cdc.gov/nchs/ fastats/leading-causes-of-death.htm>. Acesso em: 14 jun. 2016.

KEITH, Lierre. *The Vegetarian Myth: Food, Justice; Sustainability*. Oakland: PM Press, 2009.

LAIDMAN, Jenni. "Obesity's Toll: 1 in 5 Deaths Linked to Excess Weight". *Medscape.com*. Disponível em: <www.medscape.com/viewarticle/809516>. Acesso em: 10 jun. 2016.

PERLMUTTER, David. "Bugs Are Your Brain's Best Friends". *Extraordinary Health*, v. 24, pp. 9-13, 2015.

PRITCHARD, C.; MAYERS, A.; BALDWIN, D. "Changing Patterns of Neurological Mortality in the 10 Major Developed Countries 1979-2010". *Public Health*, v. 127, n. 4, pp. 357-368, 2013.

UNIVERSIDADE DE BOURNEMOUTH. "Brain Diseases Affecting More People and Starting Earlier Than Ever Before". *ScienceDaily*. Disponível em: <www.sciencedaily.com/ releases/2013/05/130510075502.htm>. Acesso em: 14 jun. 2016.


## 2. OBJETIVOS PRINCIPAIS

BLUMBERG, R.; POWRIE, F. "Microbiota, Disease; Back to Health: A Metastable Journey". *Science Translational Medicine*, v. 4, n. 137, pp. 137rv7, jun. 2012.

BRANISTE, V. et al. "The Gut Microbiota Influences Blood-Brain Barrier Permeability in Mice". *Science Translational Medicine*, v. 6, n. 263, pp. 263ra158, nov. 2014.

BROGAN, Kelly. *A Mind of Your Own: The Truth About Depression and How Women Can Heal Their Bodies to Reclaim Their Lives*. Nova York: Harper Wave, 2016.

CAHILL Jr., G. F.; VEECH, R. L. "Ketoacids? Good Medicine?" *Transactions of the American Clinical and Climatological Association*, v. 114, pp. 149-61, 2003; discussão pp. 162-3.

CARDING, S. et al. "Dysbiosis of the Gut Microbiota in Disease". *Microbial Ecology in Health and Dis*ease, v. 26, p. 26191, fev. 2015.

CHEEMA, A. K. et al. "Chemopreventive Metabolites Are Correlated with a Change in Intestinal Microbiota Measured in A-T Mice and Decreased Carcinogenesis". *Plos One*, v. 11, n. 4, p. e0151190, abr. 2016.

CRANE, P. K. et al. "Glucose Levels and Risk of Dementia". *The New England. Journal of Medicine*, v. 369, n. 6, pp. 540-8, ago. 2013.

DAULATZAI, M. A. "Obesity and Gut's Dysbiosis Promote Neuroinflammation, Cognitive Impairment; Vulnerability to Alzheimer's Disease: New Directions and Therapeutic Implications". *Journal of Molecular an Genetical Medicine*, S1, 2014.

DAVID, L. A. et al. "Diet Rapidly and Reproducibly Alters the Human Gut Microbiome". *Nature*, v. 505, n. 7484, pp. 559-63, jan. 2014.

EARLE, K. A. et al. "Quantitative Imaging of Gut Microbiota Spatial Organization". *Cell Host Microbe*, v. 18, n. 4, pp. 478-88, out. 2015.

FAN, Shelly. "The Fat-Fueled Brain: Unnatural or Advantageous?" *ScientificAmerican.com* (blog Mind Guest). Disponível em: <blogs.scientificamerican.com/mind-guest-blog/the-fat-fueled-brain-unnatural-or-advantageous/>. Acesso em: 10 jun. 2016.

GAO, B. et al. "The Clinical Potential of Influencing Nrf2 Signaling in Degenerative and Immunological Disorders". *The Journal of Clinical Pharmacology*, v. 6, pp. 19-34, fev. 2014.

GEDGAUDAS, Nora T. *Primal Body, Primal Mind: Beyond the Paleo Diet for Total Health and a Longer Life*. Rochester: Health Arts Press, 2009.

GRAF, D. et al. "Contribution of Diet to the Composition of the Human Gut Microbiota". *Microbial Ecology in Health and Disease*, n. 26, p. 26164, fev. 2015.

HOLMES, E. et al. "Therapeutic Modulation of Microbiota-Host Metabolic Interactions". *Science Translational Medicine*, v. 4, n. 137, pp. 137rv6, jun. 2012.

JONES, R. M. et al. "Lactobacilli Modulate Epithelial Cytoprotection through the Nrf2 Pathway". *Cell Reports*, v. 12, n. 8, pp. 1217-25, ago. 2015.

KELLY, J. R. et al. "Breaking Down the Barriers: The Gut Microbiome, Intestinal Permeability and Stress-Related Psychiatric Disorders". *Frontiers in Cellular Neuroscience*, n. 9, p. 392, out. 2015.

KRESSER, Chris. "9 Steps to Perfect Health — #5: Heal Your Gut". *ChrisKresser.com*. 24 fev. 2011. Disponível em: <chriskresser.com/9-steps-to-perfect-health-5-heal-your--gut/>. Acesso em: 14 jun. 2016.

KUMAR, Himanshu et al. "Gut Microbiota as an Epigenettic Regulator: Pilot Study Based on Whole-Genome Methylation Analysis". *mBio*, v. 5, n. 6, pp. pii- e02113-14, dez. 2014.

LI, H. et al. "The Outer Mucus Layer Hosts a Distinct Intestinal Microbial Niche". *Nature Communications*, v. 6, pp. 8292, set. 2015.

MANDAL, Ananya. "History of the Ketogenic Diet". News-Medicalnet. Disponível em: <www.news-medicalnet/health/History-of-the-Ketogenic-Diet.aspx>. Acesso em: 14 jun. 2016.

MU, C. et al. "Gut Microbiota: The Brain Peacekeeper". *Frontiers in Microbiology*, v. 7, p. 345, mar. 2016.

PERLMUTTER, David. *Brain Maker: The Power of Gut Microbes to Heal and Protect Your Brain — For Life*. Nova York: Little, Brown and Co., 2015 [Ed. bras.: *Amigos da mente: nutrientes e bactérias que vão curar e proteger seu cérebro*. São Paulo: Paralela, 2015].

_____. "Why Eating for Your Microbiome Is the Key to a Healthy Weight". *MindBodyGreen.com*, blogue do convidado. 24 mar. 2016. Disponível em: <www.mindbody-green.com/0-24285/why-eating-for-your-microbiome-is-the-key-to-a-healthy-weight.html>. Acesso em: 14 jun. 2016.

REGER, M. A. et al. "Effects of Beta-Hydroxybutyrate on Cognition in Memory-Impaired Adults". *Neurobiology of Aging*, v. 25, n. 3, pp. 311-4, mar. 2004.

ROSENBLAT, J. D. et al. "Inflamed Moods: A Review of the Interactions Between Inflammation and Mood Disorders". *ProgRess in Neuropsychopharmacology and Biological Psychiatry*, v. 53, pp. 23-34, ago. 2014.

SCHILLING, M. A. "Unraveling Alzheimer's: Making Sense of the Relationship Between Diabetes and Alzheimer's Disease". *Journal of Alzheimers Disease*, v. 51, n. 4, pp. 961-77, fev. 2016.

SHENDEROV, B. A. "Gut Indigenous Microbiota and Epigenetics". *Microbial Ecology in Health and Disease*, v. 23, mar. 2012.

SLAVIN, Joanne. "Fiber and Prebiotics: Mechanisms and Health Benefits". *Nutrients*, v. 5, n. 4, pp. 1417-35, abr. 2013.

SONNENBURG, J. L.; FISCHBACH, M. A. "Community Health Care: Therapeutic Opportunities in the Human Microbiome". *Science Translational Medicine*, v. 3, n. 78, pp. 78ps12, abr. 2011.

STULBERG, E. et al. "An Assessment of US Microbiome Research". *Nature Microbiology*, v. 1, n. 15015, jan. 2016.

SUNAGAWA, S. et al. "Ocean Plankton. Structure and Function of the Global Ocean Microbiome". *Science*, v. 348, n. 6237, p. 1261359, maio 2015.

UNIVERSIDADE DA CALIFÓRNIA — LOS ANGELES HEALTH SCIENCES. "Gut Bacteria Could Help Prevent Cancer". *ScienceDaily*. Disponível em: <www.sciencedaily.com/releases/2016/04/160413151108.htm>. Acesso em: 14 jun. 2016.

VOJDANI, A. et al. "The Prevalence of Antibodies Against Wheat and Milk Proteins in Blood Donors and Their Contribution to Neuroimmune Reactivities". *Nutrients*, v. 6, n. 1, pp. 15-36, dez. 2013.

ZHAN, Y. et al. "Telomere Length Shortening and Alzheimer's Disease — A Mendelian Randomization Study". *JAMA Neurology*, v. 72, n. 10, pp. 1202-3, out. 2015.

ZONIS, S. et al. "Chronic Intestinal Inflammation Alters Hippocampal Neurogenesis". *Journal of Neuroinflamm*ation, v. 12, pp. 65, abr. 2015.


## 3. AS REGRAS DA ALIMENTAÇÃO

"GMO Foods: What You Need to Know". *Consumer Reports*, mar. 2015.

BAWA, A. S.; ANILAKUMAR, K. R.. "Genetically Modified Foods: Safety, Risks and Public Concerns — A Review". *Journal of Food Science and Technology*, v. 50, n. 6, dez. 2013, pp. 1035-46.

BAZZANO, L. A. et al. "Effects of Low-Carbohydrate and Low-Fat Diets: A Randomized Trial". *AnnAls of Internal Medi*cine, v. 161, n. 5, pp. 309-18, set. 2014.

CATASSI, C. et al. "A Prospective, Double-Blind, Placebo-Controlled Trial to Establish a Safe Gluten Threshold for Patients with Celiac Disease". *The American Journal of Clinical Nutrition*, v. 85, n. 1, jan. 2007, pp. 160-6.

CATASSI, C. et al. "Non-Celiac Gluten Sensitivity: The New Frontier of Gluten-Related Disorders". *Nutrients*, v. 5, n. 10, pp. 3839-53, set. 2013.

DI SABATINO, A. et al. "Small Amounts of Gluten in Subjects with Suspected Nonceliac Gluten Sensitivity: A Randomized, Double-Blind, Placebo-Controlled, Cross-Over Trial". *Clin. GastroenterolOgy and Hepatology*, v. 13, n. 9, pp. 1604-12.e3, set. 2015.

FASANO, A. "Zonulin and Its Regulation of Intestinal Barrier Function: The Biological Door to Inflammation, Autoimmunity; Cancer". *Physiology Review*, v. 91, n. 1, pp. 151-75, jan. 2011.

GUYTON, K. Z. et al. "Carcinogenicity of Tetrachlorvinphos, Parathion, Malathion, Diazinon; Glyphosate". *Lancet Oncology*, v. 16, n. 5, pp. 490-1, maio 2015.

HOLLON, J. et al. "Effect of Gliadin on Permeability of Intestinal Biopsy Explants from Celiac Disease Patients and Patients with Non-Celiac Gluten Sensitivity". *Nutrients*, v. 7, n. 3, pp. 1565-76, fev. 2015.

LAWRENCE, G. D. "Dietary Fats and Health: Dietary Recommendations in the Context of Scientific Evidence". *Advances in Nutrition*, v. 4, n. 3, pp. 294-302, maio 2013.

LEVINE, M. E. et al. "Low Protein Intake Is Associated with a Major Reduction in IGF-1, Cancer; Overall Mortality in the 65 and Younger but Not Older Population". *Cell. Metabolism*, v. 19, n. 3, mar. 2014, pp. 407-17.

MASON, Rosemary. "Glyphosate Is Destructor of Human Health and Biodiversity". Disponível em: <www.gmoevidence.com/dr-mason-glyph osate-is-destructor-of-human-health-and-biodiversity/>. Acesso em: 14 jun. 2016.

NIERENBERG, Cari. "How Much Protein Do You Need?" WebMD.com feature, Guide to a Healthy Kitchen. Disponível em: <www.webmd.com/diet/healthy-kitchen-11/how-much-protein?page=2>. Acesso em: 14 jun. 2016.

PAN, A. et al. "Red Meat Consumption and Mortality: Results from 2 Prospective Cohort Studies". *Archives of International Medicine*, v. 172, n. 7, pp. 555-63, abr. 2012.

PERLMUTTER, David. *Grain Brain: The surprising truth about wheat, carbs, sugar — your brain's silent killers*. Nova York: Little, Brown and Co., 2013 [Ed. bras.: *A Dieta da Mente: a surpreendente verdade sobre o glúten e os carboidratos — os assassinos silenciosos do seu cérebro*. São Paulo: Paralela, 2014].

SHAI, I. et al. "Weight Loss with a Low-Carbohydrate, Mediterranean, or Low-Fat Diet". *The New England Journal of Medicine*, v. 359, n. 3, jul. 2008, pp. 229-41.

SUEZ, J. et al. "Artificial Sweeteners Induce Glucose Intolerance by Altering the Gut Microbiota". *Nature*, v. 514, n. 7521, pp. 181-6, out. 2014,.

THONGPRAKAISANG, S. et al. "Glyphosate Induces Human Breast Cancer Cells Growth via Estrogen Receptors". *Food and Chemical Toxicology*, v. 59, pp. 129-36, set. 2013.

TOLEDO, E. et al. "Mediterranean Diet and Invasive Breast Cancer Risk among Women at High Cardiovascular Risk in the Predimed Trial: A Randomized Clinical Trial". *JAMA Internal Medicine*, v. 175, n. 11, pp. 1752-60, nov. 2015.

VALLS-PEDRET, C. "Mediterranean Diet and Age-Related Cognitive Decline: A Randomized Clinical Trial". *JAMA Internal Medicine*, v. 175, n. 7 pp. 1094-103, jul. 2015.

WANT, Liqun et al. "Lipopolysaccharide-Induced Inflammation Is Associated with Receptor for Advanced Glycation End Products in Human Endothelial Cells". The *FASEB* Journal, v. 28, n. 1, abr. 2014.

## PARTE II. O ESSENCIAL

### 4. COMO COMEÇAR: AVALIE SEUS FATORES DE RISCO, CONHEÇA SEUS NÚMEROS E PREPARE SUA MENTE

BRANDHORST, S. et al. "A Periodic Diet That Mimics Fasting Promotes Multi-System Regeneration, Enhanced Cognitive Performance; Healthspan". *Cell Metabolism*, v. 22, n. 1, pp. 86-99, jul. 2015.

LESLIE, Mitch. "Short-Term Fasting May Improve Health". *ScienceMagazine.org*, 18 jun. 2015. Disponível em: <www.sciencemag.org/news/2015/06/short-term-fasting-may--improve-health>. Acesso em: 14 jun. 2016.

PERLMUTTER, Austin. "5 Ways to Thrive While You Wean Off Carbohydrates". *DrPerlmutter.com*. Disponível em: <www.drperlmutter.com/five-ways-thrive-wean-carbohydrates/>. Acesso em: 15 jun. 2016.

SESHADRI, S. et al. "Plasma Homocysteine As a Risk Factor for Dementia and Alzheimer's Disease". *N. Engl. J. Med.*, v. 346, n. 7, fev. 2002, pp. 476-83.

TORGAN, Carol. "Health Effects of a Diet That Mimics Fasting". National Institutes of Health, página Research Matters em <nih.gov>. 13 jul. 2015. Disponível em: <www.nih.gov/news-events/nih-research-matters/health-effects-diet-mimics-fasting>. Acesso em: 15 jun. 2016.

YOUM, Y. H. et al. "The Ketone Metabolite -hydroxybutyrate Blocks Nlrp3 Inflammasome-Mediated Inflammatory Disease". *Nature Medicine*, v. 21, n. 3, mar. 2015, pp. 263-9.

### 5. PASSO I — A CORREÇÃO DA DIETA E DO EXCESSO DE COMPRIMIDOS

AZAD, M. B. et al. "Infant Antibiotic Exposure and the Development of Childhood Overweight and Central Adiposity". *International Journal of Obesity (Lond.)*, v. 38, n. 10, pp. 1290-8, out. 2014.

BABIKER, R. et al. "Effects of Gum Arabic Ingestion on Body Mass Index and Body Fat Percentage in Healthy Adult Females: Two-Arm Randomized, Placebo Controlled, Double-Blind Trial". *Nutrition Journal*, v. 11, p. 111, dez. 2012.

BJÖRKHEM, I.; MEANEY, S. "Brain Cholesterol: Long Secret Life Behind a Barrier". *Arteriosclerosis, Thrombosis, and Vascular Biology.*, v. 24, n. 5, pp. 806-15, maio 2004.

CALAME, W. et al. "Gum Arabic Establishes Prebiotic Functionality in Healthy Human Volunteers in a Dose-Dependent Manner". *British Journal of Nutrition*, v. 100, n. 6, pp. 1269-75, dez. 2008.

CHOWDHURY, R. et al. "Vitamin D and Risk of Cause Specific Death: Systematic Review and Meta-Analysis of Observational Cohort and Randomised Intervention Studies". *British Medical Journal*, v. 348, p. g1903, abr. 2014.

CULVER, A. L. et al. "Statin Use and Risk of Diabetes Mellitus in Postmenopausal Women in the Women's Health Initiative". *Archives of Internal Medicine*, v. 172, n. 2, pp. 144-52, 23 jan. 2012.

DURSO, G. R. et al. "Over-the-Counter Relief from Pains and Pleasures Alike: Acetaminophen Blunts Evaluation Sensitivity to Both Negative and Positive Stimuli". *Psychological Science*, v. 26, n. 6, pp. 750-8, jun. 2015.

FRENK, S. M. et al. "Prescription Opioid Analgesic Use Among Adults: United States, 1999-2012". *NCHS Data Brief*, n. 189, fev. 2015, pp. 1-8.

GRAHAM, D. Y. et al. "Visible Small-Intestinal Mucosal Injury in Chronic NDSAID Users". *Clinical Gastroenterology and Hepatology*, v. 3, n. 1, pp. 55-9, jan. 2005.

HEGAZY, G. A. et al. "The Role of Acacia Arabica Extract As an Antidiabetic, Antihyperlipidemic; Antioxidant in Streptozotocin-Induced Diabetic Rats". *Saudi Medical Journal*, v. 34, n. 7, pp. 727-33, jul. 2013.

HOLSCHER, H.D. et al. "Fiber Supplementation Influences Phylogenetic Structure and Functional Capacity of the Human Intestinal Microbiome: Follow-Up of a Randomized Controlled Trial". *The American Journal of Clinical Nutrition*, v. 101, n. 1, pp. 55-64, jan. 2015.

KANTOR, E. D. et al. "Trends in Prescription Drug Use among Adults in the United States from 1999-2012". *JAMA*, v. 314, n. 17, pp. 1818-31, nov. 2015.

KENNEDY, Pagan. "The Fat Drug". *The New York Times Sunday Review*, p. SR1, 9 mar. 2014.

LAM, J. R. et al. "Proton Pump Inhibitor and Histamine 2 Receptor Antagonist Use and Vitamin B12 Deficiency". *JAMA*, v. 310, n. 22, pp. 2435-42, 11 dez. 2013.

LIEW, A. et al. "Acetaminophen Use during Pregnancy, Behavioral Problems; Hyperkinetic Disorders". *JAMA Pediatrics*, v. 168, n. 4, pp. 313-20, abr. 2014.

LITTLEJOHNS, T. J. et al. "Vitamin D and the Risk of Dementia and Alzheimer's Disease". *Neurology*, v. 83, n. 10, pp. 920-8, set. 2014.

MATTHEWS, L. R. et al. "Worsening Severity of Vitamin D Deficiency Is Associated with Increased Length of Stay, Surgical Intensive Care Unit Cost; Mortality Rate in Surgical Intensive Care Unit Patients". *The American Journal of Surgery*, v. 204, n. 1, pp. 37-43, jul. 2012.

MAZER-AMIRSHAHI, M. et al. "Rising Rates of Proton Pump Inhibitor Prescribing in US Emergency Departments". *The American Journal of Emergency Medicine*, v. 32, n. 6, pp. 618-22, jun. 2014.

MIKKELSEN, K. H. et al. "Use of Antibiotics and Risk of Type 2 Diabetes: A Population-Based Case-Control Study". *Journal of Clinical Endocrinology and Metabolism*, v. 100, n. 10, pp. 3633-40, out. 2015.

MILLION, M. et al. "Correlation between Body Mass Index and Gut Concentrations of Lactobacillus reuteri, Bifidobacterium animalis, Methanobrevibacter smithii and Escherichia coli". *International Journal of Obesity (Lond.)*, v. 37, n. 11, pp. 1460-6, nov. 2013.

MOR, A. et al. "Prenatal Exposure to Systemic Antibacterials and Overweight and Obesity in Danish Schoolchildren: A Prevalence Study". *International Journal of Obesity (Lond.)*, v. 39, n. 10, pp. 1450-5, out. 2015.

NEWPORT, Mary. "What if There Was a Cure for Alzheimer's Disease and No One Knew?". *CoconutKetones.com*. 22 jul. 2008. Disponível em: <www.coconutketones.com/whatifcure.pdf>. Acesso em: 14 jun. 2016.

PARK, Alice. "Too Many Antibiotics May Make Children Heavier". *Time.com*. 21 out. 2015. Disponível em: <time.com/4082242/antibiotics-obesity/>. Acesso em: 14 jun. 2016.

PÄRTTY, A. et al. "A Possible Link between Early Probiotic Intervention and the Risk of Neuropsychiatric Disorders Later in Childhood: A Randomized Trial". *Pediatric Research*, v. 77, n. 6, pp. 823-8, jun. 2015.

PERLMUTTER, David. *Grain Brain: The surprising truth about wheat, carbs, sugar — your brain's silent killers*. Nova York: Little, Brown and Co., 2013 [Ed. bras.: *A Dieta da Mente: a surpreendente verdade sobre o glúten e os carboidratos — os assassinos silenciosos do seu cérebro*. São Paulo: Paralela, 2014].

REYES-IZQUIERDO, T. et al. "Modulatory Effect of Coffee Fruit Extract on Plasma Levels of Brain-Derived Neurotrophic Factor in Healthy Subjects". *British Journal of Nutrition*, v. 110, n. 3, pp. 420-5, ago. 2013.

_____. "Stimulatory Effect of Whole Coffee Fruit Concentrate Powder on Plasma Levels of Total and Exosomal Brain-Derived Neurotrophic Factor in Healthy Subjects: An Acute Within-Subject Clinical Study". *Food and Nutrition Sciences*, v. 4, n. 9, pp. 984-90, 2013.

SASS, Cynthia. "The 5 Most Confusing Health Labels". *Huffington-Post.com*. Disponível em: <www.huffingtonpost.com/2014/08/02/health-food-labels-confusing_n_5634184.html>. Acesso em: 1º maio 2016.

SCHWARTZ, B. S. et al. "Antibiotic Use and Childhood Body Mass Index Trajectory". *International Journal of Obesity (Lond.)*, v. 40, n. 4, pp. 615-21, abr. 2016.

SHAH, N. H. et al. "Proton Pump Inhibitor Usage and the Risk of Myocardial Infarction in the General Population". *Plos One*, v. 10, n. 6, pp. e0124653, jun. 2015.

SIGTHORSSON, G. et al. "Intestinal Permeability and Inflammation in Patients ON NSAIDS". *Gut*, v. 43, n. 4, pp. 506-11, out. 1998.

SIMAKACHORN, N. et al. "Tolerance, Safety; Effect on the Faecal Microbiota of an Enteral Formula Supplemented with Pre-and Probiotics in Critically Ill Children". *The Journal of Pediatric Gastroenterology and Nutrition*, v. 53, n. 2, pp. 174-81, ago. 2011.

SLAVIN, Joanne. "Fiber and Prebiotics: Mechanisms and Health Benefits". *Nutrients*, v. 5, n. 4, pp. 1417-35, abr. 2013.

SWAMINATHAN, A.; JICHA, G. A. "Nutrition and Prevention of Alzheimer's Dementia". *Frontiers in Aging Neuroscience*, v. 6, p. 282, out. 2014.

UNIVERSIDADE DE EXETER. "Link between Vitamin D, Dementia Risk Confirmed". *ScienceDaily*. Disponível em: <www.sciencedaily.com/releases/2014/08/14 0806161659.htm>. Acesso em: 15 jun. 2016.

VELICER, C. M. et al. "Antibiotic Use in Relation to the Risk of Breast Cancer". *JAMA.*, v. 291, n. 7, pp. 827-35, fev. 2004.

VESPER, B. J. et al. "The Effect of Proton Pump Inhibitors on the Human Microbiota". *Current Drug Metabolism*, v. 10, n. 1, jan. 2009, pp. 84-9.

WEINSTEIN, G. et al. "Serum Brain-Derived Neurotrophic Factor and the Risk for Dementia: The Framingham Heart Study". *JAMA Neurology*, v. 71, n. 1, jan. 2014, pp. 55-61.

ORGANIZAÇÃO MUNDIAL DE SAÚDE. "WHO's First Global Report on Antibiotic Resistance Reveals Serious, Worldwide Threat to Public Health". Release noticioso, *WHO.int*, 30 abr. 2014. Disponível em: <www.who.int/mediacentre/news/releases/2014/amr--report/en/>. Acesso em: 14 jun. 2016.

WU, A. et al. "Curcumin Boosts DHA in the Brain: Implications for the Prevention of Anxiety Disorders". *Biochimica et Biophysica Acta*, v. 1852, n. 5, pp. 951-61, maio 2015.

ZAURA, E. et al. "Same Exposure but Two Radically Different Responses to Antibiotics: Resilience of the Salivary Microbiome versus Long-Term Microbial Shifts in Feces". *mBio*, v. 6, n. 6, pp. e01693-15, nov. 2015.

ZHANG, H. et al. "Discontinuation of Statins in Routine Care Settings: A Cohort Study". *Annals of Internal Medicine*, v. 158, n. 7, pp. 526-34, 2 abr. 2013.


## 6. PASSO 2 — O REFORÇO DAS ESTRATÉGIAS DE APOIO

AMERICAN ACADEMY OF NEUROLOGY (AAN). "Heavy Snoring, Sleep Apnea May Signal Earlier Memory and Thinking Decline". *ScienceDaily*. Disponível em: <www.sciencedaily.com/releases/2015/04/150415203338.htm>. Acesso em: 15 jun. 2016.

ANDREWS, S. et al. "Beyond Self-Report: Tools to Compare Estimated and Real-World Smartphone Use". *Plos One*, v. 10, n. 10, pp. e0139004, out. 2015.

BALOGUN, J. A. et al. "Comparison of the EMG Activities in the Vastus medialis oblique and Vastus Lateralis Muscles During Hip Adduction and Terminal Knee Extension Exercise Protocols". *African Journal of Physiotherapy and Rehabilitation Sciences*, v. 2, n. 1, 2010.

BARCLAY, Eliza. "Eating to Break 100: Longevity Diet Tips from the Blue Zones". *NPR. com*, página The Salt. 11 abr. 2015. Disponível em: <www.npr.org/sections/thesalt/

2015/04/11/398325030/eating-to-break-100-longevity-diet-tips-from-the-blue-zones>. Acesso em: 14 jun. 2016.

BERMAN, M. G. et al. "Interacting with Nature Improves Cognition and Affect for Individuals with Depression". *The Journal of Affective Disorders*, v. 140, n. 3, pp. 300-5, nov. 2012.

BUETTNER, Dan. "The Island Where People Forget to Die". *The New York Times Sunday Magazine*, 28 out. 2012, p. MM36.

CLARKE, S. F. et al. "Exercise and Associated Dietary Extremes Impact on Gut Microbial Diversity". *Gut*, v. 63, n. 12, pp. 1913-20, dez. 2014.

DENNIS, Brady. "Nearly 60 Percent of Americans — The Highest Ever — Are Taking Prescription Drugs". *Washington Post*, seção To Your Health. 3 nov. 2015. Disponível em: <www.washingtonpost.com/news/to-your-health/wp/2015/11/03/more-ameri­cans-than-ever-are-taking-prescription-drugs/>. Acesso em: 14 jun. 2016.

DIMEO, F. et al. "Benefits from Aerobic Exercise in Patients with Major Depression: A Pilot Study". *British Journal of Sports Medicine*, v. 35, n. 2, pp. 114-7, abr. 2001.

ENVIRONMENTAL WORKING GROUP. Disponível em: <www.ewg.org>. Seções Research e Consumer Guides.

ERICKSON, K. I. et al. "Exercise Training Increases Size of Hippocampus and Improves Memory". *Proceedings of the National Academy of Sciences*, v. 108, n. 7, pp. 3017-22, fev. 2011.

ERIKSSON, P. S. et al. "Neurogenesis in the Adult Human Hippocampus". *Nature Medicine*, v. 4, n. 11, pp. 1313-7, nov. 1998.

HALDEN, Rolf. "Epistemology of Contaminants of Emerging Concern and Literature Meta-Analysis". *The Journal of Hazardous Materials*, v. 282, n. 23, pp. 2-9, jan. 2015.

JARRETT, Christian. "How Expressing Gratitude Might Change Your Brain". *NYMag.com*, seção Science of Us. 7 jan. 2016. Disponível em: <nymag.com/scienceo­fus/2016/01/how-expressing-gratitude-change-your-brain.html>. Acesso em: 14 jun. 2016.

KINI, P. et al. "The Effects of Gratitude Expression on Neural Activity". *Neuroimage*, v. 128, pp. 1-10, mar. 2016.

LAUTENSCHLAGER, N. T. et al. "Effect of Physical Activity on Cognitive Function in Older Adults at Risk for Alzheimer's Disease: A Randomized Trial". *JAMA*, v. 300, n. 9, pp. 1027-37, set. 2008.

LEE, B. H.; KIM, Y. K. "The Roles of BDNF in the Pathophysiology of Major Depression and in Antidepressant Treatment". *Psychiatry Investigation*, v. 7, n. 4, pp. 231-5, dez. 2010.

MCCANN, I. L.; HOLMES, D. S. "Influence of Aerobic Exercise on Depression". *Journal of Personality and Social Psychology*, v. 46, n. 5, pp. 1142-7, maio 1984.

NATIONAL SLEEP FOUNDATION. Disponível em: <www.sleepfoundation.org>. Tópicos Sleep Disorders e Sleep.

OSORIO, R. S. et al. "Sleep-Disordered Breathing Advances Cognitive Decline in the Elderly". *Neurology*, v. 84, n. 19, pp. 1964-71, maio 2015.

PERLMUTTER, David; VILLOLDO, Alberto. *Power Up Your Brain: The Neuroscience of Enlightenment*. Nova York: Hay House, 2011.

PREIDT, Robert. "Bonding with Others May Be Crucial for Long-Term Health". *U.S. News & World Report Health*, 8 jan. 2016. Disponível em: <health.usnews.com/health-news/articles/2016-01-08/bonding-with-others-may-be-crucial-for-long-term-health>. Acesso em: 14 jun. 2016.

RAJI, C. A. et al. "Longitudinal Relationships between Caloric Expenditure and Gray Matter in the Cardiovascular Health Study". *Journal of Alzheimer's Disease*, v. 52, n. 2, pp. 719-29, mar. 2016.

RICHTEL, Matt. "Digital Devices Deprive Brain of Needed Downtime". *NYTimes.com*. 24 ago. 2010. Disponível em: <www.nytimes.com/2010/08/25/ technology/25brain.html>. Acesso em: 14 jun. 2016.

SANDLER, David. "Dumbbell Wide Row for Serious Back Muscle". *Muscle & Fitness*. Disponível em: <www.muscleandfitness.com/workouts/backexercizes/dumbell--wide-row-serious-back-muscle>. Acesso em: 19 jul. 2016.

SRIKANTHAN, P.; KARLAMANGLA A. S. "Muscle Mass Index as a Predictor of Longevity in Older Adults". *The American Journal of Medicine*, v. 127, n. 6, pp. 547-53, jun. 2014.

UNIVERSIDADE DA CALIFÓRNIA — LOS ANGELES HEALTH SCIENCES. "Older Adults: Build Muscle and You'll Live Longer". ScienceDaily. Disponível em: <www.sciencedaily.com/releases/2014/03/140314095102.htm>. Acesso em: 15 jun. 2016.

WEINSTEIN, G. et al. "Serum Brain-Derived Neurotrophic Factor and the Risk for Dementia: The Framingham Heart Study". *JAMA Neurology*, v. 71, n. 1, pp. 55-61, jan. 2014.

YANG, Y. C. et al. "Social Relationships and Physiological Determinants of Longevity across the Human Life Span". *Proceedings of the National Academy of Sciences*, v. 113, n. 3, pp. 578-83, jan. 2016.


## 7. PASSO 3 — O PLANEJAMENTO ADAPTADO A VOCÊ

GARAULET, M. et al. "Timing of Food Intake Predicts Weight Loss Effectiveness". *International Journal of Obesity (Lond.)*, v. 37, n. 4, pp. 604-11, abr. 2013.


## 8. PROBLEMAS MAIS COMUNS

AZAD, M. B. et al. "Gut Microbiota of Healthy Canadian Infants: Profiles by Mode of Delivery and Infant Diet at 4 Months". *The Canadian Medical Association Journal*, v. 185, n. 5, pp. 385-94, mar. 2013.

BLUSTEIN, J.; LIU, Jianmeng. "Time to Consider the Risks of Caesarean Delivery for Long-Term Child Health". British Medical Journal, v. 350, pp. h2410, jun. 2015.

COUZIN-FRANKEL, Jennifer. "How to Give a C-Section Baby the Potential Benefits of Vaginal Birth". *ScienceMag.org*, 1º fev. 2016. Disponível em: <www.sciencemag.org/news/2016/02/how-give-c-section-baby-potential-benefits-vaginal-birth>. Acesso em: 14 jun. 2016.

MUELLER, N. T. et al. "The Infant Microbiome Development: Mom Matters". *Trends in Molecular Medicine*, 2014. Disponível em: <dx.doi.org/10.1016/j.molmed.2014.12.002>. Acesso em: 14 jun. 2016.


## PARTE III. HORA DE COMER!


### 9. ÚLTIMOS LEMBRETES E IDEIAS DE PRATOS

OTTO, M. C. et al. "Everything in Moderation — Dietary Diversity and Quality, Central Obesity and Risk of Diabetes". *Plos One*, v. 10, n. 10, p. e0141341, out. 2015.

UNIVERSIDADE DO TEXAS — HEALTH SCIENCE CENTER AT HOUSTON. "'Everything in Moderation' Diet Advice May Lead to Poor Metabolic Health in US Adults". *ScienceDaily*. Disponível em: <www.sciencedaily.com/releases/2015/10/151030161347.htm>. Acesso em: 15 jun. 2016.

# Índice remissivo

90-10, regra do, 181

abdominal bicicleta (exercício), 135
ácidos graxos de cadeia curta (AGCCs), 39
açúcar, 51, 60-2; de coco, 242; desejo de, 91, 182-3; nomes do, 60, 62; processado, 98-9; *ver também* carboidratos; glicose
Adams, John Quincy, 159
adoçantes: artificiais, 61-2; naturais, 104
adventistas do sétimo dia, 124
Advil (ibuprofeno), 121
AGCCs (ácidos graxos de cadeia curta), 39
água, 27, 105, 194-5
Aielli, Fabrizio, 228, 245
alcachofra, 209, 245-6
alcachofra-de-jerusalém *ver* tupinambo
alfalipoico, ácido (ALA), 111, 118
alho-poró, 205-6, 211-2, 244-5
alimentação *ver* dieta; alimentos; refeições
alimentos: açúcar nos, 60-1; como comprar, 104-5, 169, 198-9, 204, 210; contendo glúten, 53, 96-8, 100; enlatados, 179; epigenética, 24; fermentados, 101, 103, 116; gordura nos, 58, 99, 101-2, 198, 204; lanches, 91, 179, 183, 199-200; "não", 96-100; "naturais", 100, 104; no micro-ondas, 163; OGMs, 51, 63-6, 100, 105; orgânicos, 98, 100, 104, 163; prebióticos, 114; probióticos,

115, 117; processados, 19; "sim", 100-5; *ver também* dieta; refeições; receitas
alimentos geneticamente modificados, 51, 63-6, 100, 105
Allegra D (pseudoefedrina), 141
almoço: fora de casa, 179; hora certa do, 168-9; planejamento do, 205-8; rotina de, 196
alongamento, 128, 171
Alzheimer, doença de, 11-2, 20-1; diabetes e, 44; distúrbios do sono e, 140, 143; exercícios e, 125; fator neurotrófico derivado do cérebro e, 112; hemoglobina glicada e, 82; homocisteína e, 83; telômeros na, 48
amamentação, 110, 184
ambiente: desintoxicação, 79, 125, 162-6, 175; microbiomas no, 36; natural, 161; sono, 142
amêndoas, 206, 254
amidos, 98-9
*Amigos da mente* (Perlmutter), 9-11, 17, 35, 41
aminoácidos, 87
amor, poder do, 149-53
analgésicos, 120-1, 123, 182
anchovas, 224
ansiedade, 21, 186
antibióticos, 38, 121-3, 185-6
antidepressivos, 21, 141, 187
antioxidantes, 47, 111, 120

aparelhos eletrônicos, 154, 156
aperitivos, 216-8
apetite, 45, 168
apneia do sono, 143-4, 168
AquaBounty, 64
ar, qualidade do, 165
aspirina, 182
Associação Americana de Diabetes, 43
aterosclerose, 83
atividade física *ver* exercício
autismo, 20, 22, 41
avanço (exercício), 135
aveia, 103
aves, carne de, 100, 102, 251-2
azeite de oliva, 59, 184, 195, 210
azeitonas, 209, 245-6

bacon, 200, 228-9
bactérias intestinais, 9, 29, 34-41; adoçantes artificiais e, 62; antibióticos e, 121; autismo e, 41; causas para não serem saudáveis, 38; expressão genética e, 36, 48; fibras e, 38, 59; glifosato e, 66; medicamentos contra refluxo e, 120; suplementos que auxiliam, 113-8; vitamina D e, 113
bactérias vaginais, 185; *ver também* bactérias intestinais
Barclay, William, 160
barreira hematoencefálica, 39
batimento cardíaco, máximo e meta, 128-9
BDNF (fator neurotrófico derivado do cérebro), 112, 117, 127
bebês: amamentação, 110, 184; parto por cesariana, 185
bebidas, 105-6
beta-amiloide, proteína, 44, 140
beta-hidroxibutírico, ácido, 87
bifidobactéria, 116-8
budismo, 86, 159, 161
butírico, ácido, 39

cabeça, dor de, 21, 182-3
café, 58, 106
café da manhã: planejamento, 205-7, 209; pular, 89; receitas, 211-5; rotina, 196
cafeína, 106, 141, 194

calorias: carboidratos, 43; e a hora do dia, 168; gordura, 124; proteínas, 69; restrição, 47
Campbell, Joseph, 159
câncer: bactérias intestinais e, 35; dieta e, 59, 67, 69, 90
caprese, salada, 200
carboidratos, 34, 51, 56-60; bactérias intestinais e, 38; cortar, 89-93; desejo por, 182-3; gordura corporal e, 31; necessidade de, 31; processados, 98; recomendações para, 43; substitutos, 203; *ver também* açúcar; glicose
carne, 67-8, 100; de rotisserias, 200; fermentada, 116; hambúrguer, 208, 247-8; orgânica, 104; receitas com, 221-2, 247-52; saudável, 100, 102
CCL (comprometimento cognitivo leve), 126, 143
celulares, 156
células-tronco, 145
cérebro: bactérias intestinais e, 34-5, 39; colesterol e, 58; estatinas e, 119; exercícios e, 125-6; fontes de combustível do, 32-3, 87; glúten e, 52, 55; neuroplasticidade do, 146; paracetamol e, 120; probióticos e, 117-8; sono e, 139, 143-4, 172; vitamina D e, 112-3
cesarianas, 185
ceteareto, 164
cetonas, 32-4, 87
cetose, 33
chá, 106
chá verde, 106
chia, sementes de, 252
chucrute, 116
Chucrute misto de legumes, 201, 203, 208, 239-40
ciático, nervo, 137
circadiano, ritmo, 142, 168, 171
citocinas, 52, 55
cloridrato de alumínio, 164
cogumelos, 205, 207, 211-2, 238-9
Cole, Nat King, 149
colesterol, 31; dieta pobre em carboidratos e, 56; doenças cardiovasculares e, 32, 57; medicamentos que reduzem, 119, 141; ovos e, 70
colina, 116

compaixão, 149, 153
comprometimento cognitivo leve (CCL), 126, 143
Confúcio, 161
convulsões, 33, 191
cordeiro, 206, 207, 221-2, 248-9
corticosteroides, 141
cosméticos, 163-4
costas, dores nas, 79, 136-8
Couve no vapor, 206, 230-1
Coxa de frango assada com molho de salsinha, 208, 251-2
coxa, exercícios para, 135
cozinha, equipamento de, 163, 204; limpeza da, 95-108
CPAP (pressão positiva contínua nas vias aéreas), 144
C-reativa, proteína, 57, 83, 154
Creme de ervilha e queijo de cabra, 209, 217-8
crianças: antibióticos para, 123, 186; doenças relacionadas à dieta em, 19; protocolo alimentar para, 187-8
cromossomos, telômeros em, 48, 83-4, 113
cúrcuma, 110, 111, 118
curcumina, 111, 146
Curry thai de legumes, 207, 235-7

Dalai Lama, 159
David, Lawrence, 40
DBP (dibutilftalato), 164
demência, antibióticos e, 122; ver também Alzheimer, doença de
Departamento de Agricultura dos EUA (USDA), 10, 104, 164
depressão, 20; exercícios e, 127; medicamentos contra, 21, 141, 187; probióticos contra, 118; processos inflamatórios e, 30
derrame, 83
desejos, como lidar com, 91, 182-3
desinfetantes, 164, 166
despensa, como reequipar a, 108
DHA ver docosaexanoico, ácido
diabetes, 20; Alzheimer e, 44; antibióticos e, 122-3; exames para, 82; ingestão de proteínas e, 69; processos inflamatórios e, 55; zonulina e, 54

diários, 158, 173-4; alimentares, 51, 169, 202; de exercícios, 171
dibutilftalato (DBP), 164
dieta, 50; açúcar na, 60-2; alimentos OGM na, 62, 64-6; bactérias intestinais e, 38-41; caçadora-coletora, 31, 39, 41, 60, 86; carboidratos na, 34, 89-93; cetogênica, 32-4; corrigir, 78; crianças e, 187-8; depoimentos, 17, 75, 89-90, 145, 177-8, 180, 186-7, 191, 193-4; diário, 51, 169, 202; diversificada, 195-6; efeitos colaterais, 182-3; equilíbrio hormonal e, 42, 44, 46; estresse e, 146; glúten na, 52-6; jejum e, 86, 88-9; mediterrânea, 59-60; objetivos, 27; ocidental, 19, 39-40; ovos na, 70-1; perda de peso e, 75; pobre em carboidratos, rica em gordura e fibra, 51, 56-60; pobre em gordura, 56-7, 59; proteínas na, 52, 67-8, 70; recomendações governamentais, 10; regras para, 51, 71; sono e, 144-5; trapacear ou sair da, 180-1, 196-7; vegana ou vegetariana, 69, 184; via Nrf2, 47; ver também alimentos; refeições; suplementos
*Dieta da mente, A* (Perlmutter), 9-12, 17, 43, 52, 178, 182
dietilftalato, 164
disbiose intestinal, 35, 41
DNA (ácido desoxirribonucleico), 24; alimentos OGM e, 63; evolução, 86; expressão, 46; influência microbiana sobre, 36
docosaexanoico, ácido (DHA), 110, 118; dieta vegana e, 184; saúde cerebral e, 146; via Nrf2 e, 47
doença celíaca, 52
doença mental, 21; ver também depressão
doenças: bactérias intestinais e, 35, 37, 40; conhecimentos a respeito, 23-4; crônicas, 19-3, 25-6; desequilíbrios hormonais e, 42; fatores de risco para, 11, 78-81; marcadores biológicos das, 154; processos inflamatórios e, 29-30, 58
doenças cardiovasculares, 56-7, 67, 83
Dominguez-Bello, Maria Gloria, 185

dor, 125; de cabeça, 21, 182-3; nas costas e no joelho, 79, 136-9
drogas *ver* medicamentos

Edison, Thomas A., 159
eicosapentaenoico, ácido (EPA), 111
Einstein, Albert, 159
Elliot, Walter, 159
*Empowering Neurologist, The* (vídeo), 44
endócrino (sistema), substâncias químicas que prejudicam o, 164
endro, 200, 228-9
enxaqueca, 21
EPA (ácido eicosapentaenoico), 111
epigenética, 24, 46
epilepsia, 33, 191
equilíbrio na vida, 29, 49
Eriksson, Peter, 145-6
ervas, 207, 242-3; lista de, 107-8
ervilhas, 209, 217-8
esclerose múltipla (EM), 20-1, 44
especiarias, 107-8
estatinas, 119, 141
estilo de vida, 24-5; alterações no, 27-8, 72, 77-8, 93; microbioma e, 35; pobre em carboidratos, 89-90; ruim, 68; saudável, 9, 124-5; saúde cerebral e, 146
estresse oxidativo, 47-8
estresse, redução do, 27, 79, 125, 145-62; gratidão e, 147-9; lista para, 174; redes sociais para, 149-56; técnicas para, 146; tempo para reflexão e, 156, 158-60
estrogênio, 42
estudo do sono, 141-2
exames de laboratório, 78, 81-4
exames de sangue, 78, 81-4
exercícios, 27, 79, 125-36; aeróbicos, 128, 130, 132, 171; ao ar livre, 161; benefícios dos, 125-7, 131; contra os desejos, 182; dor relacionada aos, 138-9; estresse e, 146; leptina, insulina e, 46; lista e agenda de, 174-5; objetivos, 136; planejamento, 79, 129, 167, 170-1, 175; respiração profunda, 142, 157; sono e, 142; treinamento de força, 131, 133-4, 136, 171
expectativa de vida, 19
extrato do grão de café verde, 112, 118

Fasano, Alessio, 40, 54
fator neurotrófico derivado do cérebro (BDNF), 112, 117, 127
FDA *ver* Food and Drug Administration
feira, fazer a, 104-5, 169, 198-9, 204, 210
fermentados, alimentos, 101, 103; probióticos, 115, 117; receitas, 200, 203, 239-42
feta, 207, 238-9
fibras, 51, 59-60; bactérias intestinais e, 38, 59; prebióticas, 39, 110, 113, 115, 118, 185; sucos e, 61, 195
fígado gorduroso não alcoólico, 60
Filé de bodião com azeitonas pretas, alcachofra e salada de couve-de-bruxelas laminada, 209, 245-6
Filé de porco assado à toscana, 205, 250-1
fisiatra, 139
fisioterapeuta, 139
flexões, 134
Folhas ao perfume asiático, 203, 241
folhas verdes, 203, 205, 207, 212-3, 226-7, 241
fólico, ácido, 83
fome antes de dormir, 183
Food and Drug Administration (FDA), 196; alimentos OGM e, 64; comidas "naturais" e, 100; goma-arábica e, 115; suplementos e, 109
formaldeído (formol), 164
Frank, Anne, 161
frases inspiradoras, 155, 158-61
Fritada de brócolis, cogumelos e alho-poró, 205, 211-2
Fritada de tupinambo, 203, 208, 231-2
frutas, 104-5; doces, 104; em conserva, 116; pobres em açúcar, 101, 201
frutas vermelhas, 104, 205, 254; congeladas, 105;
frutos do mar, 102
frutosamina, 82
frutose, 60-1
funções cognitivas: comprometimento leve das, 126, 143; dieta mediterrânea e, 60; *ver também* Alzheimer, doença de

garrafas plásticas de água, 163
Gedgaudas, Nora, 31, 45

genes, 29, 86; controle dos, 29, 46-8; influência microbiana sobre, 35-6
gliadinas, 54
glicação, 44, 61, 82
glicemia, 33, 43, 82; *ver também* açúcar; glicose
glicogênio, 43, 87
gliconeogênese, 88
glicose, 32; metabolismo da, 33, 43, 87; no sangue, 33, 43, 82; *ver também* açúcar; carboidratos
glifosato, 65-6, 163; alimentos sem, 100; carne com, 68; exame de urina para, 66, 83
glutationa, 120
glúten, 51-3, 55-6; bactérias intestinais e, 37, 59; barreira hematoencefálica e, 40; carnes de rotisseria e, 200; desejo de, 182; fontes de, 96-9; intolerância ao, 52-3
gluteninas, 54
golfe, 129
goma-arábica, 110, 114-5
gordura corporal, 31-2, 87
gorduras alimentares, 51, 56-60; dieta vegana e, 184; fontes de, 95, 198; metabolismo das, 29-30, 32-4; ômega-3, 47, 83, 99, 110, 146, 184; saturadas, 32, 57-8, 70; saudáveis, 99, 101-2; trans, 58, 99; *ver também* colesterol; óleos
Gould, Robert, 64
Grant, Ulysses S., 160
grãos, 22, 103, 203
gratidão, 27, 147-8, 152
grávidas e lactantes, 121, 184-5
grelina, 45, 168

hábitos: como criar, 14; livrar-se de, 78, 85-6; não negociáveis, 155; voltar aos antigos, 180-1
hambúrguer, 208, 247-8
Hanson, Jaydee, 64
hemoglobina A1C, 82
HEPA, filtros de ar, 165
herbicidas *ver* glifosato
higiene pessoal, artigos, 163
Hillel, Rabino, 158
hiperinsulinemia, 44
hipertensão, 60, 154

hipocampo, 33, 43
homeostase, 50
homocisteína, 83
homus, 103
hormônio de crescimento, 140
hormônios, 29, 42, 44-5; e sono, 140, 142; esteroides, 42, 58, 170; glifosato como, 66
*How Yoga Works* (Roach e McNally), 13
Huffington, Arianna, 144
humor, transtornos de, 21, 30; *ver também* depressão

IBPS (inibidores da bomba de prótons), 38, 119
ibuprofeno (Advil), 121
índice de massa corporal, 153
inflamações, 29-30; bactérias intestinais e, 35, 37; dieta pobre em carboidratos e, 57; glúten e, 52, 54-6; óleo de coco e, 102; proteína C-reativa e, 57, 83, 154; redes sociais e, 154; transtornos cerebrais e, 44
inibidores da bomba de prótons (IBPS), 38, 119
Instituto Nacional de Saúde, Estados Unidos, 36
insulina: carboidratos e, 31; frutose e, 61; jejum, 82; leptina e grelina e, 45; redução de picos de, 29, 43-4
intestino, 34-5; danos que os AINES causam, 121; inflamação do, 55; permeável, 37, 40-1, 52-4; *ver também* bactérias intestinais
iogurte, 115

jantar: fome depois do, 183; planejamento, 205-8; rotina, 196
jardinagem, 165
jejum, 48, 86, 88, 93, 168
Jesus Cristo, 161
jícama, 207, 227-8
João XXIII, papa, 159
joelho, cirurgia de prótese no, 138
joelhos, dores nos, 79, 138

kefir, 116
Keith, Lierre, 22
Keller, Helen, 159, 161

Kennedy, John F., 159
Keys, Ancel, 57
kombuchá, 106
Krishnamurti, Jiddu, 160

*Lactobacillus*, 48, 117, 186
lanches: longe de casa, 179; planejamento dos, 170; saudáveis, 91, 183, 199-201
Lao Tzu, 158
laranja, suco de, 61
laticínios, 103-4, 115
lauril sulfato de amônio (LSA), 164
lauril sulfato de sódio (LSS), 164
legumes, 201, 203, 205, 208, 223-4, 239-40
leguminosas, 103
leptina, 29, 45; frutose e, 61; intolerância à, 45, 55; sono e, 168
limpa-vidros, 166
Lincoln, Abraham, 161
Lindbergh, Anne Morrow, 160
lipopolissacarídeos (LPS), 55, 117
lipoproteína lipase, 31
lista de itens diários e agenda, 174-5

Madre Teresa de Calcutá, 161
Maionese da dieta da mente, 200, 224-6
mama, câncer de, 59
mamão papaia transgênico, 63
Manjar de coco, 205, 207, 252
massa cinzenta, 126
McDonnell, Mike, 149-50, 152-3
McDonnell, Nina, 150
medicamentos, 78, 118-23; bactérias intestinais e, 38; dor, 120, 123, 182; homocisteína e, 83; parar de tomar, 186; que perturbam o sono, 141; suplementos e, 110
medicamentos anti-inflamatórios não esteroides (AINES), 38, 121, 182
meditação, 175
mediterrânea, dieta, 59-60
melatonina, 142
menopausa, 42
Merzenich, Michael, 146
metabolismo: diversidade na dieta e, 195-6; hormônios relacionados ao, 43-5; produção de glicose no, 87-8; queima de gorduras no, 29-30, 32-4

metas, 9, 27-9, 93; como estabelecer novas, 158; exercício, 136
Mexido de brócolis, cogumelos e feta, 207, 238-9
microbioma, 9, 35-6; bactérias probióticas no, 117-8; global, 36; glúten e, 56; mudanças alimentares e, 40-1; *ver também* bactérias intestinais
micro-ondas, 163
mídias sociais, 155
milho, 63
minerais, 66, 184
"mingau", café da manhã, 208, 215
Misto de folhas com nozes torradas, 205, 226-7
mitocôndrias, 33
molhos, 204; azeite de oliva, 204, 246; kefir, 200, 228-9; maionese, 200, 224-6; de soja tamari, 100; tomate picante, 227-8
Monsanto, 163
morango, 206, 209, 214
morte: ingestão de proteínas e, 67-70; principais causas, 19-20
motivação, como promover, 91
Mozaffarian, Dariush, 196
mulheres, grávidas e lactantes, 121, 184-5
Mullen, Seamus, 221
músculos: alongamento, 127, 171; desgaste dos, 88; grupos de, 131; *ver também* treinamento de força
músculos posteriores da coxa, 138
Musse de chocolate, 206, 208, 253-4

naproxeno (Flanax), 121
"Nature Boy" (Cole), 149
natureza, sair para a, 161
neurodegenerativa, doença, 35, 102; *ver também* Alzheimer, doença de; transtornos cerebrais
neurogênese, 145
neuroplasticidade, 146
nicotina, 141
nozes, 205, 226-7
Nrf2, via, 47, 88

obesidade: antibióticos e, 121-2; apneia do sono e, 144; fibras prebióticas e, 39;

ingestão de gordura e, 31; processos inflamatórios e, 55, 57; redes sociais e, 154; resistência à leptina ou à insulina e, 46; ritmo circadiano e, 168; transtornos cerebrais e, 20, 43; *ver também* perda de peso

Oceana, 243

óleos: azeite de oliva, 59, 184, 195, 210; de abacate, 225; de coco, 101-2, 111, 118, 184, 195, 210; ruins para a saúde, 99; saudáveis, 101-2, 210

óleos vegetais, 99

Oliver, Jamie, 19

ombros, elevações de (exercícios), 133

ômega-3, gorduras, 99; DHA, 110, 146, 184; homocisteína e, 83; via Nrf2 e, 47

ômega-6, gorduras, 99

opioides, prescrição, 123

orgânicos, alimentos, 98, 100, 104, 163

ovos, 207, 211-4; aceitar, 52, 70-1; fermentados, 116; fritada de, 205, 211-2

Ovos e folhas verdes ao forno, 207, 212-3

oxidativo, estresse, 47-8

panturrilha, exercícios, 135

parabenos, 164

paracetamol (Tylenol), 120-1

parcerias, 197

Parkinson, doença de, 20, 35, 44

Pasta de curry vermelho, 236-7

patelofemoral, síndrome, 138-9

Patton, George S., 161

PC (policarbonato), 163

PediaSure Enteral (leite em pó), 66

PEG (polietilenoglicol), 164

peitoral, exercícios para, 134

peixe, 102, 242-6; bodião, 209, 245-6; fermentado, 116; mulheres grávidas e, 184; *ver também* salmão

perda de peso, 11; dietas e, 56, 75; goma de acácia para, 115; hora das refeições e, 169; probióticos para, 117; *ver também* obesidade

perfluorooctanoico, ácido (PFOA), 163

Perlmutter, David, 11-2, 14, 20, 149-53; *A dieta da mente*, 9-12, 17, 43, 52, 178, 182; *Amigos da mente*, 9-11, 17, 35, 41; *Power Up Your Brain*, 145; recursos on-line de, 44, 81, 83, 128, 201, 204

Perlmutter, Leize, 150-1

Perlmutter, Reisha, 150-1

Pernil assado de cordeiro, 206, 248-9

pesos (para exercícios), 131, 133-5; *ver também* treinamento de força

picles, 116

pílulas *ver* medicamentos

piriforme, síndrome do, 137-8

pituitária, glândula, 140

plano de refeições de catorze dias, 14, 196, 202-9

plantas domésticas, 165

plásticos, substâncias químicas nos, 163

Platão, 86

policarbonato (PC), 163

polietilenoglicol (PEG), 164

polissonografia, 141

porco, carne de, 250

*Power Up Your Brain* (Perlmutter), 145

prebióticos, 113-5, 118; bactérias intestinais e, 38; goma-arábica, 110, 114-5; no leite materno, 185

Predimed, estudos, 59-60

pressão arterial, 60, 154, 171

*Primal Body, Primal Mind* (Gedgaudas), 31

probióticos, 109-10, 115, 117-8; amamentação e, 185; antibióticos e, 186; equilíbrio hormonal e, 43

produtos de limpeza, 164-6

prostaglandinas, 121

proteína beta-amiloide, 44, 140

proteínas, 52, 67-9; dieta vegana e, 184; fontes saudáveis de, 102; glúten, 54; quantidades necessárias de, 68-9; tamanho das porções de, 95, 198, 202

pseudoefedrina (Allegra D), 141

purê de alho assado, 230-1

quadriceps, músculos, 135, 138

queijo de cabra, 209, 217-8

radicais livres, 44, 47

Reagan, Ronald, 159

receitas, 210; aperitivos, 216-8; café da manhã, 211-5; carnes e aves, 247-52; dados nutricionais, 202; peixes, 242-6; plano de refeições, 204-9; saladas, 223-9; sobremesa, 252-4; sopas, 219-23; vegetais, 230-42 redes sociais, 149-56

refeições: fora de casa, 92, 179, 197; frequência, 86; hora certa das, 168-9; lista de itens e agenda, 174-5; modelo de prato, 95, 198; planejamento, 79, 167, 173; *ver também* dieta; alimentos; receitas

refluxo gástrico, remédios para, 38, 119

região central do corpo, exercícios para, 131, 135

religiões: frases das, 158-61; jejum nas, 86

remada ampla (exercício), 134

Repolho com especiarias à indiana, 234

resistência à insulina, 43, 45, 55, 82

respiração profunda, exercícios, 142, 157

restaurantes, 92, 179, 197

Ricota com frutas vermelhas e amêndoas torradas, 206, 254

*ringspot*, vírus, 63

rosca básica (exercício), 134

rotina diária, 155, 167, 196; *ver também* hábitos

rótulos alimentares: açúcar nos, 60, 62; glúten nos, 98; gordura nos, 99; leitura, 197, 210; "orgânico" nos, 104; para transgênicos, 63-5

Roundup, 65, 83, 163; *ver também* glifosato

Rumi, Jalal Al-Din, 160

saladas, 223-30; caprese, 200; de alcachofra, 216-7; de couve-de-bruxelas, 209, 245-6; de folhas mistas, 203, 205, 226-7; de jícama, 207, 227-8; de legumes em camadas, 205, 208, 223-4; torre de tomate e manjericão, 200, 228, 230; *ver também* molhos

Salmão selvagem assado com ervas, 207, 242-3

Salmão selvagem no vapor com alho-poró e acelga salteados, 206, 244-5

salmão, 242; assado com ervas, 207, 242-3; com alcachofra, 216; com alho-poró e acelga, 206, 244-5; geneticamente modificado, 64

Santayana, George, 161

Schilling, Melissa, 44

Schwartz, Brian S., 122

sementes, 65, 102

sensibilidade não celíaca ao glúten (sncg), 53

Serenidade, Oração da, 160

sete países, estudo de, 57

sistema endócrino, 42; substâncias químicas que prejudicam o, 164

sistema imunológico: bactérias intestinais, 35, 37; reação inflamatória do, 29-30; sono e, 141

*Sleep Revolution, The* (Huffington), 144

smartphones, 156

Smoothie de morango turbinado, 206, 209, 214

sobras, como usar, 203

sobremesas, 205-8, 252-3, 255

soja, derivados de, 63, 99-100

Sonnenburg, Justin, 38

sono, 125, 139-45; comer antes de dormir, 168, 183; dieta e, 144-5; estratégias para o, 141-3; estresse e, 146; exigências para o, 173; horários para o, 27, 141, 174, 176; leptina e, 46; planejamento do, 79, 167, 172-3

sopas, 219-23; cremosa de couve-flor, 209, 220; de almôndegas de cordeiro, 207, 221-3; de cebola, 205, 219-20

*sour cream*, 103, 116

substância branca, 144

substâncias químicas tóxicas, 162-4; *ver também* glifosato

sucos, 61, 195

suplementos, 78, 109-18; em geral, 110-3; lembrete, 118; lista de, 174; melatonina, 142; para a gravidez e a amamentação, 184-5; para a saúde intestinal, 113-6; 118; *ver também* docosa-hexanoico, ácido; prebióticos; probióticos; vitaminas

Sutton, "Slick Willie", 34

Sweeney, Paul, 159

Tagore, Rabindranath, 160

tamanho das porções, 95, 198, 202

tamari, 100

Tartar de salmão selvagem com lâminas de alcachofra, 216-7

tdah (transtorno de déficit de atenção e hiperatividade), 20, 22

tea (trietanolamina), 164

tecido natural, 165

telomerase, 83
telômeros, 48, 83-4, 113
temperos, 102-3, 106-8, 116
tempo de descanso pessoal, 156-9, 161
tentações, como evitar, 92, 197
testosterona, 42, 170
tireoide, hormônios, 42
tirosina, 66
TMF (transplante microbiano fecal), 41
tolueno, 164
Torre de tomate e manjericão com molho de kefir, bacon e endro fresco, 200, 228-9
trans, gorduras, 58, 99
transplante microbiano fecal (TMF), 41
transtorno de déficit de atenção e hiperatividade (TDAH), 20, 22
transtorno do espectro autista, 22, 41
transtornos autoimunes, 21-2, 54
transtornos cerebrais, 20-1; dieta cetogênica e, 33; fatores de risco, 35, 43, 57, 79-81
treinamento de força, 128, 131-4, 136; equipamentos para, 131; exercícios para, 128, 133-4, 136; grupos musculares em, 131; planejamento do, 171
tríceps, extensão do, 133
triclosan e triclocarban, 164

trietanolamina (TEA), 164
triglicerídeos, 56, 102
triptofano, 66
tupinambo: fritada de, 203, 208, 231-3; gratinado de, 208, 233-4
Twain, Mark, 86
Tylenol (paracetamol), 120-1

Unified Microbiome Initiative, 36
urina, exame de glifosato na, 66, 83
USDA (Departamento de Agricultura dos EUA), 10, 104, 164

vegana ou vegetariana, dieta, 69, 184
vegetais, 100-1, 230-42; com amido, 99; como comprar, 104-5; em conserva, 116; lanches com, 200; tamanho das porções de, 95, 198, 202
*Vegetarian Myth, The* (Keith), 22
Vieira da Silva, Marta, 160
Villoldo, Alberto, 145
vinho, 106, 194
vitaminas, 109; B, 83-4, 184; C, 61; D, 66, 83-4, 112-3, 118, 184
vitiligo, 89

"zonas azuis", 124-5
zonulina, 54

TIPOGRAFIA Adriane por Marconi Lima
DIAGRAMAÇÃO Osmane Garcia Filho
PAPEL Pólen Soft, Suzano S.A.
IMPRESSÃO Gráfica Bartira, julho de 2021

A marca FSC® é a garantia de que a madeira utilizada na fabricação do papel deste livro provém de florestas que foram gerenciadas de maneira ambientalmente correta, socialmente justa e economicamente viável, além de outras fontes de origem controlada.